DE RING

Jorge Molist

DE RING

De erfenis van de laatste tempelier

ZILVER POCKETS
UITGEVERIJ SIRENE

Zilver Pockets® worden uitgegeven door Muntinga Pockets,
onderdeel van Uitgeverij Maarten Muntinga bv, Amsterdam

www.zilverpockets.nl

Een gezamenlijke uitgave van Muntinga Pockets, Amsterdam en
Uitgeverij Sirene bv, Amsterdam

www.sirene.nl

Oorspronkelijke titel: *El Anillo. La herencia del último templario*
Oorspronkelijke uitgave: MR Ediciones, S.A., Madrid
© 2004 Jorge Molist
© 2005 Nederlandse vertaling Uitgeverij Sirene bv, Amsterdam
Vertaald door Tineke Hillegers-Zijlmans en
Frieda Kleinjan-van Braam
Omslagontwerp: Studio Eric Wondergem BNO
Foto voorzijde omslag: Corbis
Foto achterzijde omslag: Fernando López
Druk: Bercker, Kevelaer
Uitgave in Zilver Pockets maart 2007
Derde druk januari 2008
Alle rechten voorbehouden

ISBN 978 90 417 6190 3 NUR 332

Voor Jordi, David en Gloria
In herinnering aan Enric Caum

In zijn pauselijke ring zit een duivel verborgen.

Beschuldiging van Filips IV *van Frankrijk, scherprechter van de tempeliers, tegen paus Bonifacius* VIII.

1

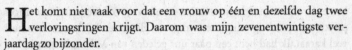

Het komt niet vaak voor dat een vrouw op één en dezelfde dag twee verlovingsringen krijgt. Daarom was mijn zevenentwintigste verjaardag zo bijzonder.

De eerste was een ring met een prachtige diamant, die ik had gekregen van Mike, met wie ik al meer dan een jaar een relatie had. Echt een lot uit de loterij.

Mike is dé ideale man, zo iemand waar ieder jong meisje van droomt of op zijn minst van zou moeten dromen. En als zij het niet doet, dan doet haar moeder het wel, die een dergelijke jongen dolgraag in de familie wil. Als beursagent, of liever gezegd als zoon van de eigenaar van het agentschap, had hij niet alleen een veelbelovende, maar zelfs een gouden toekomst: zijn bedje was gespreid door het fortuin van zijn ouders.

Maar goed, misschien zijn jullie nieuwsgierig naar die andere ring. Nou, die andere was écht een verrassing. Hij vroeg ook iets van me, al was het geen huwelijk. Of misschien toch wel? Eigenlijk ging ik door die tweede ring niet een verbintenis aan met een man, maar met het avontuur. Een onvoorstelbaar avontuur.

Toen ik hem kreeg wist ik dat natuurlijk nog niet, ik had zelfs geen flauw idee wie hem gestuurd kon hebben. En als ze me hadden verteld wie de afzender was, zou ik het niet hebben geloofd. Die tweede verlovingsring was het geschenk van een dode.

Ook had ik er toen nog geen vermoeden van dat die twee ringen, of liever gezegd die twee verbintenissen, gewoon niet samengingen. Ik hield de sieraden dus allebei en probeerde te wennen aan het idee dat er een bruiloft zou komen en dat mijn achternaam in Harding zou veranderen. Intussen bleef ik benieuwd naar die andere vreemde ring. Ik ben van nature al erg nieuwsgierig en geheimen zijn voor mij onweerstaanbaar. Maar ik kan beter eerst vertellen hoe het allemaal in zijn werk ging...

Toen er werd gebeld was het feest al in volle gang. Jennifer, in een lange jurk met laag uitgesneden decolleté, en Susan, in een strakke heupbroek, waren net begonnen te dansen om de mannelijke gasten uit te dagen. De jongens, sommige met al flink wat op, keken hun ogen uit. Wat een brutale meiden! Lekker aan het provoceren! Maar er waren toch een paar durfals die, met hun glas in de hand, mee gingen doen, waarna iedereen wild begon te dansen.

Mij kon het niks schelen dat die twee zo de aandacht trokken van al die kerels; op dat moment was ik al een gebonden vrouw. Mike, mijn knappe vriend, had zijn arm om me heen geslagen en terwijl we lachten en dronken en dronken en lachten, stonden we elkaar te zoenen. Aan mijn vinger prijkte een prachtige ring met een grote, glinsterende diamant van heel veel karaat. Ik had hem een paar uur geleden van Mike gekregen in een duur restaurant vlak bij mijn appartement op Manhattan, waar hij me voor de lunch had uitgenodigd ter ere van mijn verjaardag.

'Vandaag kies ík het toetje,' had hij gezegd. En ik kreeg een geweldige chocoladesoufflé voorgezet. Ik ben gek op chocolade, maar bij de derde of vierde aanval op al dat heerlijks stuitte mijn lepel op iets hards.

'Het leven is als een chocoladesoufflé,' imiteerde Mike de stem van Tom Hanks in de film *Forrest Gump.* 'Je weet nooit wat je tegenkomt.' Misschien wilde hij me waarschuwen uit angst dat ik hem in mijn gulzig enthousiasme zou doorslikken. Want vanuit dat verrukkelijke donkere spul glinsterde mij iets tegemoet. Ik wist eigenlijk al wel dat mijn slimme beursjongen mij binnenkort zou verrassen met een klein fortuin in de vorm van een ring met een diamant, en dat hij me die verpakt in beloftes van eeuwige liefde zou aanbieden. Van liefde en rijkdom, want door hem aan te nemen zou ik mij verzekeren van een toekomst waarin werken van relatieve noodzaak tot pure liefhebberij zou worden.

'Hartelijk gefeliciteerd, Cristina,' zei hij heel ernstig.

'Maar dat is...!' gilde ik en ik begon de chocolade weg te likken, waardoor de ring zichtbaar werd.

'Wil je met me trouwen?' Hij knielde voor me op de grond. Wat romantisch!, dacht ik.

De obers en de gasten aan de tafeltjes om ons heen zaten, opgeschrikt door mijn uitroep, nieuwsgierig naar ons te kijken. Ik werd op slag serieus en genietend van de show keek ik om me heen: het Perzische tapijt, de weelderige kristallen kroonluchter aan het plafond, de zware gordijnen...

Ik deed of ik nadacht. Mike zat me verwachtingsvol aan te kijken.

'Natuurlijk,' riep ik uit toen de spanning ten top was gestegen, en ik sprong overeind om hem te kussen. Hij lachte gelukkig en het elegante publiek beloonde de scène met een enthousiast applaus.

Maar laten we teruggaan naar het feest...

Door de harde muziek en de rumoerige gesprekken hoorde ik de bel niet; John en Linda wel, maar in plaats van mij erbij te roepen besloten ze dat zo'n interessant type door iedereen gezien moest worden. En dus lieten ze hem binnen, een lang iemand in zwarte motorkleding die zijn helm nog op had toen hij binnenkwam.

'Juffrouw Cristina Wilson?' vroeg hij. Ik voelde een rilling. Die man had iets griezeligs en leek de donkere avond van buiten mee te brengen. Iemand had de muziek zacht gezet en we wachtten allemaal in spanning op wat hij te zeggen had.

'Dat ben ik,' zei ik lachend. Natuurlijk! Die jongen zou *Happy birthday* gaan zingen en een striptease ten beste geven om ons zijn gespierde lijf onder het zwarte leer te showen. Een verjaardagsverrassing van een van mijn vriendinnen, misschien Linda of Jennifer. Dat zou leuk zijn. De man wachtte even, deed de rits van zijn jack open en toen ik dacht dat hij het uit zou doen, haalde hij een klein pakje uit zijn binnenzak. Iedereen stond om ons heen, een beetje uitgelaten en met te veel alcohol op.

'Dit is voor u,' zei hij terwijl hij het aan mij gaf. Afwachtend keek ik hem aan. Wanneer zou de show beginnen? Maar in plaats van te gaan zingen deed hij een andere ritssluiting open, en in plaats van zijn leren broek uit te doen, haalde hij papier en een balpen tevoorschijn.

'Mag ik een legitimatiebewijs van u zien?' vroeg hij op effen toon.

Dat leek me overdreven, maar we moesten het spelletje meespelen. Ik pakte dus mijn rijbewijs om het hem te laten zien. Hij schreef de gegevens rustig op het formulier. Het was op en top een acteur, we hingen allemaal aan zijn lippen in afwachting van wat er zou gebeuren. Wanneer zou hij nu eindelijk beginnen?

'Wilt u hier tekenen?'

'Oké, maar begint u nu nog of niet?' vroeg ik toen ik mijn handtekening had gezet; die hele inleiding begon wel wat overdreven te worden.

Hij keek me verbaasd aan en toen hij een kopietje van het document had afgescheurd, gaf hij het aan mij en liep met een 'Tot ziens' naar de deur.

Dat had ik absoluut niet verwacht. Ik keek Mike vragend aan. Maar die haalde zijn schouders op en bleef het antwoord schuldig. Ik keek naar het papier dat hij me gegeven had: de kopie was bijna onleesbaar en ik herkende alleen mijn naam. Er stond geen afzender op.

'Wacht even!' riep ik terwijl ik achter hem aan rende. Maar op de overloop was hij niet meer. Hij was al in de lift verdwenen.

In gedachten liep ik terug naar Mike. Het was dus geen verjaardagsverrassing in de vorm van een acteur, maar realiteit. Het intrigeerde me. Wat een geheimzinnig type. Wie stuurde me dit?

'Maak je het pakje nou nog open of niet?' vroeg Ruth.

'We willen weleens zien wat het is,' hoorde ik iemand zeggen. Opeens drong het tot me door dat ik nog steeds met het pakje in mijn handen stond; ik was het totaal vergeten door die vreemde man in het zwart.

Ik ging op de bank zitten en legde het op het glazen tafeltje voor me om het touwtje dat eromheen zat los te maken. Maar dat lukte niet. Iedereen stond om me heen en wilde weten wat het was en wie het had gestuurd. Iemand reikte me het taartmes aan en toen ik het eindelijk open had, bleek er een donker houten doosje in te zitten met een primitief metalen slotje. Het zag er oud uit.

Erin, op een groen fluwelen kussentje, lag een gouden ring met daarin gevat een doorzichtige granaatrode steen. Hij leek heel oud.

'Een ring!' riep ik uit. En toen ik hem aanpaste zag ik dat hij, hoewel wat losjes, om mijn middelvinger paste. Ik hield hem aan, naast de verlovingsring die aan mijn ringvinger schitterde.

Iedereen wilde hem zien, en dat was weer een excuus om nog eens bewonderende kreten te slaken over de grootte van de diamant van de eerste ring.

'Het is een robijn,' zei Ruth, wijzend op de andere ring. Ze is deskundig op het gebied van antieke sieraden, ze werkt bij Sotheby's en heeft verstand van stenen.

'Wat een vreemde vorm,' zei Mike.

'Dat komt omdat de stenen vroeger, eeuwen geleden, anders geslepen werden dan nu,' antwoordde Ruth. 'Ook het slijpen stond toen nog in de kinderschoenen en de stenen werden rond gepolijst, zoals je ziet bij deze robijn.'

'Wat geheimzinnig!' riep Jennifer, waarna ze haar belangstelling voor het onderwerp verloor. Ze zette de muziek harder en begon weer te dansen. En op het ritme van haar achterste kreeg het feest opnieuw vaart.

Terwijl Mike een paar cocktails klaarmaakte, keek ik naar het doosje en de ring. Mijn oog viel op het ontvangstbewijs dat op het tafeltje lag. Met veel moeite, want de doordruk was heel slecht, zag ik wat erop stond: 'Barcelona, Spanje'.

Mijn hart sprong op.

'Barcelona!' riep ik uit. Wat een herinneringen riep die naam bij me op!

2

De brokstukken van de brandende toren stortten met een huive-ringwekkend geraas neer op de ongelukkigen beneden. De mensen sloegen op de vlucht. Een wolk van stof en as joeg als een zanderige woestijnwind door de straten en liet overal een witachtig waas achter.

Ik draaide me om in bed. Mijn hemel, wat was ik bang! Opnieuw kwam de herinnering bij me boven aan die rampzalige ochtend toen de hoogste to-rens vielen...

Er is niets aan de hand, zei ik bij mezelf, dat is maanden geleden ge-beurd; ik lig in bed. Rustig, rustig. Na mijn verjaardagsfeest was Mike bij me blijven slapen en ik voelde zijn behaaglijke warmte naast me; rustig ademhalend, tevreden, ontspannen. Ik streelde zijn brede, sterke rug. Toen ik mijn armen om hem heen sloeg, voelde ik me weer rustig worden. We lagen naakt onder de lakens; na een hartstochtelijke vrijpartij had hij me nog eens verzekerd hoeveel hij van me hield en allerlei lieve dingen tegen me gezegd tot hij als een blok in slaap viel. En ook ik, doodmoe door die overweldigende dag, was in een zoete slaap verzonken totdat ik die angst-dromen kreeg.

Ik keek op de wekker. Het was zondagochtend halfvijf; ik kon nog een hele tijd slapen.

Ik sloot mijn ogen, weer rustig, maar opnieuw zag ik de tragische beel-den van de instorting, de puinhopen, de paniek van de mensen.

Maar nu was het een andere droom, die zich niet in New York afspeelde. Het waren niet de instortende Twin Towers. Het waren andere beelden en geluiden die op me afkwamen en die ik niet kon tegenhouden.

De mensen schreeuwden. Door het instorten van de torens was er een bres in de muur geslagen waar mannen met zwaarden, lansen en kruisbogen, elkaar aanvurend en beschermd door ijzeren helmen, maliënkolders en schilden, door een wolk van stof naartoe renden. Ze werden opgeslokt door de groezelige mist en het helse tumult, en keerden niet meer terug. Even later braakte de nevel een horde brullende strijders uit. Het waren muzelmannen die dreigend zwaaiden met bebloede kromzwaarden. Zelfs met een riemzwaard was ik nog niet in staat om te vechten; ik voelde hoe mijn krachten afnamen doordat er bloed uit mijn wonden liep. Ik kon niet met wapens zwaaien, zelfs mijn arm niet optillen, en zette alles op alles om een veilig heenkomen te vinden. Ik keek naar mijn hand en daar, in die droom, zag ik de ring met de dieprode robijn.

Vrouwen, kinderen en oude mensen renden zeulend met hun spullen naar de zee, sommige met rijdieren, andere met geiten en schapen. De kleintjes huilden angstig en tranen vormden beekjes op hun door het stof vuil geworden snoetjes. De grotere kinderen liepen achter hun moeders aan, die de kleinsten bij de hand namen of in hun armen droegen. Toen de aanvallers de vluchtelingen met messen te lijf gingen, brak er paniek uit. De rumoerige menigte gilde en schreeuwde; mensen lieten hun bezittingen achter, sommige zelfs hun kinderen; het enige wat ze wilden was ontsnappen, al wisten ze niet waarheen. Het was verschrikkelijk. Ik had diep medelijden met hen, maar was niet in staat om hen te helpen. Wat moest er van die kinderen zonder moeder worden? Misschien zouden ze het er als slaaf levend vanaf kunnen brengen. De met metaal verstevigde houten poorten werden langzaam dichtgedaan. Daarachter was het veilig, maar de strijders hielden met hun zwaard de mensenmassa in bedwang; slechts een enkeling mocht erdoor. De menigte die buiten was samengedromd begon luidkeels te roepen. Er werd geduwd, gehuild, gesmeekt, gevloekt. De wachters schreeuwden dat ze opzij moesten gaan, dat ze weg moesten gaan bij de poort. En toen de opeengehoopte meute de doorgang wilde forceren, begonnen de poortwachters op de omstanders in te steken. De arme stakkers, ze brulden van angst en pijn. Er ontstond een open plek en ik zag dat de ingang bijna gesloten was. Ik verloor veel bloed en was bang om daar, tussen die wanhopige mensenmassa, te sterven. Struikelend vloog ik op de zwaarden van de soldaten af. Ik moest die poort door!

Met een ruk ging ik rechtop in bed zitten. Ik snakte naar adem en had tranen in mijn ogen. Wat was ik bang! Zelfs nog banger dan bij de aanslag op de Twin Towers. De droom was voor mij nog echter dan wat er op 11 september was gebeurd. Ik geloof niet dat je dat kunt begrijpen, want zelfs nu begrijp ík het nog niet eens helemaal.

Maar het laatste beeld stond nog op mijn netvlies gebrand. Op de borst van de in het wit geklede man, die de huurmoordenaars aan de poort bevelen gaf, schitterde hetzelfde rode kruis dat op de muur van het fort was geschilderd. En dat kruis... deed me aan iets denken.

Ik draaide me om naar Mike, op zoek naar bescherming. Hij lag nu tevreden op zijn buik te slapen, met een engelengezicht en een flauwe glimlach op zijn gezicht. Zijn dromen waren vast heel anders dan die van mij. Ik kon zijn rust niet delen; die ring, niet die van hem, maar die andere, maakte me onrustig.

Zo-even zei ik dat ik naakt was. Maar niet helemaal. Aan mijn hand fonkelden de twee ringen. Ik was niet gewend om met juwelen aan te slapen, maar toen ik naar bed ging had ik de ring met de zuivere diamant, het symbool van onze liefde, van mijn belofte, van mijn nieuwe leven, niet afgedaan. Ik weet nog steeds niet waarom ik ook met die andere ring in bed lag. Die van mijn nachtmerrie. Was ik zo geobsedeerd door die ring dat hij daarom opdook in mijn angstdroom?

Omdat ik hem beter wilde bekijken, deed ik hem af en hield hem onder mijn bedlampje.

Toen gebeurde er iets waardoor ik met stomheid geslagen was: door het licht dat op de steen viel, die slechts aan de zijkanten in het goud vervat zat, werd een rood kruis zichtbaar op de witte lakens.

Het was prachtig, maar verontrustend. Het was een heel bijzonder kruis, met vier gelijke armen, die aan het eind zich verbreedden tot twee kleine bogen die wijd uitliepen.

Op dat moment drong tot me door dat het hetzelfde kruis was als in mijn droom, dat op het uniform van de soldaten die de menigte te lijf gingen, dat op de muur van het fort was geschilderd.

Ik sloot mijn ogen en ademde diep. Dat kon niet, droomde ik nog? Ik wilde tot rust komen en toen ik het licht uitdeed zocht ik troost bij Mike, die in zijn slaap op zijn rug was gaan liggen. Ik sloeg mijn armen om hem heen. Dat maakte me wat rustiger, maar mijn gedachten raasden nog steeds door mijn hoofd.

Alles aan die ring was mysterieus: de manier waarop ik hem had gekregen, de verschijning ervan in mijn droom, het visioen van dat kruis voordat ik het in de ring ontdekte.

Ik zei bij mezelf dat er een verhaal achter dat juweel zat, het was niet zomaar een cadeau, er zat iets achter verborgen...

En ik werd nog nieuwsgieriger. En bang. Iets zei me dat ik dat onverwachte cadeau niet toevallig had gekregen, dat het een uitdaging was van het lot, een tweede bestaan, parallel aan het leven dat ik nu leefde, dat zich via een geheime deur plotseling openbaarde en zich voor mij ontvouwde en me verleidde een donkere drempel over te gaan...

Ik voelde dat die ring het comfortabele, voorspelbare leventje vol gelukkige beloftes waaraan ik zojuist was begonnen, in de war zou schoppen. Het was een dreiging, een verleiding. Die verdomde ring! Ik had hem nog maar net en hij hield me nu al uit mijn slaap in een nacht waarin je gelukkig behoorde te zijn.

Opnieuw deed ik het licht aan en ik keek aandachtig naar de rode steen, die van binnenuit vreemd glansde en aan de binnenkant uit een ster met zes punten bestond. Als ik de ring draaide, leek de ster onder het oppervlak mee te draaien, zodat hij voortdurend recht in mijn ogen schitterde.

Ik bekeek hem aan de binnenkant. De onderkant was gevat in ivoor, maar de robijn was zo geslepen dat de achterkant transparant was, waardoor als het licht door het kristal scheen dat mooie bloedrode kruis aan de achterzijde zichtbaar werd.

Goed, het was me gelukt te begrijpen hoe dat kleine wonder fysiek tot stand kwam, maar mijn nieuwsgierigheid om te weten waar de ring vandaan kwam en waarom hij aan mij was gegeven werd met de minuut groter.

Plotseling deed ik mijn ogen wagenwijd open toen me iets te binnen schoot.

De ring, die met de rode robijn! Die had ik eerder gezien!

Er kwam een beeld bij me op uit mijn vroegste jeugd; ik wist het zeker, absoluut zeker. Ik zag hem ergens in mijn verleden, hij fonkelde aan iemands hand.

Onrustig draaide ik mij om in bed. Ik was nog klein en woonde in Barcelona. Geen twijfel aan. Maar wie droeg hem?

Ik dacht diep na, maar ik kon het me niet herinneren.

Ik wist nu dat hij er in mijn kindertijd al was, en misschien al veel langer geleden, maar wie had hem mij gestuurd? En waarom? Als je iemand iets voor zijn verjaardag wilt geven, doe je niet zo geheimzinnig, dan zeg je toch wie je bent?

En toen kwam weer die vraag bij me op die ik altijd al aan mijn moeder had willen stellen, maar die ik nooit daadwerkelijk had gesteld. Het was een klein raadsel, een van die wonderlijke dingen die je wegwuift maar die ergens in je hoofd zachtjes blijven rondzoemen en die op een dag plotseling een groot mysterie worden.

Waarom zijn we nooit meer teruggegaan naar de stad waar ik ben geboren?

Toen ik dertien jaar was, verhuisden we van Barcelona naar New York. Mijn vader komt uit Michigan en was jarenlang directeur geweest van de Spaanse vestiging van een Amerikaans bedrijf. Mijn moeder is enig kind van een gegoede familie uit de oude Catalaanse bourgeoisie. Mijn grootouders van moeders kant waren gestorven en in Spanje had ik alleen verre familieleden met wie we geen contact hadden.

Mijn ouders hadden elkaar in Barcelona leren kennen, het was liefde op het eerste gezicht, ze trouwden en de verteller van dit verhaal werd geboren.

Mijn vader heeft zijn hele leven Engels met me gepraat en ik noem hem *daddy* in plaats van papa, en hij noemt María del Mar, mijn moeder, Mary. Welnu, ik had Mary altijd al willen vragen waarom we nooit terug waren gegaan, maar ze ontweek die vraag. Ik vroeg me af of daar een reden voor was.

Daddy voelde zich best aardig thuis in de groep vrienden van mijn moeder – hij is gek op Spanje – maar het schijnt dat zij het was die erop aandrong om in de Verenigde Staten te gaan wonen. En zij wist hem ten slotte over te halen; mijn vader kreeg een baan op het hoofdkantoor van de onderneming op Long Island in New York. En we verhuisden. María del Mar liet haar familie, haar vrienden en haar stad achter en had het naar haar zin in Amerika. We zijn nooit meer teruggegaan, zelfs niet voor een bezoekje. Vreemd hè?

Ik draaide me om in bed en keek weer op de wekker. Het was al zondagochtend, en we zouden die dag naar mijn ouders op Long Island gaan om mijn verjaardag te vieren. Ik had het gevoel dat mijn moeder en ik heel wat te bepraten hadden. Als zij daartoe bereid was natuurlijk.

3

❖

'Ik houd van je,' zei Mike, zijn blik even van de weg afgewend; hij streelde mijn knie.

'En ik van jou, liefje,' antwoordde ik en kuste zijn hand.

Het was een prachtige winterochtend en Mike zat gelukkig en ontspannen achter het stuur. De oude boomstammen met hun kale takken schitterden in de zon, die in de verte achter het groen van de sparren verdween. De dag was bedrieglijk helder en stralend. Binnen in de auto, lekker warm door de zon, zou je niet zeggen dat het buiten zo koud was.

'We moeten een datum afspreken,' zei hij.

'Een datum?'

'Ja, toch? Voor de bruiloft.' Hij keek me verbaasd aan omdat ik zo verstrooid reageerde.

'Ja, natuurlijk,' zei ik nadenkend. Waar zat ik met mijn gedachten? Na verloven, komt trouwen, peinsde ik. En als Mike me een ring heeft gegeven, is dat omdat hij met me wil trouwen. En als ik ja heb gezegd, is dat omdat ik dat ook wil.

Eigenlijk zou ik verlangend moeten uitzien naar de bruiloft. Maar in plaats van enthousiast bezig te zijn met plannen maken voor mijn witte jurk en de jurken van mijn bruidsmeisjes, de taart en alles wat erbij kwam kijken om die dag tot de gelukkigste van mijn leven te maken, had Mike me betrapt terwijl ik aan de ring dacht. En dan nog niet eens zíjn ring. Ik was in gedachten bij die andere, die met het geheim. Maar dat kon ik hem natuurlijk niet vertellen.

'En als we een datum hebben,' voegde ik eraan toe, 'moeten we de uitnodigingen regelen, de trouwkleding, het feestmaal, de kerk...'

'Ja natuurlijk.'

'Leuk!' zei ik met een glimlach. Jeetje, dacht ik bij mezelf, hoe heb ik het ooit zover kunnen laten komen? En in mijn herinnering ging ik terug naar de dag waarop het allemaal begon...

's Morgens kwamen de vogels des doods, bemand met doden. Met hun vuur vernietigden ze in één klap duizenden levens, ze haalden de symbolen van onze stad neer en dompelden ons in rouw.

Ze kwamen uit de donkere nacht, van duizend jaar her, vanwaar een bloedige halvemaan alleen licht brengt aan de verlichten. En nu is er de pijn. Die vernietigde torens doen ons pijn, zoals gezegd wordt van geamputeerde ledematen die er niet meer zijn. Daarvan rest alleen de pijn.

Het enorme gat is er nog steeds, en de geesten ervan lijken 's nachts rond te waren in de stad. Het is niet meer dezelfde stad en zal dat ook nooit meer worden. Maar het is nog steeds New York. Dat zal het altijd blijven.

Die dag en nacht veranderden mijn stad, veranderden de wereld, veranderden mijzelf, veranderden mijn hele leven.

Die ochtend moest ik naar de rechtbank voor een ingewikkelde echtscheidingszaak. Ik liep langs de receptie van het advocatenkantoor waar ik werk, in de buurt van Rockefeller Center, toen iets opeens mijn aandacht trok. Een inslag, een schokje zonder betekenis. Vreemd, dacht ik, in New York heb je geen aardbevingen. Ik groette en ging naar boven, naar mijn kamer, waar ik net arriveerde toen het bericht ons bereikte. Een secretaresse gilde in de telefoon: '*Oh, my God!*' en er vormde zich een koor van ongelovigen om het meisje heen. Om het met eigen ogen te zien haastte iedereen zich naar het terras, vanwaar je net als bij zo veel andere gebouwen in New York de torens kunt zien. We zagen de rook en schreeuwden van afgrijzen toen we het tweede vliegtuig zagen aankomen en het vuur dat erop volgde. Vanaf dat moment was het een gekkenhuis. Het was geen ongeluk, het was een aanslag; er kon van alles gebeuren. Eerst waren de berichten verward, later tragisch, en vervolgens kwam het bevel het gebouw te verlaten en het advies weg te gaan van Manhattan. Het geronk van rondvliegende helikopters in de lucht wedijverde met het angstaanjagend geloei van sirenes van brandweer, ambulances en politie, die als mieren in een dooreengewoelde mierenhoop rondraasden door de straten in een zinloze poging iets te doen.

Ik aarzelde of ik het eiland lopend via een van de bruggen zou verlaten en een taxi zou nemen naar het huis van mijn ouders op Long Island, maar uiteindelijk besloot ik naar mijn appartement te gaan en op de televisie te volgen wat er gebeurde.

Ik voelde me overdonderd door de gebeurtenissen en begon te bellen met kennissen die een kantoor hadden in de Twin Towers of daar in buurt. Iedereen was in gesprek, het was moeilijk om mensen aan de lijn te krijgen en toen ik Mike eindelijk te pakken kreeg, was hij totaal uit het lood geslagen. Hij werkte op Wall Street en had een heleboel vrienden in de Torens. Hij was al de hele morgen bezig om ze te pakken te krijgen, zonder veel succes. We kenden elkaar al een paar maanden en ik wist dat hij me graag mocht. Heel graag. Ik vond hem leuk om te zien en sympathiek, maar daar hield het mee op. De ingrediënten waren aanwezig, maar wat ontbrak was de katalysator die de vonk deed overspringen. Hij wilde graag dat we meer en intiemer met elkaar om zouden gaan, maar ik hield de boot af. Soms gingen we met ons tweetjes uit, soms in een groep; de zaterdag ervoor waren we juist met een stel vrienden bij elkaar geweest.

'Jij bent te veeleisend als het om mannen gaat,' zei mijn moeder altijd. 'Je hebt op iedereen wat aan te merken. Je houdt het met niemand langer dan een half jaar uit...' en dat ging zo maar door. Er zijn momenten waarop ze me zo irriteert...

'Kalm aan, Mary,' kwam mijn vader dan tussenbeide. 'Je zult zien dat ze binnenkort met een geweldige man komt aanzetten. Je hoeft ook niet tevreden te zijn met de eerste de beste. Vind je niet?' en hij gaf me een samenzweerderig knipoogje.

Mijn moeder had gelijk. Ik houd van mannengezelschap, maar ik krijg het benauwd als ze aan mijn vrijheid komen en steeds meer willen. Dan heb ik er geen zin meer in en kap ik ermee. Gelukkig maak ik heel makkelijk nieuwe vrienden en mijn daddy had ook gelijk: ik was de ware Jakob nog niet tegengekomen. Of als het wel zo was, dan wist ik het zelf nog niet.

Ik weet niet wat me die ochtend bezielde toen ik met Mike praatte – misschien voelde ik bij hem diezelfde angst die ík had – maar ik vroeg of hij naar mij toe wilde komen, dan konden we de restjes uit de koelkast samen opeten. Ik wist dat hij zou komen en dat was ook zo.

Ik wachtte op hem met een geopende fles Californische Cabernet Sauvignon en toen hij binnenkwam vertelde hij dat zijn beste vriend op een van de verdiepingen van de tweede toren werkte, boven de inslag. Hij was verdwenen. We gingen met de wijn voor de televisie zitten, geschokt en verbijsterd. Die dag herhaalde de televisie, zonder reclameblokken tussendoor, steeds weer de beelden van de aanslagen, soms met nieuwe opnamen – mensen die uit het raam sprongen, het gespannen wachten, de instorting... de tragedie. We waren als gehypnotiseerd, we konden onze ogen niet van het scherm af houden. Plotseling begon hij, bij het zien van al die vreselijke schrikbeelden, te huilen. Dat luchtte me op, omdat het precies was wat ik al de hele tijd had willen doen, en ik huilde mee. Huilend streelde ik zijn wang en huilend streelde hij mij. En kuste me. Zachtjes, alleen op de lippen. En ik kuste hem in zijn hals. Het was de eerste keer dat we zover gingen. Ik weet niet of je zoiets wel eens hebt gedaan midden in een huilbui. Het is een beetje onsmakelijk met al dat snot en die tranen. Maar ik wilde alles vergeten in zijn armen. Soms verwijt ik me dat ik het misschien ook met iemand anders had gedaan. Het was niets voor mij, maar die middag had ik de bescherming van een man nodig, niet zoals soms wanneer ik het leuk vond om te doen alsof, maar echt. Of misschien had ik het ook van een vrouw geaccepteerd. Ik weet het niet. En hij had ook troost nodig. Hij ging met zijn hand in mijn bloes en streelde mijn blote borst. Ik maakte de knoopjes van zijn hemd los en mijn hand gleed eerst over zijn borst en toen verder naar beneden. Toen ik daarna als vanzelf besloot verder te gaan, was er geen houden meer aan. Nog emotioneel van al dat huilen begon hij mijn borsten te kussen. We bedreven de liefde op de bank, wanhopig, als junkies op zoek naar drugs om de wereld te vergeten. We hadden geen tijd om de televisie uit te zetten, het venster op de wereld die we niet wilden zien, en zo vermengde ons erotisch gefluister zich met de uitroepen van verbijstering en schrik van de mensen. Op het moment dat hij klaarkwam, werd ik ergens door afgeleid en toen ik mijn ogen opendeed zag ik hoe een paar ongelukkigen naar beneden stortten. Onmiddellijk sloot ik mijn ogen weer en begon ik te bidden.

Even later deden we het opnieuw, in de slaapkamer, zonder de verschrikking van die apocalyptische beelden en geluiden. En plotseling voelde ik na al die hartstocht tederheid in me opkomen. Ik was hem dankbaar. Toen hij naar mijn appartement toe kwam was ik zo bedrukt dat mijn hart er pijn van deed, en nu, na die liefdesuitbarsting, kon ik weer gewoon ademhalen, zelfs meer dan dat.

Die vreselijke nacht, waarin ik voelde dat New York bevolkt was met duizenden zielen zonder lichaam, die verward, doodsbang en wanhopig hun weg zochten in de duisternis, terwijl de levenden huilden om hun afwezigheid, die nacht lagen wij in elkaars armen in mijn bed, getroost door het geluk dat je voelt als je niet meer ongelukkig bent. De schaduwen en de angst waren buitengesloten, ver weg. En ik dacht dat het altijd zo zou blijven.

Toen Mike de volgende ochtend vertrok, wilde hij voor 's middags weer een afspraak maken en ik zei ja. En daarna begonnen we serieus met elkaar op te trekken. En natuurlijk veranderde mijn leven van vrije vrouw zonder man voor altijd. Vanaf die dag.

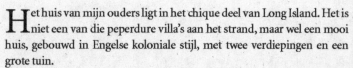

4

❖

Het huis van mijn ouders ligt in het chique deel van Long Island. Het is niet een van die peperdure villa's aan het strand, maar wel een mooi huis, gebouwd in Engelse koloniale stijl, met twee verdiepingen en een grote tuin.

Toen ik het grindpad op reed dat naar de voordeur loopt, toeterde ik; ik vind het altijd heel leuk als ze naar buiten komen om me te begroeten.

De eerste die verscheen was daddy, met de zondagskrant in zijn hand. 'Gefeliciteerd, Cristina!' zei hij, terwijl hij me omhelsde en we elkaar op beide wangen kusten.

Op dat moment kwam ook mama eraan: ze had haar schort nog voor, dus hadden we haar blijkbaar verrast bij het bereiden van een van haar specialiteiten.

Mijn moeder is een echte keukenprinses; ze heeft er een tijdje van gedroomd om een soort mediterraan restaurant te beginnen op Manhattan. Het koken laat ze bijna nooit aan het dienstmeisje over, en als ik het goed rook was ze op dat moment bezig met een van die overheerlijke visschotels die ze *suquet de L'Empordà* noemt.

Na een uitbundige begroeting gingen mijn vader en Mike naar de zitkamer, en ik ging met haar mee naar de keuken. Ik moet toegeven dat dat niet mijn favoriete plek is, maar ik wilde haar het nieuws alvast vertellen.

'Een verlovingsring!' riep ze uit toen ze hem zag en ze maakte een sprongetje van blijdschap. 'Wat leuk! Gefeliciteerd!' En ze vloog me nogmaals om de hals. Ze vond het prachtig; voor haar was Mike dé ideale jongen. 'Het is geweldig! Wanneer is de bruiloft?'

'Dat weten we nog niet, mama,' antwoordde ik, een beetje geïrriteerd omdat ze meteen zo doordraafde. 'Ik heb echt geen haast; we hebben een heerlijk leven zo, met mijn werk gaat het goed en voorlopig wil ik nog geen kinderen. Misschien dat we eerst gaan samenwonen.'

'Maar je moet alvast een datum prikken voor de bruiloft!'

'Ik kijk nog wel.' Ik kreeg het benauwd van dat betuttelende gedoe. Het was fijn om een knappe, rijke vriend te hebben. Misschien was het nog beter om hem als verloofde te hebben en vast en zeker net zo fijn als echtgenoot, maar ik had geen haast. Ik wilde dat ze haar aandacht van de bruiloft naar de ring verplaatste, voordat die verdomde trouwerij reden tot discussie werd.

'Maar heb je wel gezien hoe groot en mooi de diamant is?' en ik hield de ring onder haar neus. Ze begint een beetje kippig te worden. Toen keek ze aandachtig naar mijn hand en plotseling merkte ik dat ze geschokt reageerde. Het leek zelfs of ze een stap achteruit wilde doen. Geschrokken keek ze beurtelings naar mij en mijn hand.

'Wat is er met je?'

'Niets,' loog ze.

'Het lijkt of je ergens van schrikt.'

'Ik vind het een prachtige ring die je van Mike hebt gekregen. Hij is schitterend,' zei ze even later. 'Maar die andere, die heb ik je nooit eerder zien dragen.'

'Die heb ik op een heel geheimzinnige manier gekregen,' antwoordde ik enthousiast. 'Maar dat verhaal bewaar ik voor bij het eten, straks als papa er ook bij is.'

En na een korte pauze voegde ik eraan toe: 'Maar het voelt een beetje vreemd, alsof ik hem al eerder heb gezien. Komt hij jou niet bekend voor?'

'Ik kan hem me niet herinneren,' antwoordde ze peinzend. Maar ik kende haar goed genoeg om te weten dat ze niet de waarheid sprak; ze verborg iets voor me. En ik werd nog veel nieuwsgieriger.

Tijdens de lunch waren mijn ouders gelukkig zo tactvol om niet te laten merken hoe blij ze waren met die peperdure diamant, hoewel mijn moeder – soms kan ik haar niet uitstaan – er graag een week lijnen voor over had gehad om meteen te weten te komen hoe duur hij was geweest. De kwestie van die andere ring kwam pas aan de orde toen het gesprek dat om de eerste draaide niet meer wilde vlotten na alle bewonderende kreten hoe mooi hij was.

Op dat moment begon Mike te vertellen over die mysterieuze motorrijder die op mijn verjaardagsfeest plotseling op de stoep stond. Mike doet niets liever dan overdrijven en zijn verhalen kleuren. De koerier was inmiddels twee meter lang en de New Yorkse versie van Darth Vader, de schurk uit *Star Wars* die helemaal in het zwart is gehuld, tot en met zijn helm.

Het enige wat er nog aan ontbrak waren de muziek en de speciale effecten: tatáá! Zoals kinderen doen. Maar mijn ouwelui luisterden toch wel aandachtig naar hem. Hij kan prima vertellen, maar ik denk dat mijn ouders zijn verhalen bij voorbaat al prachtig vonden omdat hun dochter ging trouwen met de knappe eigenaar van een heleboel gouden, zilveren en diamanten creditcards, allemaal klaar voor gebruik.

'Wat geheimzinnig!' riep mijn vader uit, die erg enthousiast op het verhaal reageerde. 'Maar kan het geen grap zijn?'

'Nou, als het een grap is, dan is het een duur grapje,' zei ik. 'Een van mijn vriendinnen werkt bij Sotheby's en is expert in juwelen. Ze zegt dat het een antieke ring is en dat de steen een robijn van uitzonderlijke kwaliteit is; alleen is hij geslepen zoals dat honderden jaren geleden werd gedaan.'

'Geef eens hier,' zei daddy geïnteresseerd. En terwijl ik de ring afdeed, keek ik naar mijn moeder. Ze had geen woord gezegd en deed of ze van niets wist, maar je kon zien dat ze een bekend verhaal hoorde.

'Het rare is dat op het ontvangstbewijs staat dat het pakje uit Barcelona komt.'

'Barcelona!' riep mijn vader uit en hij keek naar het juweel dat hij al in zijn handen had. 'Ik heb deze ring eerder gezien. Natuurlijk, dat moet in Barcelona zijn geweest.'

'Die indruk heb ik ook!' antwoordde ik. 'Heb jij dat ook niet, mama?'

Toen ze antwoordde zag ik dat ze een beetje van haar stuk gebracht was. 'Het zou kunnen, maar ik herinner het me niet.' Ik was ervan overtuigd dat ze precies wist waar die ring vandaan kwam. Waarom ontkende ze het dan? Waarom hield ze zich van den domme?

'Ik weet het al!' zei mijn vader opgetogen. Hij hield ons in spanning. 'Natuurlijk herinner ik het me nog!'

'Zeg het dan,' zei ik ongeduldig.

'Deze ring was van Enric. Weet je nog, Mary?' zei hij.

'Misschien, het is mogelijk,' antwoordde mijn moeder onzeker. Zie je wel, dacht ik. Ze wist meer, ze verborg iets.

'Welke Enric?' wilde ik weten. 'Mijn peetoom?'

'Ja.'

'Maar die is toch dood?'

'Ja, die is dood,' bevestigde mijn vader.

'Maar hoe kan een dode nou een cadeau sturen?' kwam Mike, die steeds meer geïnteresseerd raakte, tussenbeide. Hij was vast al een fantastisch verhaal aan het verzinnen om aan zijn vrienden op Wall Street te vertellen.

'Enric was mijn peetoom. Ik heb het een paar keer over hem gehad. Je weet wel,' legde ik hem uit, 'als katholieken worden gedoopt nemen twee familieleden of vrienden, een man en een vrouw, de verantwoordelijkheid op zich om voor je te zorgen als je ouders wegvallen. Hij was mijn peetoom en is omgekomen bij een auto-ongeluk in het jaar dat wij hierheen kwamen. Dat is toch zo, hè?' drong ik bij mijn ouders aan.

Mijn moeder wisselde een vreemde blik met daddy voordat ze antwoord gaf.

'Ja, hij is gestorven,' zei ze. En toen wist ik zeker dat ze iets verborgen hielden over Enric. Zo is María del Mar wel; soms mag een leugentje om bestwil van haar. Omdat ze zo fatsoenlijk is, omdat ze bang is om mensen te kwetsen, of misschien omdat ze er een hekel aan heeft om de directe confrontatie aan te gaan en ervoor wegvlucht.

'Jullie verbergen iets voor me,' zei ik. En plotseling kwam ik op een idee. Natuurlijk! Hij was niet dood, hij moest nog ergens in leven zijn; daarom stuurde hij mij zijn ring.

Daddy keek naar mijn moeder en zei: 'Cristina is nu volwassen.' Hij keek ernstig. 'We moeten het haar vertellen,' en zij knikte instemmend.

Ik keek naar hen beiden en daarna naar Mike, die misschien nog wel meer zijn adem inhield dan ik. Gefascineerd luisterde ik.

'Enric is dood.' Mijn vader keek me verdrietig aan. 'Daarover bestaat geen twijfel, maar hij is niet bij een verkeersongeluk omgekomen, zoals we je hebben verteld. Hij heeft met een schot door de mond zelfmoord gepleegd.'

Ik was met stomheid geslagen. Als klein meisje in Barcelona had ik Enric aanbeden. Hij was meer dan een oom voor me. Van de grote mensen was hij, na mijn ouders, degene van wie ik het meest hield. Als ik aan hem terugdenk, zie ik altijd een vriendelijke, hartelijke man, die spelletjes voor ons bedacht om het ons alledrie naar de zin te maken: zijn zoon Oriol, zijn neefje Luis en mij.

Ik zie hem nog schateren en ons aan het lachen maken... Ik had nooit gedacht dat iemand die zo boordevol energie zat, zo positief was, zich van het leven zou kunnen beroven.

'Nee, dat kan niet,' zei ik.

'Toch is het echt zo,' verzekerde mijn moeder me. Nu keek ze me rustig aan; ze had die schuldige blik verloren die ik in de keuken had gezien. 'We wisten dat het verhaal van die zelfmoord je heel veel pijn zou doen. Daarom hebben we het niet aan je verteld.'

'Maar ik kan het niet geloven!' mompelde ik. Mijn moeder had gelijk. Zelfs na zo veel jaren deed het nog pijn, maakte het me intens verdrietig. 'Van hem geloof ik het niet. Niet van hem.'

Stil en verslagen keken ze me aan, zonder antwoord te geven.

'Maar waarom?' Ik spreidde mijn armen in een dramatisch gebaar om mijn verdriet kracht bij te zetten. 'Waarom heeft hij zelfmoord gepleegd?'

'Dat weten we niet,' antwoordde mijn moeder. 'Zijn familie heeft het me niet verteld. En ik heb er niet naar durven vragen. Laten we maar aan hem blijven denken zoals hij was: vitaal, ontwikkeld, positief. En ik bid nog steeds voor hem.' Ze zag er treurig uit, heel treurig: ze had van hem gehouden als van een broer.

Ik legde het bestek op mijn bord. Ik had geen honger meer, ik had zelfs geen zin meer in mijn verjaardagstaart. Die konden we beter tot vanmiddag bewaren.

Het was stil geworden aan tafel en iedereen zat mij aan te kijken.

'Maar de ring dan?' vroeg ik even later. 'Wat is er met de ring aan de hand? Hoe kan iemand me die nu sturen als verjaardagscadeau?'

Ik keek naar mijn moeder, ik keek naar daddy, maar ze keken allebei alsof ze het echt niet wisten. Toen mijn blik op Mike bleef rusten, haalde hij verbouwereerd zijn schouders op alsof de vraag aan hem was gesteld.

'Vanaf het moment dat Enric dat juweel in zijn bezit had, droeg hij het altijd, hij deed het nooit af,' zei mijn moeder ten slotte.

Aha! stond ik op het punt uit te roepen, nu weet je het dus opeens weer, hè? Ik had graag tegen haar gezegd: Je deed maar alsof je nergens van wist toen je hem in de keuken zag, maar ik hield mijn mond en bewaarde de verwijten en vragen tot we alleen waren. Ze zou nu toch alles ontkennen.

'Ik heb hem nooit met een andere ring om gezien,' ging ze verder. 'Ik weet zeker dat hij hem tot zijn dood heeft gedragen.'

Toen ik dat hoorde, kon ik een huivering niet onderdrukken.

'En is het niet de gewoonte mensen met hun dierbaarste juwelen om te begraven?' Ik had al spijt van de vraag voordat ik hem had gesteld.

Ze zaten alledrie naar me te kijken en niemand zei iets. Ik bestudeerde het zegel. De ster schitterde door de vuurrode doorschijnende steen. Bloedrood, dacht ik.

Ik was in de war. Wat een toestand! Ik probeerde mijn gedachten te ordenen en de geheimen die om dat juweel heen hingen op een rijtje te zetten. Waarom had iemand die zo van het leven hield als mijn peetoom zelfmoord gepleegd? Wie had mij zijn lievelingsjuweel gestuurd? Waarom aan mij en met welk doel? Waarom was Enric tegen de gewoonte in niet begraven met zijn ring om? Even kwam het bij me op dat dat misschien wel was gebeurd; maar bij die gedachte alleen al gingen mijn haren recht overeind staan.

De anderen zaten nog steeds naar me te kijken.

'Mooi raadsel, vinden jullie niet?' zei ik met een schamper lachje; ik probeerde positief te zijn. En ik keek ze een voor een aan. Mike glimlachte breed naar me; hij vond het fantastisch. Daddy maakte een grimas alsof hij wilde zeggen: wat een onzin allemaal, maar mijn moeder was heel ernstig. Je zag dat ze bang was.

Nog steeds houdt ze iets verborgen, zei ik bij mezelf, en ze maakt zich zorgen om die ring. Erger nog: hij jaagt haar angst aan.

We stonden op het punt te vertrekken toen ik plotseling aan het paneel dacht.

'Heb je wel eens op dat paneel gelet?' vroeg ik aan Mike.

Het had altijd aan de muur in de eetkamer gehangen, maar het was Mike bij zijn vorige bezoeken nooit opgevallen en ik had hem er nooit attent op gemaakt. We gingen ernaar kijken. Het is een klein paneel van zo'n dertig centimeter breed en veertig centimeter hoog, a tempera geschilderd op een houten ondergrond die vermolmd is aan de kanten die niet met gips zijn bedekt en die ongetwijfeld bewerkt zijn om verder bederf tegen te gaan. Toch is de afbeelding die erop geschilderd is nog bijna helemaal intact.

Het stelt een zittende Madonna voor met het kind op haar schoot. De Maagd draagt een witte kap en kijkt recht voor zich uit; ze zit in een majestueuze, statische houding; ze heeft een lief maar ernstig gezicht en een mooie vergulde aureool om haar hoofd met een bloemenpatroon. Het kind, dat misschien al twee jaar oud is, leunt op de rechterknie van de moeder een beetje achterover en zegent de kijker. Om het hoofd van het kind straalt een kleinere aureool, minder bewerkt, en er zweeft een flauwe glimlach om zijn mond.

mater

Dat contrast tussen het statische karakter van haar en de beweeglijkheid van het kind heeft me altijd verbaasd. Toen wist ik dat nog niet, maar het kind, de nieuwe generatie, heeft de gedrevenheid van de gotiek, terwijl de rust van de moeder nog iets romaans heeft.

Aan de bovenkant van het paneel zitten twee spitsbogen boven elkaar Opnieuw is het de gotiek die, hoewel in de schilderkunst later dan in de architectuur, op het paneel overheerst. En aan de onderkant, aan de voeten van de Maagd, staat het Latijnse opschrift *Mater* te lezen.

Oh ja, ik heb daarnet gezegd dat het schilderij daar altijd heeft gehangen, maar dat is niet helemaal waar. We zijn in januari 1988 naar New York gegaan. We woonden eerst een paar maanden in een hotel totdat mijn ouders dit huis vonden, dus verhuisden we – na wat verbouwingen – in maart. Welnu, precies op tweede paasdag kreeg ik het paneel van mijn peetoom cadeau. En omdat we nog geen schilderijen hadden, hingen we het meteen op. Ik verwachtte een cadeau van Enric. Dat was hij nog nooit vergeten, maar nu ik zo ver weg zat kon hij natuurlijk niet de paastraktatie sturen die ik altijd van hem kreeg. In plaats daarvan kreeg ik dat prachtige schilderij.

Een paar weken later kwam het bericht van zijn dood.

Ik vond het vreselijk en begreep best dat mijn ouders me toen niet wilden vertellen dat hij zelfmoord had gepleegd. Ik aanbad Enric.

'Het is een mooi schilderij,' zei Mike, waardoor ik opschrok. 'Het ziet er heel oud uit.'

'Dat heb ik dus van Enric gekregen, vlak voor hij overleed.'

'Heb je het gezien?' zei hij. 'De Maagd draagt jouw ring.'

'Wat?' zei ik en ik keek naar de linkerhand van de Maagd, waarmee ze de kleine jongen ondersteunde. Inderdaad, om haar middelvinger was een ring geschilderd. Hij had een rode steen. Het was mijn ring!

Een ogenblik dacht ik dat ik flauw zou vallen en tegen de vlakte zou gaan.

Een afschuwelijk voorgevoel trof me bijna lichamelijk. 'Mijn God!' zei ik. 'Alles houdt met elkaar verband. De ring, het paneel en de zelfmoord van Enric.'

5

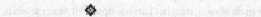

Ondanks de schrik van mijn plotselinge ontdekking dat die ring, die ik zo vaak op het schilderij had gezien, van Enric was en mijn vaste overtuiging dat er een geheimzinnig verhaal achter dat juweel schuilging, bleef ik hem dragen naast die met de diamant, allebei aan dezelfde hand. Ik raakte op een vreemde manier gehecht aan die ringen; de ene vertegenwoordigde de liefde van mijn vriend, de andere die van mijn peetoom, van wie ik zoveel had gehouden. Ik deed ze nooit af, zelfs niet als ik naar bed ging.

Maar dat geheim zorgde ervoor dat ik op de meest onverwachte momenten werd bestormd met vragen terwijl ik aan andere dingen hoorde te denken. Zelfs tijdens mijn werk, soms midden in een rechtszitting, voelde ik iets vreemds aan mijn hand; ik keek dan naar die steen met zijn verborgen bloedrode glans en dacht bij mezelf: waarom is die ring naar mij gestuurd? Waarom heeft Enric zichzelf doodgeschoten?

Oh ja! Ik ben nog vergeten te vertellen dat ik advocaat ben. Misschien heb je dat al geraden. Ik ben goed in mijn werk en hoop nog veel beter te worden. Als advocaat moet je je helemaal vastbijten in een zaak, want kleine details kunnen heel belangrijk zijn; je moet voortdurend bedacht zijn op alle mogelijke wendingen die weer gevolgen kunnen hebben en je moet weten welke precedenten er zijn in vorige vonnissen... Dat soort dingen. Dus het is niet echt handig in mijn beroep als je in beslag genomen wordt door sinistere raadsels.

Maar ik kon geen weerstand bieden aan het mysterie van de ring.

Ik dacht erover iemand te bellen in Barcelona. De vrienden uit mijn jeugd – Oriol, Luis – maar ik was hen uit het oog verloren sinds we uit Spanje waren vertrokken. Toen ik mijn moeder vroeg of ze me kon helpen contact op te nemen met de neven Bonaplata en Casajoana, zei ze dat ze haar oude agenda was kwijtgeraakt en dat ze sinds de dood van Enric die families nooit meer had gesproken en niet wist hoe ze hen zou moeten bereiken.

Ik geloofde haar niet. Maar ik wilde haar ook niet onder druk zetten. Iets zei me dat ze het verleden wilde laten rusten, het wilde vergeten.

Dus probeerde ik op een dag bij de Spaanse telefoondienst achter hun nummer te komen. Maar in heel Barcelona konden ze Oriol en Luis niet vinden.

Ik besloot rustig af te wachten. Als iemand de moeite had genomen mijn verblijfplaats op te sporen om mij die ring te sturen, zou die persoon zich vanzelf wel bekend maken. Dat hoopte ik tenminste.

Ik herinner me die zomer, de storm en de kus.

Ik herinner me de woeste zee en het zand, de rotsen, de regen, de wind en de kus.

Ik herinner me de laatste zomer, een storm en de eerste kus.

En ik herinner me hem, zijn warmte, zijn schroom, de golven, de zoute smaak van zijn mond.

Ik herinner me hem tijdens mijn laatste zomer in Spanje en hem bij mijn eerste hartstochtelijke kus.

Ik ben mijn eerste liefde nooit vergeten, ik ben niets vergeten; ik herinner me hem, Oriol.

De ontdekking van mijn ring op het paneel bracht me van mijn stuk. Totaal. Ik was verbaasd over mezelf hoeveel ik moest denken aan Oriol, mijn eerste liefde, aan mijn kinderjaren, aan Enric en aan die raadselachtige dingen waar ik vroeger nooit echt bij stil had gestaan.

Waarom waren we nooit teruggegaan naar Spanje? Deze en nog veel meer vragen kwamen voortdurend bij me op, ze overspoelden me. Ik had heel vaak aan mijn moeder gevraagd om erheen te gaan, maar dan zei ze altijd: 'Het komt nu niet goed uit, volgend jaar misschien; daddy en ik hebben besloten om dit jaar met vakantie naar Hawaï te gaan; naar Mexico of naar de riffen in Florida.' Maar nooit naar Spanje.

Zelfs niet voor de Olympische Spelen van 1992. Ik was toen bijna zeventien. Maar volgens mijn moeder konden we mijn verjaardag daar niet vieren omdat onze vrienden in Barcelona nog in de rouw waren vanwege de dood van Enric bij een 'verkeersongeluk'. Hij was toen al drie jaar dood. De familie van Sharon ging naar de Spelen en ze hadden gevraagd of ik mee-ging. Mijn moeder verschoot van kleur toen ik het haar vertelde. En ze be-gon allerlei uitvluchten te verzinnen. Ten slotte wist ze me ervan af te brengen. Mijn rijbewijs en een auto. Ik accepteerde de deal.

Maar ik begreep dat zij een web had geweven om te voorkomen dat ik de oceaan zou oversteken en naar Barcelona zou terugkeren. María del Mar is, net als ik, enig kind. Mijn opa stierf in de jaren zeventig en mijn oma toen ik tien jaar was. Er was dus geen aanleiding om terug te gaan.

'Je moet je goed aanpassen aan het land van je vader,' zei ze altijd. 'Dat is nu jouw land en er is geen plaats voor nostalgie.'

En ik begon mijn herinneringen in te kapselen en op te slaan in die bi-bliotheek van verlangens die onze geest soms is. Herinneringen aan mijn oma, mijn vrienden, mijn peetoom Enric en ook een heleboel herinnerin-gen aan hem, aan mijn eerste liefde, Oriol. Het waren volmaakte beelden van een mooie wereld, waarover ik bij het naar bed gaan fantaseerde tot ik door slaap werd overmand.

En in mijn dromen zag ik hém bij de zee, de zon, de storm, het zout, zijn mond en de kus.

Daddy heeft altijd het Amerikaans uit Michigan tegen me gesproken. Op school in Barcelona hadden we vier talen en ik was altijd de beste van de klas in Engels. Bovendien heb ik het idee dat vrouwen meestal beter zijn in talen dan mannen. Kortom, ik had geen problemen.

En het is waar, ik voelde me snel thuis in New York. Ik werd steeds po-pulairder op school en had veel vrienden. Uiteindelijk raakte het verlan-gen om terug te gaan naar Barcelona steeds meer op de achtergrond en ac-cepteerde ik het spelletje van mijn moeder om het aldoor uit te stellen. Ik maakte de universiteit af, werd advocaat en begon aan een – in elk geval tot nu toe – schitterende carrière. Waarom zou ik dat ontkennen?

Intussen had ik vrienden, vriendjes, minnaars... En mijn Catalaanse herinneringen bleven waar ze waren: op de boekenplanken van mijn ver-langens, vanwaar ze af en toe, maar steeds minder vaak, ontsnapten.

Ik zei al dat ik ervan overtuigd was dat mijn moeder niet terug wilde naar Barcelona en ook niet wilde dat ik erheen ging. Het was een raadsel voor mij en juist daarom ook de tweede reden waarom ik toch wilde gaan. De eerste was Oriol. Niet omdat ik nog steeds verliefd op hem was; ik had een heleboel vriendjes gehad en ik hield nu van Mike. Maar door de fijne herinnering aan die momenten met mijn eerste liefde wilde ik hem graag terugzien. Hoe zou hij er nu uitzien?

Alles was onder controle, veilig opgeborgen op de schappen van mijn geheugen, maar die bloedrode ring bederf alles; hij gooide mijn hele boekenkast van herinneringen omver. En nu kwamen die beelden weer bij me boven van de storm aan het einde van de zomer en de half verlegen, half ironische glimlach van Oriol, en daarna die van de vriendinnen van mijn school daar op de helling van de Collcerola.

Die ring was een roep om terug te gaan. Ja, vast en zeker, of mijn moeder het nou leuk vond of niet, mijn volgende vakantie zou ik in Barcelona doorbrengen.

En plotseling werd ik overspoeld door het verlangen om terug te keren. De herinneringen lieten me niet meer los.

Het was een van de laatste middagen in augustus of begin september. Gezinnen begonnen weer terug te gaan naar de stad en het was een aaneenschakeling van afscheidsbezoekjes met woorden als 'tot volgend jaar zomer', en optimisten zeiden: 'We moeten elkaar opzoeken in Barcelona.'

Wij bleven altijd tot het laatst, net op tijd om alles klaar te hebben voor het nieuwe schooljaar. Die laatste dagen hadden een bitterzoete smaak. We hadden het gevoel dat er een einde kwam aan iets fijns, en tegelijkertijd hadden we al heimwee naar iets wat nog niet helemaal voorbij was.

Ons zomerhuis lag, zoals dat van vele van onze vrienden, aan de Costa Brava in een prachtig dorp met een breed strand dat, als een kleine baai, aan beide kanten werd ingesloten door rotsen bedekt met pijnboombossen en kliffen tot in zee. Aan één kant van het strand verhieven zich een paar oude vestingmuren tegen de rots, gemarkeerd door stevige ronde torens, die de vroegere christenburcht moesten beschermen tegen de aanvallen van Saraceense zeerovers, en soms zelfs tegen lokale figuren op rooftocht naar meisjes om ze tot slavinnen te maken.

De steile rotsen waar de vestingwerken op staan zijn moeilijk bereikbaar, maar meer naar het zuiden heb je toegang tot een smalle inham van zand en stenen, waar het ongelooflijk mooi is. De groene pijnbomen, de grijze rotsen, de stralend blauwe zomerlucht en de vele tinten groen, het indigoblauw en het wit van het water zien er daar net zo idyllisch uit als op een ansichtkaart.

Voor ons was dat het paradijs waar we bijna altijd, over de rotsen naar beneden klauterend, heen gingen met Oriol, zijn neefje Luis en de hele troep vriendjes en vriendinnetjes van elke zomer. Met een eenvoudige duikbril, een snorkel en een paar plastic schoenen om je voeten niet te bezeren verkenden we de onderwaterwereld en we deden min of meer onschuldige spelletjes. Ik zeg dat omdat ik eraan moet denken dat wij meisjes die zomer een jaar of twaalf, dertien geweest moeten zijn en de jongens veertien en vijftien. Maar in het uithalen van streken hadden wij vast een groter aandeel dan zij, ook al waren zij ouder.

Die dag waren onze moeders bezig met het winterklaar maken van het huis en het inpakken van de bagage. De vaders waren na hun vakantie allang weer terug in Barcelona en kwamen alleen in het weekend naar het dorp. Die middag was het drukkend warm, plakkerig, een zekere voorbode van wat er ging komen.

We waren tussen de kliffen aan het zwemmen en zaten achter een paar vissen aan toen de zee opeens donker werd; de wind begon steeds harder in de richting van de kust te waaien en de donder overstemde het slaan van de golven tegen de rotsen. Binnen een paar minuten was de hemel bedekt met loodgrijze regenwolken; het water zag er dreigend uit en het begon te plenzen.

'Schiet op, snel,' zei Oriol. Op het strand kon ik het meisje zien dat op ons moest letten; ze schreeuwde dat we allemaal onmiddellijk het water uit moesten komen. Luis en de anderen waren al bijna bij hun handdoeken, die ze snel grepen om ermee naar boven te klimmen naar de muur en dan beschutting te zoeken in het dorp.

'Wacht op mij, laat me niet alleen,' smeekte ik hem. De woeste zee, donker, dreigend met erboven zware wolken in het halfduister. We wisten allemaal waarom je zo snel mogelijk naar het strand moest: een bliksemstraal op zee doodt elk levend wezen op meters afstand.

Ik was wel bang, maar iets zei me ook dat ik me niet al te erg moest haasten, dus ik deed of ik bijna niet vooruitkwam. Oriol schoot me te hulp en toen we op het strand kwamen, barstte er zo'n typisch mediterraan zomeronweer los, zo hevig dat het leek of alle wolken zich tegelijk ontlaadden. Er was niemand meer op het strand; de anderen hadden alle kleren meegenomen en in de verwarring hadden ze ons misschien nog niet eens gemist. Gordijnen van regen maakten dat we niet meer dan een paar meter zicht hadden.

Ik zei dat ik uitgeput was en liep naar een kleine beschutte plek tussen de rotsen. Het regende er in en door de weinige ruimte zaten we dicht tegen elkaar aan.

Ik had een oogje op hem. Ik had Oriol altijd leuk gevonden, en de laatste weken was ik echt gek op hem geworden.

Maar hij nam niet het initiatief. Misschien omdat hij verlegen was; misschien vond hij me te jong, of vond hij me niet leuk... Of misschien was hij ook nog niet rijp genoeg en kwam een dergelijk idee niet eens bij hem op.

'Ik heb het koud,' mompelde ik, terwijl ik me tegen hem aan drukte.

Hij sloeg zijn armen om me heen en ik merkte dat hij beefde. Door onze badkleding en onze natte huid heen voelden we de warmte van elkaars lichaam en het afgesloten zijn van de wereld om ons heen; ondanks de storm en de hevige golfslag had ik alleen oog voor hem. Ik draaide me om zodat ik zijn ogen kon zien, zo blauw ondanks het grijze licht, en toen gebeurde het. Zijn mond, de kus, de omhelzing. De smaak van zijn speeksel en van het zout. De zee brulde, donderslagen spleten de hemel open, de regen plensde neer... Ik huiver nog als ik eraan denk.

Ik herinner me mijn laatste zomer in Spanje, de storm en de kus.

Ik herinner me de woeste zee, het zand, de rotsen, de regen, de wind en mijn eerste liefdeskus.

Ik ben niets vergeten, ik herinner me hem.

6

❧

En zo gingen er enkele weken voorbij. Er fonkelden twee ringen aan mijn vingers, mijn relatie met Mike was perfect, maar... er was dat sieraad met die bloedrode steen. Ik vond het leuk om het rode kruis op een stuk papier, op een servet of op mijn lakens te projecteren. Alles aan die ring was raadselachtig. Hoe en waarom was hij bij mij terechtgekomen? Ik had het gevoel dat er een groter mysterie achter schuilging; dat het niet alleen maar een simpel verjaardagscadeau was.

Elke keer dat ik er naar keek zag ik beelden uit mijn jeugd: mijn peetoom Enric, zijn zoon Oriol, Luis. Ik herinner me allerlei kleine dingen, anekdotes van vroeger, waar ik al zo lang niet meer aan had gedacht.

Ik wist dat er iets ging gebeuren, dat de ring alleen nog maar het begin was, maar ik begon ongeduldig te worden; ik barstte van nieuwsgierigheid. En wat ik verwachtte dat er zou gebeuren, wat er eigenlijk moest gebeuren, gebeurde ook.

'Juffrouw Wilson?' Het was de portier van het gebouw, die mij via de binnenlijn belde. 'Vanmorgen is er een aangetekende brief voor u bezorgd.'

Het eerste wat bij me opkwam was dat het misschien iets te maken had met een van de zaken waar ik op kantoor mee bezig was, maar toen bedacht ik dat dat onzin was. Ik had nog nooit een dagvaarding op mijn privé-adres gekregen. Daarna zei ik tegen mezelf dat ik voorzichtig moest zijn. Wie weet was het een van die brieven met miltvuur of een ander dodelijk middel die de laatste tijd in de mode waren.

'Zal ik hem even boven brengen?' ging de man verder. 'Hij komt uit Spanje.'

'Ja, graag.' En plotseling klopte mijn hart in mijn keel. Daar was het! Dat moest het zijn!

Toen ik de brief aannam, trilden mijn handen. Met een geforceerde glimlach zei ik meneer Lee niet al te vriendelijk gedag, terwijl hij net nog even een paar belangrijke dingen met me wilde bespreken over de vereniging van huiseigenaren.

De afzender was een notaris in Barcelona; ik gunde me niet de tijd om een briefopener te zoeken, zelfs geen mes, maar scheurde de envelop met mijn handen open.

Mevrouw doña Cristina Wilson.

Geachte mevrouw,

Hierbij heb ik de eer u op te roepen voor de lezing van het tweede testament van don Enric Bonaplata waarvan u een van de begunstigden bent. De lezing zal op zaterdag 1 juni 2002 om twaalf uur plaatsvinden op ons kantoor. Wij verzoeken u uw aanwezigheid te bevestigen.

Eronder stond de handtekening van de notaris.

Deze keer ga ik wél, zei ik tegen mezelf. Deze keer zal mijn moeder me niet tegenhouden. Ik ga naar Barcelona.

Maar ze wilde me wel tegenhouden. Ik vertelde het haar de zondag daarop, toen ik samen met Mike bij haar aan tafel zat. Ze gaf geen enkel commentaar, maar mijn vader toonde zich verbaasd. Testament? Dat moest toch kort na de dood van Enric zijn gelezen en afgehandeld. Had hij twee testamenten achtergelaten? En moest dat tweede dertien jaar na het eerste worden geopend? Wat vreemd!

Ja, dat was vreemd, heel vreemd zelfs. En mysterieus.

'Ga niet, Cristina!' zei mijn moeder toen we even alleen waren. 'Ik vertrouw die zaak niet. Er is iets vreemds aan de hand, iets onheilspellends.'

'Maar waarom? Waarom moet ik niet gaan?'

'Ik weet het niet, Cristina. Dat van dat tweede testament is belachelijk. Iemand wil je om een of andere reden naar Barcelona lokken.'

'Mama, je verbergt iets voor me. Wat is het? Waar komt die angst vandaan? Waarom zijn we nooit teruggegaan, zelfs niet voor een bezoek? Waarom heb je geen contact gehouden met je vrienden?'

'Ik weet het niet. Het is een gevoel, een indruk. Maar er staat je daar iets naars te wachten.'

'Maar ik ben toch van plan om te gaan.'

'Ga niet, Cristina.' Er klonk angst in haar stem. 'Vergeet die hele geschiedenis. Ga niet. Alsjeblieft.'

De golven beukten op het kiezelstrand aan de voet van een steil klif.
Bij het terugtrekken van de ruwe zee sleurden ze stenen mee die een
zwaar schurend geluid maakten dat me deed denken aan het gerammel
van botten. De lucht was bezaaid met kleine wolkjes, die elkaar
achternazaten in een spel van zon en schaduw boven een afgrijselijk
tafereel.

Op het strand stond een groep mannen, vastgeketend aan elkaar en
aan een balk; ze droegen lompen, stonken en jammerden luidkeels, ze
smeekten en scholden, vochten om te ontsnappen of zich te verweren.
Anderen wachtten biddend op hun beurt, zagen er gelaten uit en reageerden niet toen hun kameraden de keel werd afgesneden. Er zat
bloed op de stenen, op de grond, op de lichamen die er lagen, op hen die
wanhopig vochten... en op mijn handen. De opkomende zon verlichtte
de dodelijke glans van het zwaard maar verborg zich toen achter de
wolken, waarvan de schaduw zich uitstrekte over de aarde en de lijken. Mijn hart kromp ineen door intens verdriet, maar ik was zelf een
van de in grijze tunieken geklede mannen, die snel en deskundig de haren van de hoofden van de slachtoffers naar achteren trokken om met
een of twee houwen hun halsslagader door te snijden. Nog meer bloed.
Een van mijn jongste kameraden huilde terwijl hij zijn dodelijke werk
deed. En op de donkere tuniek van een van de beulen was aan de rechterkant het rode kruis, dat van mijn ring, geborduurd. De man met de
ring stond bevelen te geven aan de soldaten en ik zag alles door zijn
ogen, die ook vol tranen stonden. De kreten verstomden en het gewoel
hield op. Voordat de laatste gevangene stierf, viel hij op zijn knieën op
de stenen om te bidden, en ik voelde zijn pijn. Ik begon ontroostbaar
te huilen en kon niet meer ophouden. Het was een ondraaglijk lijden
dat diep vanuit mijn binnenste opwelde en waar geen einde aan kwam.

Ik zat in bed met mijn ogen vol tranen. De pijn was zo echt dat ik de slaap
niet meer kon vatten. Gelukkig moest ik er over een halfuur uit, en die tijd
gebruikte ik om na te denken over waar die nachtmerrie vandaan kwam.
Wat was er met me aan de hand? Had het postume cadeau van Enric me zo

aangegrepen? Zou die ring iets te maken hebben met die eerdere pijnlijke beelden? Toen ik naar mijn hand met de beide ringen keek, leek het alsof de bloedrode robijn veel meer schitterde dan de liefdesdiamant. Eindelijk ging de wekker en ik voelde me enorm opgelucht. Ik wilde maar wat graag terug naar de realiteit.

7

Ik had er pas erg in toen de ochtendzitting bij de rechtbank was afgelopen. Mijn mobieltje en sleutels waren uit mijn tas verdwenen, hoewel mijn portemonnee en alle andere dingen er nog gewoon in zaten.

Hoe kon ik die verloren hebben? Ik snapte er niets van. Opeens viel me iets in. 'Ray,' zei ik tegen een collega, 'kan ik even je mobieltje lenen?'

'Meneer Lee, ik ben mijn sleutels kwijt. Ik bel u voor alle zekerheid. Zodat u op de hoogte bent.'

Het bleef stil aan de andere kant van de lijn en ik schrok. 'Wat is er aan de hand?' wilde ik weten.

'Maar u had uw sleutels toch aan die monteurs gegeven die er vanmorgen waren?'

'Welke monteurs?' schreeuwde ik. 'Waar hebt u het over?'

'Nou, die uw audio-installatie moesten repareren.'

'Wat zegt u?'

'Maar juffrouw Wilson,' reageerde hij verbaasd, 'weet u dat dan niet meer? U hebt me toch vanmorgen gebeld om te zeggen dat er een paar technici langs zouden komen om uw audio-installatie te repareren? U zei dat u hun de sleutels had gegeven.'

Ik kreeg een onaangenaam gevoel. 'Ik heb u helemaal niet gebeld.'

'U zei dat ik u op uw mobiele nummer kon bellen als er iets was. Dat heb ik gedaan toen die mannen weg waren, en u zei: "Prima, goed gedaan en bedankt."'

'Maar dat was ik niet. Mijn telefoon is ook gestolen.'

Bob Lee had reservesleutels van mijn appartement. Hij ging mee om te kijken. Ze hadden de kasten doorgesnuffeld en achter spiegels en schilderijen gekeken op zoek naar een kluis. Maar er was niets weg. Waar hadden ze naar gezocht?

Ik ging nog eens na wat er was gebeurd. Dit was zorgvuldig gepland. Iemand moest geweten hebben dat ik de hele ochtend bij de rechtbank zou zijn. Iemand die me had horen praten bij de een of andere zaak, een vrouw die mijn stem kon nadoen en die wist dat ik in de zittingszaal mijn mobieltje uitzette. Iemand die mijn telefoon en sleutels uit mijn tas had gestolen toen ik mijn pleidooi voorbereidde of mijn papieren nakeek, en dat blijkbaar had gedaan zonder dat ik het merkte.

Daarna werd Bob misleid door een vrouw die mijn stem nabootste. En ze hield de telefoon bij zich voor het geval de conciërge zou bellen. Twee mannen gingen naar mijn appartement. Eentje had een koffer bij zich, wat Bob vreemd vond, maar omdat hij dacht dat ik ervan wist, had hij er niets van gezegd.

En dat hele ingewikkelde gedoe om dan niets mee te nemen? Het waren echte beroeps en ze hadden niet gevonden waarnaar ze op zoek waren. Ze waren weer met een lege koffer vertrokken. Maar wat zochten ze?

Mijn leven veranderde. En wel heel snel. Eerst dat geheimzinnige gedoe met die andere ring. Toen kwam ik erachter dat het dezelfde ring was die mijn peetoom altijd droeg, van wie ik bijna net zoveel had gehouden als van mijn ouders. Daarna bleek dat hij niet overleden was door een verkeersongeluk, zoals ik altijd had gedacht, maar dat hij zelfmoord had gepleegd. Vervolgens had Mike diezelfde ring ontdekt aan de hand van de Maagd op een oud schilderij dat Enric mij vlak voor zijn dood had gestuurd. Kort daarna kreeg ik een uitnodiging voor dat vreemde testament van hem, dertien jaar na zijn dood. En nu was iemand, niet zomaar een dief, mijn appartement binnengedrongen om mijn huis overhoop te halen.

Ik ben niet bang uitgevallen, soms zelfs een beetje overmoedig, misschien doordat ik het geluk heb gehad dat me nooit iets ergs is overkomen. Maar die inbraak in mijn woning, dat iemand zo gemakkelijk kon binnendringen of naast me kon gaan staan en me beroven zonder dat ik er erg in had, kon mijn stem nadoen... dat was toch wel eng allemaal. Ik werd ongerust en kreeg een gevoel van angst dat ik daarvóór niet kende. Plotseling werd ik me ervan bewust hoe kwetsbaar ik was. Datzelfde gevoel van gevaar dat ik na de tragedie op 11 september had gehad, herhaalde zich nu, maar dan op persoonlijk vlak.

Toch was ik tegelijkertijd geïntrigeerd, opgewonden. Jezus, wat een geheimzinnig gedoe allemaal. Zou de inbraak in mijn appartement iets te maken hebben met de ring?

Ik kwam net uit de douche toen de telefoon overging. Wie belde er nou om halfacht 's morgens?

'Cristina?'

'Ja, met Cristina,' antwoordde ik automatisch in het Spaans. Mijn naam was niet op zijn Engels uitgesproken. Verbazend hoe je die talen zo snel kunt herkennen. Soms heb je niet eens in de gaten of je in de ene of in de andere taal praat. Maar die stem aan de andere kant van de oceaan kon ik onmiddellijk thuisbrengen.

'Hallo, Cristina! Je spreekt met Luis. Luis Casajoana. Weet je nog?'

Luis? Plotseling zag ik als op een video uit het verleden een vrolijk, mollig jongetje met bolle wangen voor me. Luis was de neef van Oriol.

'Luis! Natuurlijk weet ik het.' Wat leuk om zijn stem te horen. 'Wat een verrassing! Hoe ben je aan mijn telefoonnummer gekomen? Ben je soms hier in New York?'

'Nee. Ik bel vanuit Barcelona. Sorry dat ik je zo vroeg bel, maar ik wilde er zeker van zijn dat je nog niet naar je werk was.'

'Nou, dat is gelukt.'

'De notaris heeft je een uitnodiging gestuurd voor het voorlezen van het testament van mijn oom. Klopt dat?'

'Ja zeker, wat een verrassing!'

'Je komt toch, hè?'

'Ja.'

'Fantastisch! Wanneer kom je precies? Dan kom ik je van het vliegveld halen.'

'Dankjewel. Aardig van je, Luis. Hoe gaat het met Oriol? Ik heb veel aan jullie gedacht sinds ik die brief van de notaris heb gekregen.'

'Met Oriol gaat het goed. Dat vertel ik nog wel. Maar ik bel om je ergens voor te waarschuwen.'

'Wat is er dan?' Ik reageerde gealarmeerd.

'Heeft Enric jou voor zijn dood een schilderij gestuurd?'

'Ja.'

'Nou, berg dat dan maar goed op. Er zijn mensen die er veel belangstelling voor hebben.'

'Wat vertel je me nou?'

'Ja. Dat schilderij heeft te maken met het testament van Enric.'

'Hoe dan?'

'Op dit ogenblik is het alleen nog maar een gerucht, een verdenking van mij. Ik weet het pas zeker als het testament wordt voorgelezen.'

'Maar kun je me niet wat meer vertellen?' Ik stierf van nieuwsgierigheid.

'Volgens mij staat er iets op dat schilderij dat te maken heeft met de erfenis. Dat is alles.'

Ik zweeg. Dus ze zochten het schilderij! Degenen die mijn appartement waren binnengedrongen zochten het schilderij. En ze wisten dat het in een koffer paste. Mijn God! Wat zat hier allemaal achter?

'Maar dat heb je me al gezegd. Waar gaat het om?'

'Ik weet het niet. Kom maar naar Barcelona, dan hoop ik dat we op 1 juni alles te weten komen.'

Ik zei niets, was in gedachten verzonken. En Luis begon weer te praten.

'Weet je? Er gaan geruchten.'

'Maar ik weet niets. Hoe zou ik iets moeten weten als ik hier zit?'

'Er wordt gezegd dat mijn oom voor zijn dood op zoek was naar een schat.' Luis liet zijn stem dalen tot een gefluister.

'Een schat?' Ik kon het niet geloven. Het zou wel weer een van die verhalen zijn die Enric graag verzon en waar wij kinderen zo dol op waren. Hij organiseerde voor ons drieën zelfs speurtochten, met sporen, plattegronden en kaarten, in zijn enorme huis aan de Avenida Tibidabo. Ik herinnerde me mijn peetoom als een buitengewoon creatief iemand. Een schat! Net iets voor Enric.

'Ja, een schat. Maar deze is echt,' verzekerde Luis me zo zachtjes dat ik het bijna niet verstond. 'Maar we weten niets met zekerheid tot begin juni.'

Ik dacht even na. Als ik mijn gesprekspartner vergeleek met het beeld dat ik in mijn herinnering van hem had, verwierp ik het verhaal van de schat onmiddellijk. Hij was altijd al een goedgelovig kind geweest met veel fantasie. Maar ik realiseerde me dat hij nog geen antwoord had gegeven op een vraag die me intrigeerde.

'Luis?'

'Ja.' Zijn stem klonk weer normaal.

'Hoe ben je aan mijn telefoonnummer gekomen?'

'Heel gemakkelijk,' antwoordde hij lachend. 'De notaris is een vriend van de familie. En jouw adres is geen vertrouwelijke informatie waarover hij niet mag praten. Hij heeft een detective ingehuurd om je op te sporen in New York. Het leek wel of de hele familie Wilson van de aardbodem verdwenen was...'

Meteen na het gesprek met Luis belde ik mijn vader.

'Daddy, sorry dat ik je zo vroeg wakker maak... Ja, het schilderijtje dat Enric me heeft gestuurd als paascadeau. Ja, dat van de gotische Maagd. Alsjeblieft, wat je vandaag als eerste moet doen... Wil je het naar de bank brengen? ... Laat het opbergen in een safe...'

Een schat, peinsde ik, terwijl ik nog onaangekleed bij de telefoon zat. Jezus! Een echte schat! Maar toen schudde ik ongelovig mijn hoofd. Kom op! We zijn intussen volwassen... hoewel Luis niet zoveel veranderd lijkt. Altijd al kinderlijk geweest voor zijn leeftijd. Wat een onzin allemaal!

Sportief gekleed – hij stoer, ik koket – waren we al meer dan een halfuur aan het rennen en ik had moeite het tempo van Mike bij te houden. Of ik moest hem vragen wat langzamer te gaan lopen, óf ik raakte achterop. Maar ik was niet van plan hem om een adempauze te vragen; hij vindt het fijn om te laten zien dat hij de sterkste is, gedraagt zich als een haantje en kijkt erg zelfvoldaan. Ik houd me dan graag voor dat ik slimmer ben, dus ga ik hem soms een beetje plagen vanwege dat vertoon van stoerheid en dus zet ik een scène op touw. Die van de verzwikte enkel is altijd raak. Ik trek een gezicht alsof ik pijn heb, en dan is hij bezorgd. Ik klaag en vervolgens draait hij zich om met iets van 'alweer', maar komt hij toch behulpzaam aanrennen om me te helpen. Hij masseert me, ondersteunt me en soms kan ik mijn lachen bijna niet inhouden als hij aan mijn enkel voelt.

'Doet dit pijn?' vraagt hij bezorgd, niet wetend dat het een ingehouden lachje is.

'Ja, een beetje,' antwoord ik met een stem waardoor je medelijden met me zou krijgen. 'Maar het helpt enorm. Je bent ongelooflijk.'

Als ik echt moet lachen zeg ik dat hij me kietelt. Soms, als ik weer op adem ben gekomen, ga ik er als een gek vandoor en dan is hij degene die achterblijft.

Dan verwijt hij me lachend dat ik hem voor de gek houd, maar ik ontken gewoon alles. Andere keren doe ik of ik hartkloppingen krijg of ademnood heb.

Die dag was het anders.

'Mike,' riep ik, toen hij zonder er erg in te hebben al een paar meter voor me uit liep. Hij excuseert zich altijd door te zeggen dat hij een hoger tempo heeft dan ik.

'Wat is er?' antwoordde hij zonder te stoppen.

'Ik ga.'

'Wat bedoel je met dat je gaat.' Nu stond hij wel stil om op me te wachten; hij keek op zijn horloge. 'Maar we zijn nog maar iets meer dan een halfuur onderweg. Ik begin nu pas warm te lopen.'

'Ik ga naar Barcelona.'

'Ja goed, Barcelona,' zei hij. 'We gaan naar Barcelona, maar pas over een paar weken.'

'Nee, Mike. Ik ga naar Barcelona. Alleen.'

'Alleen?' reageerde hij op zijn teentjes getrapt. 'Maar we hadden toch afgesproken dat ik met je mee zou gaan?'

'Ik ben van gedachten veranderd.'

'Maar we hebben al alles voorbereid om samen te gaan! Het zou een beetje een voorproefje zijn op onze huwelijksreis. En nu zeg je zomaar dat je er alleen heen wilt?'

'Luister,' smeekte ik. 'Je moet me begrijpen. Ik heb er lang over nagedacht. Het is een reis naar mijn verleden, een zoektocht naar mezelf. Ik moet dat alleen doen. Er zijn dingen die ik niet begrijp: de houding van mijn moeder, hoe mijn peetoom is gestorven. Ik kan voor heel onaangename verrassingen komen te staan.'

'Reden te meer om met je mee te gaan.'

'Nee, absoluut niet, ik moet dat alleen doen,' viel ik hem resoluut in de rede. 'Ik heb er uitgebreid over nagedacht en mijn besluit staat vast.' Maar even daarna zei ik weer verzoenend: 'Luister, Mike, ik vind het ook heerlijk om samen te zijn en ik wil niets liever dan bij jou zijn, maar voor een duurzame liefde moeten we daarnaast allebei de persoonlijke momenten van de ander kunnen respecteren. Soms moet je alleen kunnen zijn.'

'Ik begrijp je niet.' Hij fronste zijn wenkbrauwen en ging met zijn armen over elkaar als een blok voor me staan. 'Het lukt je maar niet om een trouwdatum vast te stellen, en nu kom je plotseling met het plan dat je alleen naar Barcelona wilt, hoewel we iets anders hadden afgesproken. Wat is er met je aan de hand? Hou je nog wel van me?'

'Natuurlijk wel, liefje. Doe niet zo gek.' Ik sloeg mijn armen om zijn hals en kuste hem. Hij was gespannen en vond het niet leuk wat ik had gezegd. 'Natuurlijk hou ik van je, ik ben stapel op je! Maar deze reis moet ik alleen maken...' en ik kuste hem weer. Ik merkte dat hij zich weer wat ontspande. 'Ik beloof je dat we op de dag dat ik terugkom een datum afspreken voor ons trouwen. Goed?'

Hij bromde wat korzelig, en ik wist dat ik weer eens een keertje mijn zin had gekregen.

8

'Wat heeft u een prachtige ring!' Dat was het eerste wat de man die naast me zat in de eerste klasse tegen me zei. 'Hij ziet er heel oud uit.'

Ik had al even naar hem gekeken; het was een aantrekkelijke vent van boven de vijfendertig. Hij droeg geen enkele ring, wat erop wees dat hij niet getrouwd was of er niet openlijk voor wilde uitkomen, maar aan de boorden van zijn witte overhemd met open kraag glansden twee bescheiden gouden manchetknopen en hij had een klassiek horloge om.

Ik merkte dat hij het geschikte moment afwachtte om een gesprek aan te knopen en omdat ik het hem niet te gemakkelijk wilde maken, keek ik eerst uit het raampje om me daarna in een tijdschrift te verdiepen. Ik had met mezelf gewed dat hij tijdens de maaltijd zou beginnen te praten en dat klopte. Ik besloot eerst rustig mijn mond leeg te eten voordat ik hem serieus en in het Engels antwoord gaf.

'Pardon?' zei ik, ook al had ik prima begrepen wat hij zei.

'Spreekt u Spaans?' drong de man in het Spaans aan.

Dat moest ik wel toegeven.

'Ik zei dat u twee mooie ringen om hebt.' Het viel me op dat hij zijn zin nu iets anders had geformuleerd. 'En dat die met de robijn er heel oud uitziet.'

'Ja, dank u wel. Het is inderdaad een oude ring.'

'Middeleeuws,' voegde hij eraan toe.

'Hoe weet u dat?' Plotseling won mijn nieuwsgierigheid het van mijn reserves als gebonden vrouw. Dat laatste kon hij zien aan mijn eerste ring.

De man glimlachte innemend. 'Och, dat is mijn werk. Ik ben antiquair en expert in juwelen.'

'Deze ring heb ik op een heel vreemde manier gekregen.' Mijn schroom was plotseling verdwenen en ik voelde me alsof ik het met de dokter over een of andere infectieziekte had en graag een gunstige uitslag wilde horen.

'Dus u denkt dat hij echt oud is?'

De man rommelde in een elegant leren koffertje dat naast hem stond en haalde er een doosje uit waarin een horlogemakersloep zat.

'Mag ik zo vrij zijn?' zei hij en hij strekte zijn hand naar me uit. Ik deed de ring snel af om hem aan hem te geven. Hij bekeek hem aandachtig vanbinnen en vanbuiten, en begon wat voor zich uit te mompelen. Ik wachtte in spanning af. Daarna hield hij de steen tegen het licht en na hem goed bekeken te hebben, liet hij het kruis op het tafelkleedje schijnen.

'Wonderbaarlijk!' zei hij ten slotte terwijl hij het beeld aandachtig gadesloeg. 'Het is een uniek exemplaar.'

'Ja?'

'Ik ben er zeker van dat dit juweel echt oud is, minstens zevenhonderd jaar. Als het goed wordt verkocht kan het een fortuin opbrengen. En als u de geschiedenis ervan kunt achterhalen, kan de prijs wel een veelvoud daarvan bedragen.'

'Ik ken de geschiedenis van deze ring niet, maar misschien kom ik er iets over aan de weet als ik in Barcelona ben.' Ik dacht aan het paneel en de ring aan de hand van de Maagd, maar in een vlaag van voorzichtigheid verzweeg ik dit detail.

'Weet u wat deze unieke ring doet?'

'Wat dan?' vroeg ik, ook al wist ik het antwoord eigenlijk wel.

'Door de robijn wordt er een kruis zichtbaar.'

'Dat is mooi om te zien, hè?'

'Het is veel meer dan dat. Het is een breedarmig kruis.'

'Een wat?' vroeg ik verbaasd.

'Ik zei: een breedarmig kruis.' Hij glimlachte en bleef me aankijken. Hij was een knappe man en ik realiseerde me dat het al de tweede of derde keer was dat ik hem iets liet herhalen. Hij moest wel denken dat ik een beetje doof of niet goed snik was.

'Een kruis met zo'n vorm als in uw ring wordt een breedarmig kruis genoemd,' ging hij verder toen ik verbaasd mijn mond hield. 'Het is het kruis van de tempeliers.'

'Oh, een tempelierskruis!' zei ik en ik pijnigde mijn hersens af in de vurige hoop dat me te binnen zou schieten wat dat 'tempeliers' precies betekende. Ik wist zeker dat ik het woord eerder had gehoord en bracht het onmiddellijk in verband met mijn jeugd in Barcelona en met Enric, maar verder zei het me niets en het was mijn eer te na om dat toe te geven.

'Zoals u weet, waren de tempeliers een orde van monnik-soldaten die aan het begin van de twaalfde eeuw opkwam tijdens de kruistochten naar het Heilige Land en die aan het begin van de veertiende eeuw door een laaghartige samenzwering van de Staat werd uitgeroeid.'

'Ja, daar heb ik wel eens iets over gehoord,' zei ik om mijn gezicht te redden en hij was heer genoeg om me de informatie te geven die ik nodig had en te doen alsof ik al iets over het onderwerp wist. 'Maar ik herinner me er niet zoveel meer van. Kunt u me wat meer over de tempeliers vertellen?'

'Hun opkomst kwam na de eerste kruistocht, toen Jeruzalem met succes was veroverd. Van koning Boudewijn kregen ze als zetel een deel van de oude tempel van Salomo, en daarom werden ze tempelridders of ridders van de Tempelorde genoemd. Vooral in het begin wilden ze graag worden aangeduid met de naam Arme Ridders van Christus. Het was hun missie de pelgrims te beschermen die Jeruzalem bezochten. Uiteindelijk werden ze een belangrijke militaire macht, de rijkste en best gedisciplineerde van die tijd, waarop de christelijke koninkrijken in het Oosten steunden tegen de onverbiddelijke opmars van Moren en Turken. In het begin van hun bestaan waren ze erg geliefd, en koningen, edelen en boeren deden enorme schenkingen voor hun verheven missie om een plekje in de hemel te kopen. Dat enthousiasme nam zulke vormen aan dat de koning van Aragón zijn koninkrijk naliet aan de tempeliers en aan een paar andere militaire ordes: de ridders van het Heilige Graf en de Hospitaalridders. Pas na zware onderhandelingen slaagde de wettige troonopvolger erin het koninkrijk terug te krijgen, in ruil voor grote stukken land. En zo kwam het dat de monniken die de gelofte van armoede, kuisheid en gehoorzaamheid hadden afgelegd en zich dood zouden vechten voor het Heilige Land, de grootste economische macht van die tijd werden in Europa, die bovendien een betere reputatie hadden op het gebied van eerlijkheid dan de bankiers. Zij bedachten de wissel, waardoor ze een financiële organisatie werden die zelfs de schatten van koningen bewaarde en hun zo nodig leningen verstrekte, gewend als ze waren om altijd meer aan luxeartikelen en oorlogen uit te geven dan ze hadden. Deze hele economische krachtsinspanning was nodig om de aanwezigheid van christenen in het Nabije Oosten te bekostigen; de tempeliers bouwden een indrukwekkende vloot die paarden, wapens, soldaten en geld over de Middellandse Zee vervoer-de, ze hadden soms duizenden *turcopoliers* onder contract, Moorse huur-soldaten die tegen hun eigen geestverwanten vochten, en ze bouwden grote forten... Door hun gelofte waren ze als individu arm, maar als orga-nisatie steenrijk. Deze ring moet, dat kan haast niet anders, hebben toebe-hoord aan een tempelier die hoog in de hiërarchie zat, als symbool van zijn positie, want een eenvoudige kloosterbroeder, ook al was hij sergeant, ka-pelaan of ridder, zou nooit zo'n juweel hebben gedragen.'

Terwijl het kruis opnieuw zichtbaar werd op het tafelkleedje, liet hij nogmaals gefascineerd zijn blik op de ring vallen. Daarna gaf hij hem aan mij terug. 'Gefeliciteerd, deze ring is uniek.'

Ik deed hem weer om en dacht na over het verhaal dat de man me had verteld.

'Mijn naam is Cristina Wilson,' zei ik glimlachend, waarbij ik mijn hand naar hem uitstak.

'Artur Boix. Prettig kennis met je te maken,' antwoordde hij en drukte me de hand. Zijn huid voelde warm en aangenaam aan. 'Zei je dat je naar Barcelona ging?'

'Ja.'

'Daar woon ik. Wat brengt je naar mijn stad?'

En ik vertelde hem het verhaal van die onverwachte erfenis.

'Wat geheimzinnig!' merkte hij aan het eind van mijn verhaal op. 'Maar als die ring een voorproefje van die achtergehouden erfenis is, denk ik dat ik je van groot nut kan zijn.' Hij gaf me zijn kaartje. 'Mijn compagnons en ik doen zowel in de Verenigde Staten als in Europa zaken. We houden ons niet alleen bezig met antiek en juwelen, maar we worden vooral be-schouwd als handelaars in oude kunst. En dat is iets heel anders. Een ju-weel kan op drie manieren worden getaxeerd: ten eerste de waarde van de grondstoffen, zoals goud en edelstenen, dan de hoeveelheid werk en de ar-tistieke kwaliteit, en ten derde als historisch object. Door het op die ma-nier te laten taxeren kan de prijs worden vertienvoudigd. Met andere woorden, voor een juweel dat je in Spanje gewoonlijk alleen voor de nor-male prijs zou kunnen verkopen, kan ik in de Verenigde Staten tien keer zoveel krijgen. Aarzel dus niet om me te bellen, ik zal je met alle plezier helpen. Ook als je de juwelen niet wilt verkopen, kan ik ze authentiseren en taxeren.' Hij ging zachter praten en zijn blik werd indringender. 'En als je een gecatalogiseerd kunstwerk uit Spanje wilt meenemen of een autorisatie nodig hebt en je al die papieren rompslomp wil vermijden, kan ik je de levering ervan in New York garanderen.'

Ik was verbaasd toen ik hoorde dat ik de erfenis die Enric me in zijn testament had nagelaten, misschien niet mee naar huis zou kunnen nemen. Eerlijk gezegd had ik er niet aan gedacht dat het legaat uit kunstwerken zou kunnen bestaan, maar ik realiseerde me nu dat dat het meest voor de hand lag. Tot dat moment had ik me alleen beziggehouden met de avontuurlijke kant van het verhaal, maar Artur Boix had me erop attent gemaakt dat er misschien flink wat geld in het spel was.

'Hoe dan ook, als je iets nodig hebt, al is het alleen maar advies, of als je me wilt vertellen hoe het met je gaat, bel me dan gerust.'

Bij het horen van het verruimde aanbod keek ik hem wat oplettender aan. Te vriendelijk. Had hij mijn verlovingsring niet gezien? De man glimlachte charmant. Al met al was het nooit weg om een vriend te hebben op een plek waar je niet weet wat je te wachten staat. En als hij knap, elegant en aardig is, des te beter.

'Dankjewel,' en ik glimlachte terug. 'Ik zal het onthouden. Maar vertel me eens wat er uiteindelijk met de tempeliers is gebeurd. Je zei dat ze door een gemene samenzwering zijn verdwenen. En dat ze steenrijk waren, niet?'

'Ja,' antwoordde Boix. 'En dat was de oorzaak van hun ondergang.'

Ik hield mijn mond in de hoop dat hij door zou gaan met zijn verhaal.

'In het jaar 1291 nam de sultan van Egypte het laatste christelijke bolwerk in het Heilige Land in. Bij die aanval kwamen veel tempeliers om het leven, onder wie de hoogste autoriteit, de grootmeester, maar het ergste was dat de Arme Ridders van Christus zich van de frontlijn moesten terugtrekken, de eerste slagorde tegen de muzelmannen. Hoe dan ook, toen Saint Jean d'Arce viel, ook wel Akko genoemd, verdween hun bestaansgrond. Alleen de Iberische koninkrijken, waar de strijd tegen de Moren voortduurde, hadden hen nog nodig. En zelfs daar was hun aanwezigheid lang niet meer zo belangrijk als tweehonderd jaar daarvoor, toen de christelijke gebieden doorlopend in gevaar verkeerden. In de veertiende eeuw waren Aragón, Castilië en Portugal machtige koninkrijken die actief oorlog voerden tegen de Arabieren door vaak het noorden van Afrika binnen te vallen, terwijl het enige Moorse koninkrijk op het Iberisch Schiereiland van de Nasriden in Granada was, dat zo verzwakt was dat het belasting moest betalen aan de christenen.

De droom van de Tempelorde was terugkeren naar het Heilige Land, maar de geestkracht van de kruisridders was gebroken en de christelijke koningen voelden er niet veel voor. Dus toen Filips IV van Frankrijk, die de Schone werd genoemd en altijd zonder geld zat, eerst de Lombardische kooplieden en later de joden in zijn koninkrijk had gevangengenomen, gemarteld en kaalgeplukt, liet hij zijn oog vallen op de Arme Ridders van Christus, die in die tijd schatrijk waren.

Het is een heel lang verhaal, maar uiteindelijk sloot hij de tempeliers op in de gevangenis, beschuldigde hij hen valselijk van allerlei misdaden, die hij hen door martelingen liet bekennen, en maakte hij zich meester van het grootste deel van hun rijkdommen in Frankrijk. En om ze te elimineren liet hij de hoogste leiders van de orde op de brandstapel verbranden alsof ze ketters waren. De paus, ook een Fransman, die sterk onder invloed stond van Filips de Schone, bood aanvankelijk enige tegenstand, maar omdat hij niet tegen de schaamteloze vorst opgewassen was, ging hij er uiteindelijk mee akkoord. De overige Europese koningen waren milder, maar toen de paus voet bij stuk bleef houden, steunden zij de opheffing van de orde. En natuurlijk graaiden ze in ruil daarvoor bijna allemaal in de grote pot en eigenden ze zich de bezittingen van de tempeliers toe. Maar sommigen hadden veel meer willen meepikken... Ze hebben het helaas nooit kunnen vinden.'

'Wat hebben ze niet gevonden?' vroeg ik.

'Nou, de grote schatten die de Arme Ridders van Christus van buiten Frankrijk wél hadden kunnen verbergen, omdat ze meer tijd hadden dan hun Franse collega's.'

'Oh!'

'Dit is één van de legendes over de tempeliers. Volgens een andere dagvaardde de grootmeester in de vlammen van de brandstapel koning Knapperd en paus Angsthaas voor het tribunaal van God. En inderdaad stierven ze allebei voordat het jaar om was.'

'Ja?'

'Echt waar,' antwoordde hij serieus. 'Maar er worden ook dingen over hen verteld zonder enige historische basis, en daar is een heleboel flauwekul bij.'

'Zoals wat?'

'Dat ze op zoek waren naar de Ark des Verbonds die Mozes in opdracht van God had gebouwd, dat ze de Heilige Graal in hun bezit hadden, dat ze de mensheid hadden behoed voor de poorten van de hel en dat soort dingen.'

'En wat denk jij?'

'Ik geloof er niets van,' antwoordde hij met veel overtuiging.

Misschien wist ik niet veel over de tempeliers, maar ik wist wel iets over mensen en ik meende de gedachten van de antiquair te kunnen raden. 'Maar je weet wel zeker dat ze hun schatten hebben verborgen, nietwaar?'

'Daar is geen twijfel aan.'

'En je zou er heel graag eentje willen vinden, hè?'

Artur Boix keek me aandachtig aan.

'Absoluut,' zei hij serieus. 'Niets liever dan dat. Mijn werk is, naast dat ik er goed van kan leven, mijn grote roeping. Ik geniet ervan. Een schat van de tempeliers vinden? Ik zou er jaren van mijn leven voor geven. Bovendien, wie zou dat beter kunnen dan ik? Ik zou de artistieke waarde ervan kunnen taxeren, hem in zijn historische context kunnen plaatsen en zo nodig – en geloof me, dat komt vaak voor – het hoogste financiële rendement kunnen halen uit de stukken die worden verkocht. Als jij in zo'n situatie terechtkomt, bijvoorbeeld door je erfenis, denk dan aan mij. Al laat je me alleen maar de stukken zien om ervan te kunnen genieten.' Hij legde zijn hand op die van mij. De aanraking was nog steeds warm, plezierig. 'Alsjeblieft, Cristina, vertel het me dan. Zul je dat doen?'

Ik moet bekennen dat ik onder de indruk was van zijn dringende verzoek. Ik antwoordde beleefd: 'Ja, natuurlijk.'

In Madrid moesten we overstappen en toevallig zaten we weer naast elkaar. Ik dommelde wat totdat Artur Boix aan mijn arm schudde om me wakker te maken om naar het uitzicht te kijken. Slaperig keek ik naar beneden. Het vliegtuig draaide rondjes om zijn aanvliegroute op de luchthaven te bepalen, waardoor we een schitterend uitzicht hadden over de stad. Het was een heldere ochtend.

'Daar ligt ze,' zei hij en hij wees naar beneden. 'Barcelona is een oude dame die altijd jong is gebleven. Ze woont tussen de bergen en de zee en straalt een wonderbaarlijke creativiteit uit.'

Je zag de haven en het oude stadsdeel, met de kerken er hoog bovenuit en een boulevard die zich er kronkelend een weg doorheen baande.

'Daar zijn de Ramblas,' zei Artur.

Iets verderop stonden de ogenschijnlijk uniforme huizenblokken, doorkruist door met bomen begroeide lanen en promenades, waar de zon, die boven de zee naar haar hoogste punt klom, bovenuit probeerde te komen om licht te geven aan de zuidelijke gevels waardoor de noordkant in de schaduw kwam te liggen.

'Dat is de Ensanche, levend museum van het modernisme,' legde hij me uit. 'Dat is de dame, die met haar meer dan tweeduizend jaar siësta lijkt te houden, vredig, onder de warmte van de koningsster, onverschillig voor het gekrioel van de mensen, een gerieflijke overgang tussen de Middellandse Zee en de bergen, tussen verleden en toekomst. Maar in werkelijkheid bruist ze vanbinnen.'

Hij maakte een breed gebaar met zijn hand, als iemand die twee mensen aan elkaar voorstelt: 'Barcelona, dit is juffrouw Cristina Wilson. Cristina, Barcelona ligt aan je voeten. Ik wens je een fijn verblijf, geniet ervan.'

Bij de paspoortcontrole verloor ik Artur uit het oog, maar we kwamen elkaar weer tegen toen we op onze bagage stonden te wachten. Een van mijn koffers kwam maar niet, en hij zei beleefd dat hij samen met me zou wachten.

'Dankjewel. Dat hoeft echt niet,' verzekerde ik hem. 'Ik ben advocaat en spreek uitstekend Spaans en Catalaans. Als een van mijn koffers zoek is dan red ik me wel.'

De man lachte en bij het afscheid drong hij erop aan hem vooral te bellen als ik ergens mee zat.

Ik had niet het idee dat ik die charmante Artur nog eens nodig zou hebben, en ik wist zeker niet dat er een moment zou komen waarop ik zou wensen dat ik hem nooit had ontmoet.

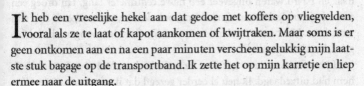

9

Ik heb een vreselijke hekel aan dat gedoe met koffers op vliegvelden, vooral als ze te laat of kapot aankomen of kwijtraken. Maar soms is er geen ontkomen aan en na een paar minuten verscheen gelukkig mijn laatste stuk bagage op de transportband. Ik zette het op mijn karretje en liep ermee naar de uitgang.

Cristina Wilson stond er op een bordje. Ik vond het leuk om daar mijn naam zo ver van huis tussen de wachtenden te zien. Ik keek omhoog, naar het gezicht. Het kostte me moeite hem te herkennen. Het was Luis Casajoana. Zijn gezicht was langer geworden, en hoewel zwaargebouwd, was hij niet meer het dikkerdje met het rode gezicht dat ik me van vroeger herinnerde. Toen onze blikken elkaar kruisten, verscheen er op zijn gezicht die lach die ik zo goed van hem kende.

'Cristina,' riep hij uit. Ik weet niet of hij in mij dat meisje van dertien herkende dat veertien jaar geleden uit Barcelona was vertrokken, of dat de uitdrukking op mijn gezicht bij het zien van het bordje mij had verraden.

Hij omhelsde en zoende me en nam het karretje van me over. 'Wat ben jij groot geworden, zeg!' zei hij met een bewonderende blik terwijl we naar de uitgang liepen. 'Je bent knap geworden!'

'Dank je.' Ik herinnerde me hem als een beetje kleverig en wilde een teveel aan enthousiasme de kop indrukken. 'Ik zie dat jij niet meer zo dik bent.'

Hij slaakte een zucht en lachte vervolgens. 'En jij bent nog net zo'n pestkop.'

Ja, misschien wel, dacht ik, maar ik hoop dat je niet al te hooggespannen verwachtingen hebt. Ik wilde hem eerlijk gezegd niet elke dag om me heen hebben.

Juist toen we het gebouw uit kwamen zag ik die vreemde man voor de tweede keer. Hij stond me onbeschaamd aan te staren. Ik had hem, en dan vooral zijn ogen, tussen de wachtenden opgemerkt net op het moment dat de automatische deuren opengingen, een seconde voordat ik Luis met zijn bordje zag. Zijn uiterlijk had onmiskenbaar mijn aandacht getrokken. Dus de tweede keer dat ik hem erop betrapte dat hij zo naar me keek, hield ik zijn blik vast om hem te straffen voor zijn onbeschaamdheid. Maar toen hij hetzelfde deed moest ik, niet erg op mijn gemak, mijn blik afwenden.

Die man bezorgde me onwillekeurig kippenvel. Het was een oude man, die misschien een maand geleden zijn hoofd kaalgeschoren had. Zijn witte haar en baard waren ongeveer een halve centimeter lang. Hij droeg een zwart jasje en de rest van zijn kleding, ook donker, contrasteerde met zijn witte haar. Maar het opvallendste waren zijn fletsblauwe ogen, doordringend, koud en agressief.

Hij heeft iets van een gek over zich, dacht ik en had er spijt van dat ik hem had uitgedaagd. Ik heb al eerder gezegd dat ik niet bang uitgevallen ben, maar die man was beslist niet het type dat ik graag in mijn eentje zou tegenkomen.

Ondertussen vroeg Luis hoe mijn reis was geweest, of ik moe was, of ik wel had geslapen ... Toen we bij de auto kwamen, een prachtige zilverkleurige sportauto met open dak, was hij bij de gezondheid van mijn familie aangeland en vertelde hij dat zijn ouders niet meer in de stad woonden maar in een schattig dorpje in het noorden van de Costa Brava.

Onderweg naar het hotel informeerde hij hoe het met mij ging.

'Oh! Je hebt een vriend.'

'Nee, een verloofde,' legde ik uit.

'Nou, ik heb bedrijfskunde gestudeerd, toen mijn *master's* in marketing gehaald en nu ben ik ondernemer.'

'Dan heb je heel wat bereikt,' zei ik ironisch.

'Zeg dat. En ik ben bovendien gescheiden.'

'Ja, ja,' lachte ik, 'dat kan ik me wel voorstellen.'

Hij schoot ook in de lach. Ik moest toegeven dat die goeie Luis nog steeds gevoel voor humor had.

'Je bent een kreng,' herhaalde hij nog maar eens.

'Dat heb je me veertien jaar geleden ook al gezegd.'

Hij begon weer te lachen. 'Ik was wel dik, maar niet dom.'

Als Luis over zichzelf begon kon hij eindeloos uitweiden, dus veranderde ik snel van onderwerp. 'En hoe gaat het met Oriol?'

'Oriol?' Hij leek het niet leuk te vinden dat ik naar zijn neef vroeg, en ik merkte dat hij zonder dat hij er erg in had de snelheid van zijn BMW opvoerde.

'Ja, Oriol. Weet je nog? Je neef.'

'Natuurlijk weet ik dat,' antwoordde hij met gefronste wenkbrauwen. 'En je hoeft niet meteen zo pinnig te doen, haaibaai.'

Ik moest weer lachen. Het was zijn toon in combinatie met dat woord dat ik al in veertien jaar niet meer had gehoord. Vroeger noemde hij me vaak zo.

'Goed,' vervolgde hij, 'nou, de hoogbegaafde van de familie... Ik bedoel natuurlijk in intellectueel opzicht, want voor de rest ben ík de hoogbegaafde...' en hij keek me met een zelfvoldaan lachje aan.

'Kom op, zo is het wel genoeg!'

'Ja, haaibaai.'

Ik hield mijn mond en wachtte tot hij iets ging zeggen. Toen hij merkte dat ik er niet over peinsde om op zijn uitdagende opmerking in te gaan, ging hij verder: 'De hoogbegaafde van de familie dus, is hippie geworden, anarchist en kraker.'

'Wát zeg je?' Ik stond perplex. Oriol, de briljante Oriol. Het winnende paard bij iedere race: een mislukkeling?

'Ja, je hoort het goed: er is niet veel van hem terechtgekomen.'

'Heeft hij zijn studie dan niet afgemaakt?' Ik was stomverbaasd.

'Ja, dat wel. Hij is afgestudeerd en daarna op drie of vier onderwerpen gepromoveerd. Wel koppie koppie, hè!'

'En wat doet hij nu dan?'

'Hij geeft geschiedenis aan de universiteit. En samen met andere gekken met smalle pijpen en rastahaar zorgt hij ervoor dat grote leegstaande panden worden gebruikt als buurthuizen waar ze welzijnswerk en dat soort dingen doen. Tot de politie komt en die panden ontruimt.'

'Ik heb moeite om het te geloven.'

'Nou... Hij is bij een heleboel rellen betrokken geweest. Jij hebt natuurlijk niets gehoord over die inval van de politie in bioscoop Princesa, hè? Een hele heisa. En mijn neefje was er ook bij.'

'Is er iets met hem gebeurd?'

'Eén nacht op het politiebureau. Onze familie heeft nog steeds invloed hier in de stad en hij is niet een van die heethoofden...' en Luis maakte een dubbelzinnig gebaar met zijn hand.

We waren bij het hotel aangekomen en een jonge bediende deed vriendelijk lachend het portier voor me open. Een andere pakte mijn koffers, terwijl Luis de sleutels van zijn open sportwagen aan een derde gaf.

Wat bedoelde hij met dat gebaar? Hij had me aan het denken gezet. Wat insinueerde Luis verdorie over Oriol?

'Kom mee, de receptie is op de eerste verdieping.' Hij pakte me bij mijn elleboog en bracht me naar de lift.

'Ik heb een kamer voor je gereserveerd op de achtentwintigste verdieping met ligging op het zuiden. Een fantastisch uitzicht. En ik kan je verzekeren dat je op die hoge verdiepingen normaal gesproken geen kamers kunt reserveren. Ik weet wel dat dit gebouw naar New Yorkse begrippen niet hoog is, maar hier is het iets buitengewoons,' zei hij en hij stond stil om me aan te kijken, 'Ben je niet bang voor die hoogtes na...?'

'Nee, nee, dat maakt me niet uit,' antwoordde ik. 'Ik ben nadat het gebeurde in veel hogere gebouwen geweest.'

En inderdaad kreeg ik van de receptie een kamer op de achtentwintigste verdieping.

'Ik ga even met je mee om het uitzicht te bewonderen en om te zien of alles in orde is.'

'Nee, dank je,' zei ik glimlachend. 'Ik ken je, jij gluurde altijd naar de meisjes als wij ons omkleedden na het zwemmen.'

'Oké, goed dan,' antwoordde hij met het gezicht van een stout jongetje. 'Maar ik ben veranderd. En jij ook... Je zult er nu vast beter uitzien.' Hij keek naar mijn borsten.

Bij iemand anders had ik me beledigd gevoeld, maar bij hem moest ik er weer om lachen. 'Dag. Bedankt voor het ophalen.'

'Toe nou, laat me even zien of alles in orde is,' zei hij met een ondeugende blik.

'Alles is prima in orde. Echt waar,' verzekerde ik hem. 'Geloof me. En nu moet je gaan,' zei ik met enige stemverheffing, wat in de grote ruimte tussen de liften en de glazen wand goed hoorbaar was. Een paar mensen die aan de rieten tafeltjes bij de glaswand zaten, draaiden zich om om naar me te kijken.

'Goed, geef me dan tenminste een afscheidskusje, haaibaai,' probeerde hij nogmaals.

Luis had gelijk. De kamer keek uit op het zuiden en had een prachtig uitzicht. Links lagen de zee en het strand, dat tot aan de oude haven van de stad reikte, die nu een recreatiegebied was geworden. Ik kon de aanlegplaatsen voor de zeilboten van de nautische club zien, een breed gebied met winkels en uitgaansgelegenheden en verderop een paar grote boten, op het oog transatlantische cruiseschepen, wachtend op toeristen voor een pleziervaart.

Op de achtergrond verhief zich de Montjuïc, met zijn kasteel aan de rand van de steile rots boven de zee, de met bomen beplante tuinen verspreid over de rest van de uitgestrekte helling en aan het andere uiteinde de pompeuze gebouwen uit begin vorige eeuw, het Nationaal Paleis. De strandboulevard en het standbeeld van Columbus markeerden het begin van een groot stedelijk gebied dat zich uitstrekte in de richting van de met groen bedekte heuvels.

Barcelona, de stad waar ik was geboren. Ik zocht de wijk Bonanova, waar we hadden gewoond, maar ik wist niet, kon zelfs niet raden waar ze precies was in die zee van huizen, die allemaal een andere vorm en omvang hadden en die in hun wanorde een wonderlijk harmonieus geheel vormden.

Maar die opmerking van Luis zat me dwars. Wat had hij geïnsinueerd over Oriol?

Het hotelpersoneel bracht mijn koffers naar boven en ik begon ze uit te pakken terwijl mijn gedachten doorgingen. Goed, besloot ik, ik moet er maar een etentje met Luis voor overhebben.

Ik had nog te veel vragen en ik dacht dat hij die misschien zou kunnen beantwoorden. Maar wie ik eigenlijk wilde zien was Oriol, de jongen die mij de liefde had leren kennen. Vandaag is het woensdag, zei ik bij mezelf. Ik ga iets eten en dan uitrusten. Oriol zie ik zeker zaterdag bij de notaris. Zou ik het zolang uithouden zonder te proberen hem te vinden? Mijn hoop was dat hij contact met mij zou zoeken. Wat bedoelde Luis met zijn opmerking over Oriol? Wist Oriol dat ik in de stad was? En als ik hem nu eens zou bellen? Maar ik had zijn telefoonnummer niet. Hoe zou ik er hier achter kunnen komen als me dat vanuit New York niet was gelukt? Ik had het aan Luis moeten vragen.

Ik belde mijn ouders en Mike om te zeggen dat alles in orde was, en ondanks mijn vermoeidheid bladerde ik voor de aardigheid nog een paar grote fotoboeken van de stad door die op een tafeltje lagen. Ik wilde niet voor tien uur gaan slapen, om alvast een beetje te wennen aan de nieuwe tijd.

Dus bestelde ik een lichte maaltijd en keek toe hoe bij het vallen van de avond licht, schaduw en duisternis zich over de stad verspreidden. Naarmate de duisternis verder bezit nam van de stad bekroop mij een gevoel van mysterie. Ik voelde intuïtief dat daar tussen die opeengepakte gebouwen in de verte het antwoord op mijn vragen verborgen lag. Wat hield die vreemde erfenis in? Waarom had Enric zelfmoord gepleegd? Waarom wilde mijn moeder niet dat ik terugging naar Barcelona? Welk geheim ging daarachter schuil? Welk geheim zat er verborgen achter die ring aan mijn vinger? Ik keek naar de robijn. Zijn raadselachtige glans vormde die wonderbaarlijke ster met zes punten binnen in de steen. Het leek net of hij hier in deze stad meer flonkerde, of de gloed ervan nog dieper en mysterieuzer was. Te veel vragen. Ik stierf van nieuwsgierigheid naar alles wat Luis me kon vertellen.

Ik draaide zijn nummer en kreeg het antwoordapparaat.

'Hallo Luis,' zei ik, 'met Cristina. Heb je zin om morgen met me te lunchen? Als je kunt, natuurlijk.'

Ik trok mijn pyjama aan en deed het licht uit. Ik besloot de gordijnen niet dicht te doen. De stadsverlichting kwam nauwelijks zo hoog en alleen de buitenverlichting van het gebouw verlichtte flauwtjes de kamer. Ik vroeg niet om op een bepaalde tijd gewekt te worden: de zon zou mijn wekker zijn.

Ik ging in bed liggen en liet mijn gedachten de vrije loop... Na zolang weer in Barcelona te zijn... Wat een vreemd gevoel...

Toen ging de telefoon.

'Cristina!'

'Hallo, Luis.'

'Ik wist wel dat je niet buiten me kon...'

Ik stond op het punt van gedachten te veranderen en de hoorn erop te gooien. Die man provoceerde me. Weliswaar lachend, maar toch.

'Ga je morgen mee lunchen?' zei ik, zijn opdringerigheid negerend.

'Nee, ik wil vragen of je nu meegaat dineren?'

'Nee, echt niet,' zei ik scherp. 'Het spijt me. Ik dineer niet met een man, alleen als het mijn verloofde is. Zelfs niet voor mijn werk, het is een principekwestie.' En ik voegde er nog eens nadrukkelijk aan toe: 'Alleen met mijn verloofde.'

Ik hoorde hem een vreemd geluid maken met zijn mond, zoiets als 'Neuh, neuh, neuh' wat klonk als een grappige weigering.

'Goed, jij wint,' zei hij ten slotte. 'Wat moet ik beloven?'

Ik moest me inhouden om niet te lachen. Luis is soms echt grappig.

'Lunchen of niks,' zei ik gedecideerd.

'Ik heb morgen om die tijd net een aandeelhoudersvergadering van een van mijn bedrijven.'

'Jammer, pech gehad,' zei ik berustend. 'Dan zien we elkaar zaterdag wel bij de lezing van het testament. Dankjewel voor het bellen.'

Het was bluf. Ik geloofde geen woord van zijn verhaal en vertrouwde erop dat hij zou toegeven. En anders moest ik als ik zo graag antwoord op mijn vragen wilde hebben met hem gaan dineren.

'Maar ik wil graag met je gaan dineren,' bleef hij aanhouden.

'Nee, dat doe ik niet!' riep ik in de telefoon.

Er viel een stilte aan de andere kant van de lijn.

'Goed, jij wint,' stemde hij ten slotte in. 'Die aandeelhouders kunnen de pot op. Het bedrijf gaat toch failliet en ik stuur ze een telegram dat ik met het geld naar Brazilië ben gevlucht. Ik haal je om twee uur op in het hotel.'

'Zo laat?'

'We zijn hier in Spanje, weet je nog, haaibaai?'

10

'Mijn familie was altijd nogal gesloten als het om Enric ging.' Luis nam een hap van zijn kreeftensalade en keek me rustig kauwend aan. Hij wist dat ik aan zijn lippen hing en genoot ervan me in spanning te laten zitten. Door de geheimzinnigheid waarmee hij het verhaal bracht, voelde ik gewoon dat er iets verrassends moest komen, maar ik was niet van plan hem de lol te gunnen om mijn ongeduld te laten blijken. Daarom nam ik nog een lepel van mijn koude amandelsoep en keek ik geïnteresseerd naar de hoge plafonds, de meubels en de decoraties die een harmonieus, modernistisch geheel vormden in dit restaurant op de eerste verdieping van een eeuwenoud pand aan de Diagonal.

'Het feit dat Enric homo was, was voor de Bonaplata's moeilijk te accepteren.' Met open mond keek ik hem aan. Enric homo!

Tevreden zag hij hoe ik op zijn onthulling reageerde. 'Mijn moeder wist het,' ging hij verder, 'maar voor de rest van de familie heeft hij het altijd geheim gehouden. Hij wist het goed te verbergen; hij gedroeg zich nooit verwijfd. Behalve als hij het zelf graag wilde, natuurlijk.'

'Homo?' riep ik uit. 'Hoe kon Enric nou homoseksueel zijn? Hij was toch getrouwd met Alicia en de vader van Oriol!'

'Wakker worden, meisje, het leven is niet alleen zwart-wit, er zijn een heleboel kleuren.' Luis glimlachte zelfgenoegzaam. 'De grote cowboy is niet altijd alleen maar goed en de goeien zegevieren maar af en toe.

Ze zijn nooit getrouwd, in ieder geval was het geen kerkelijk huwelijk. Hoewel onze ouders wel hun best deden om ons kinderen dat te laten geloven. Ze waren een paar als het hun uitkwam, vooral naar buiten toe. Maar ze hadden allebei een geliefde van hun eigen sekse; wat ik niet weet is of ze het samen in bed ook gezellig hadden.'

De ogen van Luis lichtten op en er zweefde een zinnelijk lachje om zijn mond. 'Misschien hielden ze wel seksfeesten, kun je je dat voorstellen?'

Ik kon het me voorstellen. Niet de orgie waar hij het over had, maar Luis als faun met een paar hoorntjes en een geitensik. Ik moest plotseling lachen om de uitdrukking op zijn gezicht en kreeg meteen spijt. 'Nee, ik kan het me niet voorstellen,' zei ik heel braaf.

'Ga nou gauw! Natuurlijk kun je je dat voorstellen...'

'Nee, echt niet!'

'Kom op, Ally McBeal, natuurlijk wel!'

Nou zeg. Dat weer! Ik haat het als ze me Ally McBeal noemen. Het is een al te makkelijke grap om mij, de succesvolle jonge advocaat, de naam van die neurotische, onevenwichtige prutsadvocaat met de te korte rok uit die oude tv-serie op te plakken.

'Wat ben jij origineel, Luis! Dat van Ally McBeal is ontzettend afgezaagd. Ik lijk absoluut niet op haar.'

Ik zag hem glimlachen en ik herinnerde me dat we als kind vaak met elkaar vochten. Hij vond het altijd al leuk om me te provoceren. Hij begon met aan mijn vlechten te trekken, me een duw te geven of me met woorden uit te dagen.

Ik ben nooit op mijn mondje gevallen geweest, dus maakte ik hem uit voor 'dikke papzak' of gooide ik een andere weinig subtiele opmerking over zijn uiterlijk naar zijn hoofd. Hij werd nooit kwaad, maar door zijn duim in zijn neus te stoppen blies hij zijn wangen op, waardoor hij precies op een varkentje leek. Dan barstte ik altijd in lachen uit. En het is heel moeilijk om boos te blijven op iemand die je aan het lachen maakt.

'En waarom zit je nu te lachen?'

'Nergens om. Ik moest denken aan vroeger, toen we elkaar altijd in de haren zaten. Je bent niet zo erg veranderd.'

'Jij ook niet. Ik heb je nog steeds zó op de kast.'

Nee maar! dacht ik. Bolle Jan zit me nog steeds uit te dagen. Ook al is-ie dunner geworden. Opeens herinnerde ik me waarover we het eigenlijk hadden en ik werd weer serieus.

'Arme Oriol,' zei ik. 'Dat moet niet makkelijk zijn.'

'Heb je het over zijn seksuele voorkeur?' De glimlach was nu van zijn gezicht verdwenen. 'Nou... Over zijn geaardheid... Je weet dat hij is opgegroeid met vrouwen om zich heen die een mannenrol vervulden. Wat wil je? Zo gaat dat. Bovendien, genetisch gezien... omdat allebei zijn ouders het waren, tja...'

'Wat?' Ik schrok op. Ik dacht aan de situatie bij hem thuis, maar Luis had het over Oriol zelf. 'Wat wil je daarmee zeggen? Nee, daar weet ik niets van. Zeg wat je bedoelt.'

'Nou ja. Dat het ook niet duidelijk is wat mijn neef is.'

'Hoezo? Waar baseer je dat op? Heeft hij je iets verteld?'

'Nee. Nee, over zijn geheimen laat hij niets los. Maar die dingen kun je gewoon zien. Niemand heeft hem ooit met een vriendin gezien. En die rare manier van leven...'

Ik keek mijn vriend onderzoekend aan. Er zat geen sprankje humor in zijn ogen. Hij leek serieus te menen wat hij zei. Dat van Alicia verbaasde me niet en vond ik ook niet zo belangrijk, dat van Enric vond ik vreemd, maar dat Oriol homoseksueel zou zijn was een klap in mijn gezicht.

Mijn puberdromen, die mooie herinneringen aan de zee, de storm en de kus, vielen in scherven. Ik had over Oriol gefantaseerd als over mijn vriend, mijn minnaar, mijn man...

Ik dacht terug aan die tijd en inderdaad was ik altijd degene die het initiatief nam, nooit hij. Oriol liet zich leiden en ik schreef dat toe aan zijn verlegenheid. Na de vakantie zagen we elkaar op die elitaire school die vanaf de Collcerola-heuvels neerkijkt op de stad aan haar voeten en waar de progressieve, vrijdenkende bourgeoisie haar spruiten naartoe stuurde om te worden opgevoed *a la catalana* met een Europees sausje. Hij zat in een hogere klas, zodat we elkaar op de gang nauwelijks tegenkwamen, dus begon ik hem briefjes te sturen.

Ook zagen we elkaar wel eens op de feestjes die de vrienden van onze ouders regelmatig gaven in het weekend. Ik herinner me het laatste voordat we naar New York vertrokken. Oriol zag er verdrietig uit en ik was helemaal van de kaart. Er werd een afscheidsfeest voor ons gehouden bij Enric en Alicia aan de Avenida Tibidabo. Het kostte ons moeite Luis kwijt te raken om even alleen te kunnen zijn. Gelukkig was er een grote tuin en lukte het ons om een paar minuten voor ons tweetjes te hebben. We kusten elkaar weer. Ik huilde en zijn ogen werden rood. Ik heb altijd gedacht dat hij ook huilde.

'Wil je dat het aan blijft tussen ons?' vroeg ik hem.

'Afgesproken,' zei Oriol.

Hij moest me beloven dat hij me niet zou vergeten, dat hij me zou schrijven en dat we elkaar zo snel mogelijk weer zouden zien.

Maar hij schreef me nooit, hij antwoordde nooit op mijn brieven, ik hoorde nooit meer iets van hem.

Ik realiseerde me dat Luis tegen me praatte en dat ik niet naar hem luisterde. Ik richtte mijn aandacht weer op hem: 'Oriol heeft niet eens een eigen appartement en woont nog bij zijn moeder. Nou ja, in Spanje wil dat niet zeggen dat je dan abnormaal bent, zoals in de Verenigde Staten. Soms blijft hij 's nachts bij zijn vrienden slapen in een van die kraakpanden. Maar als het hem uitkomt, slaapt hij in het grote huis tegen de helling van de Tibidabo. Zijn kamer staat altijd voor hem klaar, hij krijgt er goed te eten, z'n kleren worden gewassen en mama is tevreden.'

'Maar onder die krakers zijn toch ook meisjes? Ik bedoel dat hij ook vriendinnen kan hebben.'

'Ja, natuurlijk zijn die er,' zei hij glimlachend. 'Jemig, het lijkt wel of je je druk maakt over het seksleven van mijn neef.'

'Wat jij zegt is alleen gebaseerd op vermoedens, toevallige aanwijzingen. Je hebt geen enkel solide argument waaruit blijkt dat Oriol homoseksueel is.'

'Dit is niet een van je rechtszaken,' zei Luis vrolijk lachend. 'Er hoeft niets bewezen te worden, ik waarschuw je alleen maar.'

Ik vond dat wat Luis deed erger was dan oordelen: hij veroordeelde op basis van gemene insinuaties. Ik vond het tijd worden om van onderwerp te veranderen.

'Wat denk je dat er zaterdag gaat gebeuren?' vroeg ik. 'Waarover gaat die mysterieuze erfenis? Het is toch raar dat een testament pas dertien jaar na het overlijden van iemand wordt gelezen.'

'Het testament van Enric werd vlak na zijn dood al gelezen; Oriol en Alicia waren de voornaamste erfgenamen. Dit is wat anders.'

'Iets anders?' De manier waarop Luis stukje bij beetje de informatie gaf, irriteerde me. Hij vond het leuk om mij in spanning te laten zitten.

'Ja, iets anders.'

Ik zei niets en wachtte tot hij verderging.

'Het gaat om een schat,' zei hij na een paar minuten. 'Ik weet zeker dat het om een fabelachtige schat van de tempeliers gaat.'

Dat had hij al verteld toen hij me in New York belde en ik dacht aan het gesprek van gisteren met Artur Boix in het vliegtuig.

'Weet je wie de tempeliers waren?' ging hij verder.

'Natuurlijk,' zei ik en nu was het Luis die verbaasd leek.

'Ik had niet gedacht dat jullie in de Verenigde Staten wat van middel-eeuwse geschiedenis wisten.'

'Vooroordelen. Daar weten we best wat van,' antwoordde ik voldaan.

'Dan weet je ook dat de meeste Europese vorsten, ook al hadden ze het sterke vermoeden dat wat er in Frankrijk gebeurde onrechtvaardig was, de opdrachten van de paus opvolgden om zichzelf zo veel mogelijk te verrijken.

Hoewel er wordt verteld dat de Kroon van Aragón de monniken, door hen niet meteen te vervolgen, de gelegenheid heeft gegeven een deel van hun roerende goederen te verstoppen. En daarbij ging het om grote hoeveelheden goud, zilver en edelstenen.' De ogen van Luis glommen. Ik zag hem weer voor me met zijn dikke toet van veertien jaar geleden toen Enric ons in zijn grote huis aan de Avenida Tibidabo een spelletje schatzoeken voorstelde. 'Heb jij enig idee hoeveel zo'n gigantische partij edelsmeed-kunst uit de twaalfde en dertiende eeuw kan opbrengen? Gouden, zilveren en emaillen kruisbeelden met saffieren, robijnen en ingelegde turkooizen. Kistjes van gesneden ivoor, miskelken met edelstenen, kronen van koningen en graven... Diademen van prinsessen... Ceremoniële zwaarden...'

Hij sloot zijn ogen. De glinstering van het goud verblindde hem.

'Dus je denkt dat we zaterdag een schat krijgen?' vroeg ik ongeduldig.

'Nee, geen schat. Maar wel de aanwijzingen om hem te vinden, net als toen Enric vroeger met ons speelde. Alleen is het nu echt.'

'En hoe weet je dat allemaal?' Ik had het idee dat hij weer aan het dromen was, maar het had geen zin hierover met hem in discussie te gaan.

'Van de familie. Het schijnt dat hij hierin verwikkeld was toen hij stierf.'

'En hoe past mijn gotische paneel in dit verhaal?'

'Dat weet ik nog niet. Maar in de periode dat Enric zich een kogel door het hoofd joeg, zat hij achter gotische panelen aan. En als ik me niet vergis is dat van jou precies uit de tijd van de tempeliers, uit de dertiende, begin veertiende eeuw.'

Ik keek hem een poosje aan zonder wat te zeggen. Hij leek erg overtuigd.

'En waarom heeft hij zelfmoord gepleegd?' vroeg ik ten slotte.

'Ik weet het niet. De politie denkt dat het iets te maken had met een afrekening tussen kunsthandelaren. Maar er kon niets worden bewezen. Dat is alles wat ik weet.'

'Waarom belde je dan om me te waarschuwen?'

'Omdat het erop lijkt dat dat schilderij ons de weg kan wijzen naar de schat.'

Ik was stomverbaasd. 'Weet je dat ze hebben geprobeerd het te stelen?' vroeg ik hem.

Luis schudde van nee en ik moest hem het verhaal vertellen. Hij zei dat hij al met naspeuringen was begonnen vanaf de oproep voor de lezing van het tweede testament. Nee, zijn bronnen wilde hij niet noemen, maar hij was er zeker van dat mijn paneel de sleutel was tot het vinden van de schat.

'Waar heeft hij er een eind aan gemaakt?' wilde ik weten toen ik inzag dat ik verder niets uit hem zou krijgen.

'In zijn flat aan de Paseo de Gracia.'

'En wat zegt Alicia hierover? Zij is toch zijn vrouw?'

'Ik geloof niet zo in wat zij te zeggen heeft.'

'Waarom niet?'

'Ik mag die vrouw niet. Zij verbergt altijd iets. Ze wil alles onder controle hebben, iedereen domineren. Je moet voor haar uitkijken. Goed uitkijken. Ik geloof dat ze in een sekte zit.'

Ik vroeg me af of het toeval was dat mijn moeder me voordat ik vertrok in bijna dezelfde bewoordingen voor Alicia had gewaarschuwd. Ze vroeg me uit haar buurt te blijven.

Daarom wilde ik haar juist graag zien.

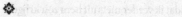

11

Ik besloot dat het plaatselijke politiebureau een goede plek was om mijn onderzoek naar de dood van Enric te beginnen. Ik ging terug naar mijn hotel om andere kleren aan te doen; een heupbroek van het soort waarbij een stukje van de heupen en buik zichtbaar is, met een topje erboven. Een blote navel zou het beste visitekaartje zijn omdat er naar mijn idee bij de politie merendeels mannen werkten. Het was geen kokketterie, maar gewoon efficiënt gedrag. Nou ja, misschien ook kokketterie. Ik dacht aan Ally McBeal.

Dat heeft er niets mee te maken, zei ik glimlachend tegen mezelf. Zij is advocaat, ik werk nu als detective. Zij laat haar benen zien, ik mijn buik.

Op mijn kamer zag ik aan het waarschuwingslampje van de telefoon dat er een bericht voor me was.

'Doña Alicia Núñez heeft gebeld,' zei de telefoniste. 'Ze vraagt of u zo snel mogelijk terug wilt bellen.'

Daar gaan we, dacht ik, daar heb je de vrouw voor wie mijn moeder zo bang is en die ook mijn geliefde dikkerdje schrik aanjaagt, ook al probeert hij dat te verbergen. Ik ken hem!

Mijn nieuwsgierigheid was geprikkeld. Ik probeerde me de moeder van Oriol voor de geest te halen... Moeder en zoon hadden dezelfde diepblauwe, een beetje amandelvormige ogen. Die ogen waar ik als kind zo van hield...

Alicia was in de zomervakantie niet zo vaak bij onze groep. Eigenlijk bracht Oriol de zomer door in het huis van opa en oma Bonaplata met de moeder van Luis, zijn tante. Enric kwam soms in het weekend en in de vakantie bleef hij een dag of veertien, maar Alicia en hij waren er bijna nooit tegelijk. Als Alicia niet op reis was buiten Spanje of bezig was met zaken waar vrouwen zich in die tijd gewoonlijk niet mee bezighielden, kwam ze

Oriol doordeweeks opzoeken en ze bleef nooit overnachten in het dorp. Van kleins af aan voelde ik al dat Alicia geen 'mama' was zoals de andere.

Maar ik had er niet meer aan gedacht tot Luis me tijdens het etentje de verklaring gaf voor het uitzonderlijke gedrag van de moeder van Oriol.

Alicia trok me juist aan omdat wat niet mag zo aantrekkelijk is, door de angst van mijn moeder en de waarschuwingen van Luis. Wat wilde ze van mij?

Maar ik vond dat ik haar niet meteen terug hoefde te bellen. Tenminste niet à la minute.

Op het politiebureau vertelde ik de waarheid: dat ik na veertien jaar weer terug was in Spanje en graag wilde weten wat er met mijn peetoom was gebeurd.

Geen van de aanwezige agenten kon zich iets herinneren van een zelfmoord aan de Paseo de Gracia. Misschien was het mijn glimlach, misschien het verhaal van de emigrant op zoek naar z'n wortels. Of toch mijn jeugdige navel. Hoe dan ook de agenten van de wacht waren allervriendelijkst. Een van hen zei dat López het vast nog wel wist, die werkte er toen al. Hij was op patrouille, dus werd hij via de radio opgeroepen.

'Ja, ik kan me wel zoiets herinneren.' Ze zetten het volume van de ontvanger harder zodat ik kon meeluisteren. 'Maar degene die aan die zaak werkte was Castillo. Die kerel belde hem op en terwijl hij met hem aan de telefoon zat, joeg hij zich een kogel door het hoofd.'

'Castillo werkt hier niet meer,' merkte de agent op. 'Hij is commissaris geworden en naar een ander bureau overgeplaatst. Ga hem daar maar opzoeken.'

Bij het andere bureau hoorde ik dat hij er pas de volgende ochtend weer zou zijn. Dat was een tegenvaller, maar ik besloot er het beste van te maken en lekker te gaan wandelen. Met mijn tas stevig tegen me aan gedrukt, zoals Luis me had aangeraden, ging ik terug naar de Ramblas en ik dook onder in de mensenmassa die over de middenpromenade flaneerde.

Een rambla is een rivierbedding en dat is precies wat de Ramblas in Barcelona zijn. Vroeger stroomde er water door, nu mensen. Met dit verschil dat de stroom van mensen op de Ramblas, hoewel die in de vroege ochtend wegebt, nooit helemaal ophoudt, in tegenstelling tot het water van het primitieve stroompje dat parallel liep aan de oude middeleeuwse muren. Hoe kan die boulevard zijn charme, zijn karakter behouden bij die eeuwig wisselende menselijke fauna? Hoe kan er eenheid bestaan in een mozaïek van zulke verschillende tegeltjes? De reden moet zijn dat we niet op elk element afzonderlijk letten, maar op alles tegelijk, op het totale karakter. Sommige plaatsen hebben een ziel, soms zo alomvattend dat elke individuele energie wordt opgeslokt door het grote geheel. Zo gaat het ook bij de Ramblas in Barcelona.

Ze zijn net als de wandelstraten in kleine dorpen; de mensen gaan erheen om te kijken en bekeken te worden, iedereen is speler en toeschouwer tegelijk, alleen in het groot, in het kosmopolitisch.

Daar gaat de dame in lange feestjurk met haar galante begeleider in smoking, op weg naar de opera in het Gran Teatro del Liceo; verderop de opzichtig beschilderde travestiet, wedijverend met hoertjes in het aanbieden van plezier; daar zeelui van allerlei kleur en nationaliteit in hun militaire uniform; de blonde toerist, de donkere migrant, de pooier, de politieagent, mooie vrouwen, oude zwervers, nieuwsgierigen die het allemaal bekijken, mensen die het zo druk hebben dat ze niets zien...

Zo herinnerde ik me de Ramblas, meer door wat ik ervan had gehoord dan door wat ik er als klein meisje van had gezien, en zo trof ik ze op die stralende lenteochtend ook aan. Rondslenterend tussen de bloemenstalletjes leek het me of ik door de ingeademde lucht en dwars door mijn huid heen die explosie van kleuren, geuren en schoonheid in me opzoog.

Ik bleef staan bij groepjes mensen die naar straatartiesten stonden te kijken – muzikanten, jongleurs, wit of paars bepoederde levende standbeelden: prinsessen, krijgshaftige figuren in starre houding die met een gracieus of onverwacht gebaar bedankten voor de muntjes van de toeschouwers.

Ik zag een jongen wachten, leunend tegen de ruwe stam van een honderdjarige plataan vol uitsteeksels. En het meisje dat, breed lachend en ondeugend, stiekem achter zijn rug aan kwam lopen en hem, geheel tegen de regels in, een roos aanbood. Ik zag de verrassing, het geluk, de kus, de omhelzing tussen de aanbedene en zijn geliefde. Alles klopte: de prachtige lentemorgen, de levendige drukte van de mensen en die twee, evengoed Ramblasartiesten, die hun liefde niet voor geld maar puur vanuit hun gevoel lieten zien. Ik voelde verlangen, afgunst.

Ik troostte me door naar de diamant te kijken die aan mijn hand schitterde als bewijs van mijn eigen liefde. Maar ernaast fonkelde ironisch, een beetje spottend, die indringer met zijn dieprode gloed, de geheimzinnige robijn. Het zal verbeelding zijn geweest, maar die vreemde ring leek een eigen leven te hebben en op dat moment voelde ik dat hij me iets wilde zeggen. Ik schudde mijn hoofd om die onzin van me af te zetten en keek naar het verliefde stel dat hand in hand in de menigte verdween. En toen dacht ik hem te zien. Die figuur van het vliegveld, de oude man met het witte haar en de donkere kleding. Hij stond bij een van de kiosken, die hun papieren koopwaar breed uitstallen aan de voorkant. Hij deed of hij in een tijdschrift bladerde, maar hij keek naar mij. Toen onze blikken elkaar kruisten keek hij weer in het blad, legde het op de stapel en verdween. Ik schrok en liep door, me afvragend of het inderdaad dezelfde persoon was.

12

'Natuurlijk herinner ik me die man!' Alberto Castillo was een jaar of vijfendertig en glimlachte vriendelijk. 'Wat een indruk heeft dat gemaakt! Dat vergeet ik nooit.'

'Wat is er precies gebeurd?'

'Hij belde op om te zeggen dat hij zelfmoord ging plegen.' De commissaris keek nu ernstig. 'Ik was nog een groentje en had zoiets nooit eerder meegemaakt. Ik probeerde het hem uit zijn hoofd te praten, hem te kalmeren. Maar het leek wel of hij kalmer was dan ik. Ik weet niet meer wat ik tegen hem heb gezegd, maar het was totaal zinloos. We praatten wat en toen zette hij een pistool tegen zijn verhemelte en blies zichzelf op. Pang! hoorde ik. Bij het horen van het schot sprong ik overeind uit mijn stoel. Pas op dat moment begreep ik dat de man had gemeend wat hij zei.

Toen we hem eindelijk vonden, zat hij op de bank met zijn voeten op een tafeltje en de balkondeur aan de Paseo de Gracia stond open. Hij had op zijn gemak een peperdure Franse cognac zitten drinken en een uitstekende sigaar gerookt. Hij droeg een onberispelijk pak en een das. Bij de kruin had de kogel zijn hoofd verlaten. Het was een deftig oud huis met hoge plafonds en daartegenaan, naast een van die schitterende sierranden met bloemen en blaadjes, kleefden zijn bloed en hersendeeltjes. Hij had zo'n ouderwetse grammofoon voor vinylplaten en op de draaitafel zag ik een opname liggen van Jacques Brel; ik realiseerde me dat dat de muziek was die ik had gehoord toen hij belde. Daarvoor had hij naar "Viatge a Itaca" geluisterd van Lluís Llach.'

Ik sloot mijn ogen. Ik wilde me die scène niet voor de geest halen. Wat afschuwelijk!

En ik dacht aan Enric die op tweede paasdag samen met Oriol bij ons kwam met een enorme paastraktatie, zo een die peetouders in Catalonië die dag aan hun peetkinderen geven, met een kunstwerk van harde, bittere chocola in het midden. Eén keer bracht hij een prinsessenkasteel voor me mee met gekleurde suikerfiguurtjes. Het was heel groot en niemand mocht van mij aan de chocola komen. Ik wilde het kasteel bewaren alsof het een poppenhuis was. Hij genoot er evenveel van als wij kleintjes. Nog steeds zag ik zijn blije lach voor me. Ik hield bijna net zoveel van Enric als van mijn vader.

Ik voelde een brok in mijn keel en mijn ogen waren vochtig.

'Maar waarom?' stamelde ik. 'Waarom heeft hij zelfmoord gepleegd?'

Castillo haalde zijn schouders op. We zaten in zo'n naargeestig politiebureau. Ik had die dag wat anders aangetrokken: ik droeg een kort rokje en had mijn benen over elkaar geslagen. Ik zag hoe de ogen van de man af en toe afdwaalden en deed of ik er geen erg in had.

Op een archiefkast stond een foto met een lachende familie. Vrouw, zoon en dochter. De commissaris stelde mijn gezelschap duidelijk op prijs en was bereid me alles te vertellen.

'Ik weet niet waarom hij er een einde aan heeft gemaakt, maar ik heb wel een theorie.'

'Welke dan?' wilde ik weten.

'U kunt zich vast wel voorstellen dat ik met mijn twintig jaar behoorlijk onder de indruk was. Daarom vroeg ik of ik aan het onderzoek mee mocht werken. Ik herinnerde me dat hij tijdens ons gesprek zei dat hij iemand had vermoord. Een paar weken daarvoor had iemand vier man om zeep geholpen in een villa in Sarriá. We konden het niet bewijzen, maar ik ben er zeker van dat hij dat had gedaan.'

'Heeft hij vier mensen vermoord?' Ik kon me die altijd vriendelijke en vredelievende Enric niet voorstellen als moordenaar.

'Ja. Het waren mensen die in de antiekhandel zaten, net als hij. Alleen hadden twee van hen een strafblad wegens diefstal en illegale handel in kunstwerken. En de andere twee waren gewoon zware jongens, een soort lijfwachten. Gevaarlijke types. Toen we daarentegen de zaken van uw peetoom doorlichtten, kwamen we niets onwettigs tegen. Sterker nog, hij had zo veel geld geërfd dat er, ondanks dat hij het met scheppen uitgaf aan een zeer buitensporige levenswijze, nog voldoende over was om op die manier tot zijn dood door te leven.'

'Hoe weet u dat hij het alleen heeft gedaan?'

'Omdat ze allemaal met hetzelfde pistool zijn doodgeschoten.'

'Dat wil nog niet zeggen dat niemand hem heeft geholpen.'

'Maar ík denk dat hij het alleen heeft gedaan. En ik zal u zeggen waarom. Dat huis was net een bunker en die mensen vormden een criminele bende. Ze hadden alarmsystemen en videocamera's die verbonden waren met een centraal computersysteem. Dat is nu vrij normaal, maar niet in die tijd. Helaas bewaakten ze alleen de buitenkant en konden ze nog geen opnamen maken. Hij heeft ze op een of andere manier om de tuin moeten leiden. Hij alleen. Ze zouden er nooit twee tegelijk hebben binnengelaten en ze zouden zich al helemaal niet hebben laten verrassen door iets verdachts. Hij is door de deur naar binnen gegaan, dus moeten ze hebben opengedaan en voordat hij naar de salon liep waar hun bazen zaten, hebben ze hem vast en zeker gefouilleerd. Het waren professionals en de twee jongeren droegen een wapen, maar ze kregen niet de tijd om te schieten. Een van hen vonden we met een revolver in zijn hand. Ook de oudste had geprobeerd een pistool te trekken, dat hij bewaard moet hebben in een van de laden van het bureau waarop een stapel bankbiljetten lag. En daaruit blijkt dat het de moordenaar niet om geld te doen was, wat past bij Bonaplata; zijn motief was wraak.'

'Maar hoe kon iemand in zijn eentje vier man doden, van wie er drie gewapend waren? Waar had hij de revolver vandaan? Hij was niet agressief...'

'Ik heb geen idee waar hij die vandaan had en ook niet waar hij hem heeft verstopt.'

'Hij heeft zich toch met één schot van het leven beroofd? Lag er geen pistool naast zijn lichaam?'

'Ja, natuurlijk.'

'En?'

'Dat was een ander. Ballistisch onderzoek wees uit dat de kogels die de handelaren doodden niet uit dat wapen afkomstig waren.'

'Dan kon hij dus niet de moordenaar zijn.'

'Maar hij was het wel.' Overtuigd keek hij me aan. 'Ik durf er alles onder te verwedden dat hij het heeft gedaan.'

'Waarom zou hij dan de moeite hebben genomen om een wapen te verbergen en met een ander pistool zelfmoord te plegen? Dat is belachelijk.'

'Nee, dat is het niet. Enric Bonaplata was een slimme vent. Als hij zich met hetzelfde pistool van het leven had beroofd, hadden we bewijzen gehad om hem in staat van beschuldiging te stellen.'

Ik begon te lachen. Wat een onzin! 'Maar wat kon het hem schelen dat hij na zijn dood zou worden beschuldigd?' zei ik op ironische toon.

'Zijn erfenis. Hij had het allemaal keurig voorbereid. Zijn erfgenamen zouden de erfgenamen van de slachtoffers schadeloos hebben moeten stellen.'

Hier kon ik niets tegen inbrengen. Ja, de commissaris had gelijk. Dat was een goed motief. Als Enric die mensen inderdaad zozeer haatte dat hij ze vermoordde, waarom zou hij dan zijn erfenis aan de familie van zijn vijanden nalaten?

Castillo was me met een klein lachje onder zijn snor blijven aankijken; hij had een sympathieke uitstraling. Enigszins ongegeneerd liet hij zijn blik over mijn benen gaan en vuurde toen plotseling, me tutoyerend, een vraag op me af: 'Wist je dat je oom homo was?'

'Homo?'

'En niet zomaar een homo. Hij was een echte flikker.'

Ik keek hem quasi-geschrokken aan.

'Wat zegt u nou?' Hoewel Luis het me de vorige dag al had verteld, wilde ik zo veel mogelijk van Castillo's spraakzaamheid gebruikmaken om uit hem te krijgen wat hij wist. 'Dat...'

Hij zag hoe ik reageerde en zocht naar een geschikter woord. 'Hij was dus homoseksueel.'

'Maar hij heeft een zoon!'

'Dat zegt niets.'

'Waarom vertelt u me dat eigenlijk?' ondervroeg ik hem ernstig, zoals ik dat zou doen met een getuige in een rechtszaak. 'Legt u me dat eens uit.'

'Toen hij belde, nadat hij had gezegd dat hij zich een kogel door het hoofd zou jagen, begon hij me te vragen hoe oud ik was en welke kleur ogen ik had. Alsof hij me wilde versieren. Kun je je dat voorstellen van iemand die heeft besloten zich door zijn kop te schieten?'

'Dat is inderdaad heel vreemd voor iemand die zelfmoord gaat plegen,' antwoordde ik nadenkend. 'Hoe homoseksueel hij ook was. Vindt u niet?'

'Niet voor hem,' benadrukte Castillo. 'Ja, die vent was een flikker, maar wel een met kloten.'

Innerlijk was ik de commissaris dankbaar dat hij, ondanks zijn taalgebruik, Enric waarschijnlijk het grootste compliment had gemaakt dat hij kon geven. Er klonk iets van bewondering in zijn stem.

Zwijgend wachtte ik tot hij zijn verhaal zou hervatten.

'Ik heb de zaak gereconstrueerd,' ging Castillo verder. 'Ik ga ervan uit dat hij die handelaren 's avonds tussen zes en zeven uur van kant heeft gemaakt: om halfnegen belde de vrouw van de oudste hevig ontdaan op om aangifte te doen van de misdaden. Ze was net thuisgekomen.

Ik weet zeker dat Bonaplata alles van tevoren had uitgestippeld en van plan was de aarde op grootse wijze te verlaten. Daarna verloren we hem enkele weken uit het oog, hij reisde van hot naar haar en het leek hem koud te laten dat mijn collega's die met de zaak belast waren, hem verschillende keren hier in Barcelona ondervroegen. Ze waren bewijzen aan het verzamelen om hem in staat van beschuldiging te stellen.

Maar hij wist het en gaf ze voor altijd het nakijken. Op een dag ging hij, zoals hij wel vaker deed, in zijn favoriete restaurant eten. Alleen. Hij at zich ongans aan zijn lievelingsgerechten en sloeg een hele fles van de duurste wijn achterover. Borrel en sigaar toe.

Daarna ging hij naar zijn flat aan de Paseo de Gracia, zette muziek op, nam nog een sigaar en een cognac en besloot, als rechtschapen burger, de politie op de hoogte te stellen. En zelfs toen kon hij het niet laten om te proberen een broekie zoals ik te versieren. Nadat hij er zijn hele leven niet voor uit had kunnen komen dat hij homo was, door die verhalen van "wat zullen ze zeggen" en "wat zou de familie ervan vinden". Waarom zou hij op het laatste moment niet uit de kast mogen komen? Weet u, hij hield van jonge jongens.'

'Was hij pedofiel?' Nu schaamde ik me wel.

'Nee,' antwoordde Castillo glimlachend toen hij hoorde hoe ontdaan ik was. 'Er is geen enkel bewijs of verdenking dat hij op kinderen viel, maar wel op grotere jongens van zo'n jaar of twintig.'

Dat was een hele opluchting. Ik dacht even na voordat ik de commissaris opnieuw een vraag stelde. 'Maar waarom heeft hij zelfmoord gepleegd?' Ik wilde voorkomen dat ik nog meer details over het seksuele leven van Enric te horen zou krijgen. 'Uit wat u me vertelde, blijkt niet dat hij gedeprimeerd was en genoot hij met volle teugen van het leven. Bovendien, als hij alles zo goed had gedaan – u kon zijn schuld immers niet bewijzen – had u hem nooit kunnen oppakken.'

'We stonden op het punt hem te grijpen; als we door hadden kunnen gaan met verhoren, had hij heel wat uit te leggen gehad. Maar we visten achter het net omdat hij een enkele reis naar het hiernamaals heeft genomen.' Castillo zag er verslagen uit; hij scheen de uiteindelijke vlucht van Enric nog niet te kunnen verkroppen. 'Misschien staat het allemaal in verband met de dood van een ongeveer twintigjarige jongeman, een paar weken daarvoor,' voegde hij er na een korte stilte aan toe. 'Het schijnt dat ze een relatie hadden.'

'Ja?'

'Ja. De jongen stond in de antiekzaak die Bonaplata in het oude stadsdeel had.'

'Dat is allemaal nogal vergezocht. Vindt u niet?'

'Nee, helemaal niet. Ik denk dat het zo is gebeurd: Bonaplata en de handelaren hadden ergens ruzie over. Het moet om iets heel waardevols zijn gegaan. Ze gaven de jongen een pak slaag om hem aan het praten te krijgen, het liep uit de hand en ze vermoordden hem. Dat moet Bonaplata behoorlijk hebben aangegrepen. Hij heeft ze erin laten lopen, het lukte hem een pistool achterover te drukken en toen ze er het minst op bedacht waren... Pief! Paf! Poef! In één klap stuurde hij ze allevier naar het kerkhof van Can Tunis. Zij hadden de jongen omgebracht en hij nam wraak. Zo eenvoudig was het!'

'Maar dat klopt niet met het beeld dat ík van hem had. Hij was een levensgenieter, een fantastisch mens.' Er kwamen weer tranen in mijn ogen als ik aan hem dacht. 'Het kost me moeite om te geloven dat hij homoseksueel was, maar dat hindert niet, daar wordt hij niet minder door. Maar ik weiger te geloven dat hij zelfmoord pleegde om zijn straf te ontlopen. Ik geloof er niks van dat hij zelfmoord heeft gepleegd. En die mensen vermoorden? Ook dat zie ik hem niet in koelen bloede doen. Het was een vredelievend mens. En hoe kon hij het doen?' Mijn stem schoot steeds verder omhoog. 'Hoe kon hij hen om de tuin leiden terwijl die anderen wisten dat hij hen wel moest haten? Zei u niet dat het echte gangsters waren?'

'Ik weet het niet. Ik weet niet alles,' protesteerde Castillo enigszins radeloos en hij strekte zijn armen ten hemel met de handpalmen omhoog, alsof hij om iets smeekte. 'Al dertien jaar houdt het me bezig en ik weet het nog steeds niet. Dit is mijn theorie; er zijn nog hiaten die moeten worden opgevuld, maar ik weet zeker dat hij het was. Hij heeft ze vermoord. En hij deed het alleen.'

13

In de taxi bleef alles wat Castillo me had verteld door mijn hoofd spoken. Ik moest mijn gedachten op een rijtje zetten, en toen ik bij het hotel aankwam besloot ik wat te gaan wandelen in de tuin met het zwembad op de eerste verdieping. Op weg erheen zag ik hem.

Hij zat aan een van de tafeltjes bij de glazen deur en keek naar me. Nu was ik er wél zeker van; het was de man van het vliegveld. Hetzelfde haar, dezelfde witte baard, weer donker gekleed, misschien waren het wel dezelfde kleren. En die blauwe ogen waarvan een dreiging uitging. Hij keek net zo naar me als op het vliegveld en deze keer wendde ik, geschrokken, meteen mijn blik af. Wat deed die man hier in het hotel? Ik veranderde van gedachten, draaide me om en liep langs de receptie naar de liften ertegenover. In de gang keek ik om. Ik wilde in geen geval dat die man me zou volgen; het idee om met hem alleen in de lift te staan joeg me angst aan. Intussen dacht ik na. Het was wel heel toevallig dat ik hem in zo'n grote stad als Barcelona weer tegen het lijf liep. Bovendien zag hij er absoluut niet uit als een gast van het hotel.

Toen ik, samen met een geruststellend ouder echtpaar, vast en zeker Amerikanen van de Westkust, met de lift naar boven ging, kwam er een logische verklaring bij me op.

Zo onwaarschijnlijk was het al met al niet dat ik die kerel hier toevallig weer tegenkwam; hij had waarschijnlijk gewacht op iemand die met dezelfde vlucht was aangekomen als ik. Misschien was hij chauffeur van een autoverhuurbedrijf en stond hij op dat moment op een klant te wachten. En nu ook in het hotel. Natuurlijk, dat moest het zijn... Maar wat deed hij dan op de Ramblas? Was hij op stap met een toerist?

Wie die man ook was, ik voelde me pas gerust toen ik op mijn kamer was met de deur op slot. Het was het onaangename uiterlijk van die man en zijn manier van kijken waardoor ik me niet op mijn gemak voelde. Dat was alles, zei ik tegen mezelf.

Ik liep meteen naar het raam om weer naar dat fantastische uitzicht op de stad te kijken. Daar beneden, rechts van de eindeloze zee, strekte de oude dame zich in haar siësta uit onder de middagzon. Ik herkende het uiteinde van de Ramblas aan het standbeeld van Columbus en volgde met mijn blik mijn wandeling van gisteren in tegengestelde richting. Het was moeilijk vanaf die hoogte en afstand het traject te volgen, omdat de straten door gebouwen aan het gezicht werden onttrokken en ik alleen aan de vorm ervan kon raden waar de avenida's daar beneden liepen. Desondanks gleden mijn ogen over de flarden lucht boven de bijzonderste boulevard van Barcelona.

Toen ik me omdraaide merkte ik dat het rode lampje van de telefoon knipperde. Er stonden berichten op het antwoordapparaat. Eentje was van Luis van tien uur 's morgens. Hij herhaalde nog eens zijn uitnodiging voor een etentje. Of ik hem hoe dan ook wilde terugbellen. Hij wilde graag weten wat ik had ontdekt en met me praten. Het volgende bericht was ingesproken door een vrouwenstem die ik niet meteen kon thuisbrengen.

'Hallo, Cristina,' zei ze. 'Welkom in Barcelona. Ik hoop dat je je mij nog herinnert. Ik ben Alicia. Bel me. We hebben een heleboel te bespreken en als je peettante wil ik dat je je mijn gast bent zolang je hier in de stad bent.' Ze klonk warm, rustig en zelfverzekerd.

Vervolgens herhaalde ze twee keer een telefoonnummer. Ik schreef het op in het notitieblokje dat op het nachtkastje lag. 'Ik wacht op je telefoontje, liefje.'

Nee maar, zei ik bij mezelf, daar heb je de nachtmerrie van mijn moeder. De vrouw voor wie ze zo bang leek te zijn. Het monster had in elk geval een diepe stem, die fluweelzacht en aangenaam klonk. Ik overwoog of ik haar meteen zou bellen, maar ik wilde er eerst nog even over nadenken. Wat betekende het om haar te zien? Tegen de wens van mama ingaan, natuurlijk. Maar dat had ik al vele malen eerder gedaan en het was niet doorslaggevend. Luis had me ook voor haar gewaarschuwd. Maar dat was evenmin belangrijk voor mij. Waar het om ging was dat die vrouw een heleboel moest weten wat me bij mijn onderzoek naar de dood van Enric zou kunnen helpen. Als ze me dat wilde vertellen, natuurlijk...

Hoe wist ze waar ik logeerde? Makkelijk, bedacht ik, haar zoon is morgen uitgenodigd voor het lezen van het testament, ik moest dus in Barcelona zijn en het was een logische gedachte dat ik in een hotel van een Amerikaanse keten zou logeren. Het was alleen een kwestie van opbellen en naar mij vragen. Vanzelfsprekend.

Om eerlijk te zijn was mijn nieuwsgierigheid geprikkeld. De moeder van Oriol. Waarom deed ze zo lief tegen me? Ik had een telefoontje van haar zoon verwacht, niet van haar. Had hij nog tedere herinneringen aan die laatste zomer, aan de zee, de storm en de eerste kus? Waarom belde hij niet? Misschien om dezelfde reden waarom hij geen van mijn brieven wilde beantwoorden; misschien om wat Luis over hem vertelde. Was hij homoseksueel?

Zij noemde zich mijn peettante. Maar dat was niet waar, ook al zou je de vrouw van je peetoom zo kunnen noemen. Maar bij het doopsel van een kind worden de peetoom en peettante apart uitgekozen. Ze hebben geen relatie met elkaar. Ik weet eigenlijk niet eens wie mijn echte peettante was, vast en zeker een vriendin of familielid van mijn moeder. Maar niet zij, niet Alicia. Ze was niet eens voor de Kerk getrouwd met mijn peetoom.

Bovendien, ook al kwam ze wel eens samen met Oriol en Enric bij ons op bezoek, meestal kwamen die toch alleen. Als klein meisje vond ik Enric en Alicia al een vreemd paar. Ze hadden ieder een eigen huis. Oriol woonde bij zijn moeder in het huis aan de Avenida Tibidabo en Enric sliep soms daar en soms in zijn eigen appartement. Ja, aan de Paseo de Gracia, waar hij zelfmoord had gepleegd.

Het contact kwam van de kant van mijn moeder, de familie Coll. Mijn grootvader van moederskant en die van Oriol van vaderskant, de vader van Enric, waren als broers. Hun vaders, dus onze overgrootvaders waren hecht bevriend met elkaar in die jaren aan het einde van de negentiende eeuw toen Barcelona openlijk wedijverde met Parijs als kunststad. Ze kwamen vaak in het café Els Quatre Gats, waar ze Nonell, Picasso, Rusiñol of Casas ontmoetten. Ze behoorden tot families van de hogere Catalaanse burgerij, maar in hun jonge jaren leidden ze een rebels uitgaansleven door in plaats van braaf mee te gaan naar het Teatro del Liceo, zoals traditiegetrouw hoorde, naar de artiestencafés van die tijd te gaan. Daar kwamen ze in aanraking met bijna alle *ismen* van die snel veranderende wereld van eind negentiende eeuw, waaronder het anarchisme, het communisme, kubisme, existentialisme en niet te vergeten het bordelisme in de Calles Aviñó en Robador, waar ze artiesten met schaarse middelen maar net zo'n groot libido en veel talent mee naartoe namen, zoals die jongen die Picasso heette.

Daar kwamen de schilderijenverzamelingen vandaan, die ooit als vriendendienst voor een schijntje van behoeftige kunstenaars waren gekocht, en die vervolgens door hun grootvaders waren geërfd en verdeeld onder het nageslacht en nu een fortuin waard waren.

Ik ging weer naar het raam om naar die stad te kijken die nog steeds doortrokken was van kunst. Waarom had mijn moeder haar hele traditie, die hele legendarische geschiedenis opgegeven? Waarom was ze uiteindelijk met een Amerikaan getrouwd en in wezen weggevlucht uit de stad? Natuurlijk, ze was verliefd geworden op mijn vader. Als afstammelinge van fortuinen uit het verleden, vergaard met weefgetouwen en zeilboten die de oceanen doorkliefden voor de handel met Indië, respectabel geworden door bezoek aan de opera in het Liceo en daarna afgebeeld in de avant-gardistische kunst, waar latere generaties vrijbuiters als weldoeners aan hadden bijgedragen, raakte ze in de ban van een Amerikaanse ingenieur.

Ja, natuurlijk. Het moest de liefde zijn... Dat zou het wel zijn. De liefde. Maar er zat meer achter die hele geschiedenis. Iets meer dat zich aan mijn blikveld onttrok, maar waarvan ik voelde dat het er was.

Op dat ogenblik ging de telefoon.

'Ja, met Cristina.'

'Hallo Cristina.' Ik wist onmiddellijk wie het was. 'Met Alicia, je peettante.'

'Hallo, Alicia. Hoe gaat het?'

'Heel goed, liefje. Ik heb je twee keer gebeld met een boodschap om me terug te bellen.' In haar warme, diepe stem klonk een licht verwijt.

'Dat wilde ik ook gaan doen, Alicia.' Waarom die verontschuldigende toon, vroeg ik me af? 'Maar ik kom net binnen.' Ik keek even op mijn horloge om vast te stellen dat dat niet waar was, ik was al meer dan een uur in het hotel.

'Nou goed. Ik ben je voor geweest,' concludeerde zij. 'Ik ben hier en wacht op je bij de receptie.'

'Waar? Hier?' vroeg ik een beetje dom.

'Waar anders, liefje? In het hotel.'

Ik was sprakeloos. In het hotel? Wat deed Alicia in mijn hotel?

'Toe nou, laat me niet wachten. Kom naar beneden,' reageerde ze op mijn stilzwijgen.

'Goed, ik kom eraan,' antwoordde ik gehoorzaam.

'Tot zo, liefje.'

'Tot zo.'

Dus eindelijk ontmoet ik Alicia, dacht ik.

Ik herkende haar onmiddellijk. Ze moest boven de zestig zijn, maar de vrouw die aan een van de tafeltjes van de bar naast de receptie zat en lachend opstond leek veel jonger. Ze was stevig gebouwd; ik herinnerde me haar als een vrouw met brede heupen, een beetje een matrone. Die kenmerken waren met de tijd nog toegenomen.

'Liefje! Wat fijn om je te zien!' riep ze uit met die diepe stem terwijl ze met uitgestoken armen op me af kwam. Ze drukte me tegen zich aan en gaf me twee dikke zoenen. Er hing een doordringende parfumlucht om haar heen en haar gouden armbanden rinkelden.

'Hallo Alicia!' Op een of andere manier voelde ik me door de sterke persoonlijkheid van die vrouw, het charisma dat ze uitstraalde, weer een kind van dertien. En haar ogen. Die diepblauwe ogen, een beetje amandelvormig, net als die van haar zoon Oriol. Ik huiverde een beetje toen ik ze weer zag.

'Wat zie je er goed uit!' riep ze en bekeek me op een afstandje. 'Je bent een knappe vrouw geworden. Ik wil het gezicht van Oriol weleens zien als jullie elkaar weer ontmoeten.'

Ze lette scherp op mijn gezichtsuitdrukking bij het noemen van haar zoon; ik probeerde mijn gezicht in de plooi te houden en zei niets.

'Maar ga zitten,' nodigde ze me uit zonder zich iets van mijn stilzwijgen aan te trekken. 'Vertel me over je familie. Hoe gaat het met jullie in de Verenigde Staten?'

Dat deed ik, maar niet zonder eerst naar de plek gekeken te hebben waar die vreemde man kort daarvoor had gezeten. Ik zag hem niet en voelde me opgelucht.

Alicia was een onderhoudende gesprekspartner en we zaten een poosje gezellig over ditjes en datjes te kletsen. Ik wilde haar een heleboel vragen, maar op een of andere manier kwam het er niet van. Ik voelde dat we nog niet vertrouwd genoeg met elkaar waren.

Plotseling zei ze: 'Ik ben gekomen om je mee naar mijn huis te nemen.'

'Wat zeg je?'

'Ja dat, ik wil graag dat je met me meekomt.'

'Maar...'

'Geen gemaar, liefje,' zei ze met die diepe, fluwelige stem, die geen tegenspraak duldde. 'Ik heb een kast van een huis met een heleboel logeerkamers en ik laat mijn petekind niet alleen in een hotel zitten.'

'Absoluut niet,' stribbelde ik tegen en dacht snel na. Alicia, gevreesd door mijn moeder, een gevaarlijke vrouw volgens Luis, nodigde me uit in haar huis, waar Oriol woonde. Wat zou ze me allemaal vertellen over Oriol? 'Maar ik wil je niet tot last zijn.'

'Lastig is als je hier blijft,' zei ze resoluut. 'Bijna een belediging. Afgesproken dus, we gaan naar mijn huis en morgen ga ik, samen met Oriol, met je mee naar de notaris.'

'Maar...'

Ze luisterde niet eens meer en liep naar de receptie, waar ze instructies begon te geven. Ik wilde haar tegenhouden, maar voelde wel dat dat geen zin had. Eigenlijk wilde ik ook wel. Ik keek hoe ze zich gedroeg. Die vrouw had een wonderlijk gezag. Ze sprak bijna op fluistertoon en iedereen boog zich naar voren om haar beter te kunnen verstaan. Ze liet haar creditcard achter bij de receptie en zei dat we konden gaan.

'Je moet het niet in je hoofd halen om mijn rekening te betalen.'

'Dat is al gebeurd,' zei ze.

'Maar dat wil ik niet.'

'Je bent te laat. De directeur van het hotel is een vriend van mij en ze zullen je geld niet accepteren. Mijn petekind is mijn gast.'

Desondanks zei ik met klem tegen de hotelbediende bij de receptie dat ík degene was die betaalde, maar hij antwoordde dat mevrouw al voor ik naar beneden kwam alles had geregeld en dat de transactie niet meer ongedaan gemaakt kon worden.

'Ik moet mijn spullen pakken,' zei ik ten slotte. Dit beviel me niet, niet eens zozeer omdat ze mijn rekening had betaald, maar omdat iedereen naar haar pijpen moest dansen, ikzelf inbegrepen.

'Maak je daar maar niet druk om, liefje,' antwoordde ze met een gebaar van 'doet er niet toe'. Het hotelpersoneel en mijn dienstmeisje, dat al onderweg is, zorgen voor je bagage. Het staat allemaal zo op je kamer bij mij thuis, ze nam me bij de arm op weg naar de uitgang.

'Je laat je creditcard liggen.'

'Die neemt mijn dienstmeisje ook mee.'

'Je hebt toch geen blanco cheque getekend, hè?'

Alicia barstte in lachen uit. 'En wat zou dat?' informeerde ze vrolijk. 'Dit

is een Amerikaans hotel. En jullie Amerikanen zijn toch allemaal eerlijk?'
Er klonk een wat spottend toontje door in haar fluweelzachte stem.

Je moest eens weten, dacht ik.

'Wat een mooie benen heb je, liefje.' De auto van Alicia stond stil voor een
van de stoplichten op de Ramblas. Doordat ze zo onverwacht in het hotel
was verschenen had ik me niet kunnen omkleden en vanwege de lage zit-
ting was het korte rokje dat ik voor de commissaris had aangetrokken tot
meer dan halverwege mijn dijbenen opgekropen. Ze streelde mijn knie en
ik was meteen op mijn hoede. Even had ik er spijt van dat ik haar gastvrijheid had aangenomen.

'Dank je,' zei ik voorzichtig.

'Ik heb in het hotel opdracht gegeven je telefoontjes af te handelen alsof
je nog een hotelgast bent,' zei ze glimlachend. 'Dan hoeven ze in Amerika
niet te weten dat je bij mij bent.'

Ze weet dus dat mijn moeder niets van haar moet hebben, dacht ik bij
mezelf. We reden dwars door de stad via de verticale as die vanaf de oude
haven naar de Collcerola-heuvels loopt. Ramblas, Paseo de Gracia, Mayor
de Gracia, om bij de Avenida Tibidabo uit te komen, waar Alicia het grote
modernistische huis van de Bonaplata's bewoonde met een prachtig uitzicht over de stad. Onderweg vertelde ze allerlei anekdotes over de stad en
op de Paseo de Gracia wees ze waar gemeenschappelijke vrienden van onze families woonden en kreeg ik een paar snelle, sappige roddelverhalen
over hen te horen. Ze sloeg net zo'n samenzweerderig toontje aan waarmee vriendinnen elkaar geheimpjes vertellen; Alicia gaf me een vreemd
gevoel van kameraadschap.

14

De stad was in veel opzichten veranderd, maar het huis was nog precies zo als ik het me herinnerde. Alleen was alles wat gekrompen sinds die langvervlogen tijd. Het was duidelijk dat ik de laatste keer, bij ons afscheid van Barcelona, nog niet zo groot was als nu, want alles leek kleiner dan in mijn gedachten. Wat je nog steeds hoorde was het vrolijke geklingel van de blauwe tram, de enige die nog reed in de stad, die langs het huis van Alicia de heuvel op en af ratelde. Het was zo'n ouderwetse, die de bezoekers vanaf het station van de Ferrocarriles Catalanes naar de kabelbaan bracht, die ze dan afzette op de top bij de kerk van de Sagrado Corazón en het pretpark van de Tibidabo. De laan, de tram, de kabelbaan, het oude park, nog altijd ouderwets ondanks renovaties, met zijn fantastische negentiende-eeuwse automaten die nog steeds werkten, het namaakvliegtuig, de doolhof en het kasteel van de heks; dit alles had een magische aantrekkingskracht op mij toen ik klein was, en nog steeds.

'Jouw hotel is niet de enige plek met een panoramisch uitzicht op Barcelona,' zei Alicia nadat ze me het bordes, de bijkeukens en de zitkamer had laten zien, die uitkeek op de goed onderhouden tuin, de plek van gedenkwaardige kinderavonturen. 'Kom mee!'

En we gingen meteen door naar de derde verdieping, waar ze haar privé-vertrek had. Ik was nog nooit in die kamer geweest; van daaruit zag je de stad vanaf de andere kant. In de verte lag de staalblauwe, door de zon verlichte zee, die van achter ons kwam en tot de Montjuïc met zijn kasteel reikte. En daar tussenin, strekte de stad zich uit, waar langzaamaan het avondduister viel.

'Dus jij hebt de ring van Enric geërfd,' zei Alicia plotseling. Misschien kwam het doordat de toon van haar stem was veranderd, door de uitdrukking op haar kattengezicht of doordat ze een bepaalde bedoeling had met wat ze zei. In ieder geval schrok ik.

Alicia liet het avondeten opdienen in haar vertrek op de bovenste verdieping.

De roze wolkjes aan de hemel weerspiegelden de zon die al was ondergegaan, terwijl de lichten in de stad aan onze voeten werden ontstoken omdat de schemering viel. Ik had tijd gehad om te controleren of mijn spullen, die verbazend snel naar mijn kamer waren overgebracht, goed neergezet waren en wat rond te lopen in de tuin waar ik zo van hield.

Maar tot mijn teleurstelling kwam ik hem niet tegen.

De enige toespeling die Alicia op haar zoon maakte, was toen ze zei: dat is de kamer van Oriol. Hij grensde aan die van mij, maar ze liet hem niet zien, alsof hij hem op slot had gedaan. Ik vroeg niets, maar diep in mijn hart hoopte ik hem op de trap of ergens in een hoek van de tuin tegen te komen, hoewel ik niet verwachtte dat hij er was.

We praatten over mijn ouders, over hoe anders het leven in New York was en plotseling keek ze naar mijn hand.

'Is dat een verlovingsring?'

'Ja.'

'Die moet er warmpjes bij zitten,' zei ze glimlachend.

'Ja, dat klopt. Hij werkt op de beurs.'

'Die mensen op Wall Street zijn alleen met het allerbeste tevreden.' Ondeugend keek ze me met haar blauwe ogen aan.

Ik glimlachte zonder te antwoorden, en op dat moment flapte ze er opeens uit: 'Dus jij hebt de ring van Enric geërfd,' en ik wachtte tot ik van de schrik was bekomen voordat ik antwoord gaf.

'Hij kwam als een complete verrassing op mijn laatste verjaardag, een paar maanden voordat ik de brief van de notaris kreeg met de afspraak voor morgen.'

'Je peetoom was dol op je,' zei ze langzaam. Ze kreeg een verdrietige blik in haar ogen, alsof ze jaloers was. 'Hij aanbad je,' benadrukte ze.

'Hij was altijd heel aardig voor me,' antwoordde ik. 'Hij was net een echte oom.'

'En hij hield ook veel van je moeder. Heel veel.' Ik wist niet wat ik hierop moest zeggen. Ik vond het niet prettig dat ze mijn moeder in het gesprek betrok. Zinspeelde ze ergens op?

'Ik had het kunnen weten,' ging ze verder. Het was of ze hardop dacht, of ze over oud zeer piekerde. 'De ring. Die was niet voor mij. Hij heeft hem ook niet voor zijn zoon bewaard. Hij heeft hem naar jou laten sturen als een verjaardagscadeau...!'

Die vrouw gaf me een schuldgevoel omdat ik de ring met de robijn droeg – ik voelde me opgelaten, ik had liever in mijn hotel gezeten. Of zelfs gedineerd met Luis. Op dit moment miste ik die gekke lastpost.

Maar alsof Alicia mijn gedachten had geraden, verscheen er plotseling weer een vriendelijke glimlach op haar smalle katachtige gezicht. 'Maar ik vind het echt fijn dat je hier bent, liefje!' Haar hand zocht een weg tussen het serviesgoed op tafel om die van mij te strelen. 'Mag ik hem eens zien?' Ik deed de ring af en legde hem voor haar neer. Eerbiedig nam ze hem in haar handen en hield hem tegen het licht.

'Hij is mooi,' zei ze. 'Het is een meesterwerk van edelsmeedkunst uit die tijd, uit de dertiende eeuw. Moet je eens kijken!' Ze stond op om het elektrische licht uit te doen en doordat ze de ring bij de vlam van een van de kaarsen hield die op tafel stonden, projecteerde ze het kruis op het tafelkleed. Daar was het rode kruis, wat vaag door de afstand, meedeinend met de vlam. Angstaanjagend, mysterieus. 'Is het niet wonderbaarlijk?'

'Inderdaad,' antwoordde ik. 'Het is niet voor te stellen dat ze wisten hoe ze die robijn, met het bewerkte ivoor aan de onderkant, in de gouden ring moesten vatten.'

'Ivoor? Welk ivoor?'

'Nou... Dat van de ring, de onderkant waarop de steen vastzit en waar je het kruis doorheen kunt zien, dankzij de witte randen. Van ivoor.'

Alicia begon te lachen. 'Het is geen ivoor, liefje.'

'Wat dan?'

'Been.'

'Been?'

'Ja, been van een mens.'

'Wat?'

Weer lachte ze. 'Schrik maar niet. De witte bewerkte onderkant van de ring is een stukje menselijk bot.'

Met afkeer keek ik naar de ring. Ik vond het helemaal niet prettig een stukje van een lijk aan mijn vinger te dragen. Ik dacht dat die vrouw me misschien in de maling nam en lachte om een goedgelovige Amerikaanse toeriste bij wie ze haar oude spookverhalen kwijt kon.

'Het is een relikwie,' voegde ze eraan toe. 'Heb je wel eens iets over relikwieën gehoord?'

'Wel iets, maar ik heb nooit...'

'Tegenwoordig zijn ze niet meer zo in trek. Maar in de middeleeuwen waren ze van enorm belang en zelfs nog tot niet zo heel lang geleden. Het zijn stoffelijke resten van heiligen. Vroeger zaten ze ook op zwaarden en werden er prachtige stukken edelsmeedkunst gemaakt om die stoffelijke resten beter te kunnen bewaren. En tot op heden worden in veel kerken nog relikwieën aanbeden. We weten niet aan welke heilige de relikwie van de ring toebehoorde. Misschien was het een heldhaftige tempelier die als martelaar stierf in naam van zijn geloof.'

'Een tempelier?'

'Heb je ook nog nooit van de tempeliers gehoord?' Met verbaasde ogen keek Alicia me aan. Daarin weerspiegelde zich het licht van de kaarsen op tafel, waardoor ze er zo mysterieus uitzag als een heks.

'Jawel, ik heb er wel eens iets over gehoord.' Ik moest bij haar maar niet net zo bijdehand doen als bij Luis en kon maar beter luisteren naar wat ze te vertellen had.

'Dat waren monniken die naast de gelofte van gehoorzaamheid, kuisheid en armoede die ze moesten afleggen, hun geloof met het zwaard moesten verdedigen. Ze vormden ridderordes en iedere orde had verschillende rangen en een leider: de grootmeester. Behalve de Tempelorde had je de Hospitaalridders, de ridders van het Heilige Graf, de Teutoonse ridders, en toen de orde van de tempeliers verdween, ontstonden er weer andere. Meer vertel ik je niet, want ik heb het gevoel dat je er over een paar dagen alles van af zult weten. Dit is een van de symbolen van de tempeliers,' en weer projecteerde ze het kruis op het tafelkleed. 'Er wordt gezegd dat jouw ring aan de grootmeester heeft toebehoord. Het bezit ervan brengt grote verantwoordelijkheid met zich mee.'

'Waarom?'

'Omdat je hem waard moet zijn. Het geeft een groot moreel gezag en jij bent de eerste vrouw in de geschiedenis die hem in haar bezit heeft.'

Sprakeloos keek ik haar aan. Door die ring viel ik van de ene verbazing in de andere. Alicia pakte mijn hand en streelde die. Ik voelde een vreemde mengeling van aantrekkingskracht en afkeer en merkte dat mijn haren recht overeind gingen staan; verontrust zei ik bij mezelf dat die vrouw een meesteres was in het verleiden.

Even later schoof ze de ring teder en langzaam aan mijn vinger. Weer streelde ze mijn hand, terwijl ze met haar diepe stem zei: 'Als hij van jou is, moet dat wel zijn omdat je hem verdient.' Ze zweeg even. 'Je weet niet hoe ik je benijd, liefje.'

Die avond had ik moeite om in slaap te komen. Ik had een mooie kamer met prachtige antieke meubelen en een groot raam dat uitzag op de stad. Hoewel ik had genoten van het gesprek met mijn gastvrouw, wilde ik toch zo snel mogelijk naar mijn kamer, die ik meteen op slot deed. Ik was blij dat dat kon. Wat een vreemde vrouw, die Alicia! Ik voelde me onrustig. Waar zou Oriol zijn? Met afkeer keek ik naar mijn ring. Wat een raar verhaal over die relikwie! Helemaal geen leuk idee. In het licht van de lamp glansde de steen zwak, alsof hij sliep. Wat zou de volgende dag me brengen? Ik zou hem zien. Bij de notaris. En die erfenis? Een laatste grap van Enric? Ik deed mijn pyjama aan, maar ik was nog te onrustig om te gaan slapen. Ik deed het licht uit en het raam open. Een frisse maar aangename wind kwam me tegemoet. De nacht. Weer de nacht en de stad. Ik zag haar vanuit de verte en hoorde het vage geluid van een auto op de nabijgelegen boulevard en de gierende banden van een te snel rijdend voertuig, daar beneden, op straat. Daarna: stilte.

15

Bij gebeurtenissen waar je reikhalzend naar uitziet kun je de klok niet vooruit zetten, hoe graag je dat ook wilt, en ongeduld doet de klok evenmin sneller tikken. Soms werkt het zelfs averechts en lijkt het wel of hij stilstaat of achteruitloopt. Hoe dan ook, het moment komt als de tijd daar is, en wat moet rijpen rijpt of blijft groen... voor altijd, het een of het ander, en bla, bla, bla... Soms als ik zenuwachtig ben ga ik zo tegen mezelf zitten kletsen. Door mijn beroep als advocaat leer ik langzamerhand wel mezelf beter in de hand te houden, maar op zo'n dag als vandaag, in een taxi, kan ik het niet laten onophoudelijk in gesprek te zijn met mijn andere ik, dat maar door blijft ratelen en dat Joost mag weten waar vandaan komt als ik zo gespannen ben.

Het belangrijkste is dat ik hem eindelijk zal ontmoeten.

Ik kon die nacht niet slapen. Ik hoefde maar te denken aan wat Enric had gevoeld in zijn laatste uren of wat hij kon hebben gedaan in die dagen die commissaris Castillo niet had kunnen natrekken, of dat Alicia te lief was, met die liefkozingen van iemand die precies weet hoe ze iemand moet behagen, of aan de schok die ik kreeg toen ik hoorde dat er stoffelijke resten in mijn ring zaten, of wat die geheimzinnige erfenis morgen zou inhouden en dat ik eindelijk Oriol zou zien.

En dan begon ik weer van voren af aan. Ik vroeg me af hoe Oriol zou reageren als we elkaar weer zagen, wat dat testament, dat dertien jaar na de dood van Enric voorgelezen zou worden, te maken kon hebben met de moord op die mensen in Sarriá, ik dacht dat het misschien beter was geweest als ik de uitnodiging van Alicia niet had aangenomen en ik zag de schittering van de bloedrode robijn. In mijn dromen, half in slaap, raakte ik geobsedeerd door de gedachte dat die ring me ergens voor wilde waarschuwen.

En meteen daarop begon de mallemolen van beelden en gedachten weer opnieuw rond te draaien.

Ik kon wel wat slapen, maar hoelang is moeilijk te zeggen; in elk geval had ik de volgende ochtend make-up nodig om de kringen onder mijn ogen een beetje weg te werken.

Ik nam een taxi naar de notaris. Alicia had me gezegd: 'Ik zou graag met je meegaan, maar ik geloof niet dat iemand op mij zit te wachten.' En zo maakte ze zich handig van haar aanbod van gisteren af.

Ik was twintig minuten te vroeg voor de afspraak en hoewel ik dacht dat lindebloesemthee beter voor me zou zijn dan koffie, ging ik een bar binnen en bestelde toch een espresso en een croissant. De koffie rook heerlijk en de croissant was er niet zo een met een glazuurlaag, maar met krokante puntjes, wat me met nostalgisch plezier deed denken aan wat ze *granjas* noemen, die tentjes die het midden houden tussen een lunchroom en een melkbar, waar ze van die heerlijke kopjes stroperige bittere chocola hebben.

Vijf minuten voor de afgesproken tijd ging ik naar het kantoor op de eerste verdieping van het gebouw.

Het was een van die oude huizen, met in steen gebeeldhouwde bloemen en krulversieringen en binnenwanden met decoraties van bladmotieven. De deur van het notariskantoor was van rijkbewerkt hout met een mooi spionnetje en andere tierelantijnen van gepolijst metaal, die goed pasten bij de artistieke vorm van de rest van het pand.

'De notaris verwacht u,' zei de secretaresse van een jaar of vijftig die de deur opendeed, wat me verbaasde, omdat notarissen altijd op zich laten wachten.

De vrouw bracht me naar een luxueus kantoor met een hoog plafond en twee grote ramen die op straat uitkeken. Er was een eikenhouten vloer en lambrisering.

'Juffrouw Wilson!' Een man van rond de zestig stond op van achter een groot bureau om me een hand te geven. Hij stelde zich voor als Juan Marimón en maakte een gebaar alsof hij me een handkus wilde geven. Voor het bureau zat ook Luis te wachten, die lachend opstond en me begroette met een paar zoenen.

'Gaat u zitten,' zei de man en wees me de stoel aan naast Luis. 'De heer Oriol Bonaplata kan elk moment komen.'

'Laten we dat hopen...' zei Luis met een spottend lachje.

'De heer Enric Bonaplata was een goede vriend,' vervolgde de man, die de opmerking negeerde, 'en zijn dood heeft ons allemaal erg aangegrepen.'

'Hebt u er bezwaar tegen om mij uw paspoort te laten zien?' vroeg hij vervolgens. 'We moeten ons aan de regels houden. De heren Bonaplata en Casajoana ken ik al jaren.'

Ik haalde mijn paspoort tevoorschijn en hij schreef mijn gegevens over en begon toen te vertellen wat een goede kerel Enric was geweest. Mijn blik ontmoette die van Luis, die me een knipoogje van verstandhouding gaf. Hij had een elegant grijs pak aan met een heel licht zalmroze overhemd, bijna wit, en een stropdas. Daarna keek ik op mijn horloge: het was al twee minuten over tien. Ik keek weer naar de notaris, die op een rustige, vriendelijke toon doorpraatte. Waar bleef Oriol, verdorie? Zou hij niet naar het voorlezen van het testament van zijn vader komen?

'... nog op de ochtend van zijn dood was de heer Bonaplata hier op kantoor.' Door die zin was ik weer bij de les. Hier deed zich plotseling de mogelijkheid voor de laatste uren van Enric te reconstrueren. Maar het verhaal van de man ging een andere kant op.

'Zei u dat hij die laatste ochtend nog hier was?' onderbrak ik hem.

'Ja, dat klopt.'

'Weet u ook hoe laat dat was?'

'Dat zou ik u niet precies kunnen zeggen.'

'Maar ongeveer.'

'De heer Bonaplata belde 's morgens voor een afspraak voor diezelfde dag. Ik zat helemaal vol, maar omdat hij het was... Tja, mijn vader was al notaris van die van hem en mijn grootvader van zijn grootvader. En ook onze overgrootouders. Ik kon hem dat verzoek waar hij zo op aandrong dus niet weigeren... Want...'

'U maakte dus een afspraak met hem,' viel ik hem in de rede.

Hij zweeg en keek me pijnlijk getroffen aan, zodat ik me schuldig voelde. Die man was duidelijk niet het tempo van New York gewend. Luis keek me geamuseerd aan.

'Ja, ik maakte een afspraak met hem,' zei hij ten slotte. 'Ik maakte een gaatje voor hem vrij aan het einde van de ochtend, tegen lunchtijd.'

'En hoe was hij? Had u het idee dat hij in de war was?'

'Nee, ik herinner me niets bijzonders. Maar het verbaasde me dat hij een tweede testament wilde laten opmaken zonder iets aan het eerste te veranderen.'

Juist op dat moment werden mijn gedachten onderbroken door een paar klopjes op de deur.

'Kom binnen,' zei de notaris.

'De heer Oriol Bonaplata,' kondigde de secretaresse aan. En daar was hij.

Het eerste wat ik zag waren zijn blauwe, een beetje amandelvormige ogen. Precies zoals ik ze me herinnerde. En zijn glimlach, diezelfde warme, brede glimlach. Ondanks de tijd die verstreken was zou ik hem tussen een miljoen mensen hebben herkend. Hem, en met hem die laatste zomer, de storm, de rotsen, de zee en de eerste kus.

'Cristina,' riep hij uit en hij kwam naar me toe. Ik stond op, we gaven elkaar twee kussen op de wang en hij drukte me tegen zich aan in een omhelzing die me de adem benam, niet door de kracht ervan maar door de gevoelens die ze in mij opwekte.

'Hoe gaat het, Oriol?' vroeg ik. Maar als ik had gezegd wat mijn op hol geslagen hart me op dat moment ingaf, zou dat iets zijn geweest als: Mispunt dat je bent. Waarom heb je je belofte gebroken? Waarom heb je mijn brieven nooit beantwoord?

Luis en hij begroetten elkaar ook met een omhelzing en vervolgens gaf hij de notaris een hand.

Hij was niet meer die slungelige jongen met pukkeltjes in zijn gezicht, broodmager en verlegen, die niet wist waar hij zijn te lange benen moest laten. Lang was hij wel, maar hij was atletisch gebouwd en bewoog zich zelfbewust. Hij ging op de vrije stoel rechts van mij zitten en met een hartelijk gebaar legde hij zijn hand op mijn knie en zei: 'Wanneer ben je aangekomen?' Zonder op antwoord te wachten voegde hij eraan toe: 'Je ziet er geweldig uit.'

Ik ging bijna onderuit. Ik voelde de korte aanraking van zijn warme hand op mijn been alsof er een ontlading van duizend volt plaatsvond.

'Dank je, Oriol,' stamelde ik. 'Ik ben woensdag aangekomen.'

'En hoe gaat het met je ouders?' Hij trok zich niets aan van de beide anderen, alsof wij alleen in dat kantoor waren. Ik voelde me gevleid. Toen ik beter naar hem keek vond ik hem er redelijk verzorgd uitzien, niet zoals ik vreesde na wat Luis had verteld. Hij droeg een broek met smalle pijpen, een trui met een ronde hals en een bijpassend donker jasje. Zijn haar zat in een staartje en hij had zich die ochtend vast en zeker gedoucht en geschoren. Ik was opgelucht. Er hingen geen vreemde geurtjes om hem heen. Ik had ook niet verwacht dat hij parfum op zou hebben, maar toch, als het ging om geurtjes: *no news, good news.*

In de afgelopen onrustige nacht, toen ik merkte dat hij niet kwam opdagen in dat grote luxueuze huis van zijn moeder, had ik hem in gedachten voor me gezien in een slaapzak op de grond van een verlaten pand zonder stromend water en met een soort slordig rastahaar, vol as van hasjsigaretjes.

'Als u het niet erg vindt, meneer Bonaplata,' onderbrak de notaris hem met een vriendelijke glimlach, 'wilde ik nu overgaan tot het voorlezen van het testament van uw vader. Ik ben er zeker van dat u straks nog tijd genoeg zult hebben om met elkaar te praten.'

Daar was Oriol het mee eens, waarna de notaris zijn bril opzette, zijn keel schraapte en op plechtige toon begon voor te lezen.

De man zei dat op 1 juni 1989 voor hem, notaris van het illuster college, verschenen was bla, bla, bla en dat hij Enric fysiek en mentaal capabel achtte, en na al die welbekende retoriek zei hij:

'Aan juffrouw Cristina Wilson, mijn petekind, laat ik het middelste deel na van een drieluik van eind dertiende of begin veertiende eeuw met een afbeelding van de Maagd Maria en het Kind. Het is a tempera geschilderd op een paneel van ongeveer dertig bij vijfenveertig centimeter.'

Ik was verbaasd. Maakte mijn paneeltje dan deel uit van een groep van drie?

'En ook een ring uit dezelfde eeuw met een robijn gevat in een gouden zetting. Het paneel in kwestie heeft ze al in haar bezit, omdat het dit jaar met Pasen naar haar toe is gestuurd, en de ring geef ik hierbij aan de notaris die hem naar Cristina moet sturen op haar zevenentwintigste verjaardag, enkele maanden voor de lezing van dit testament.

Aan mijn neef Luis Casajoana Bonaplata laat ik het rechterdeel van het drieluik na, een paneel van ongeveer vijftien bij vijfenveertig centimeter, met op de bovenste helft een afbeelding van Jezus Christus op de Calvarieberg en eronder Sint-Joris. Het paneel bevindt zich in een bankkluis.

En aan mijn zoon Oriol laat ik het linkerdeel van dat drieluik na, met dezelfde afmetingen en met een afbeelding van het Heilige Graf en de Verrijzenis boven en de Heilige Johannes de Doper onder.'

De notaris vermeldde dat er nu een brief van Enric Bonaplata zelf volgde, die door hem was gewaarmerkt, en ging door met lezen:

'Lieve jongelui,

Het drieluik bevat volgens de overlevering de sleutels tot het lokaliseren van een fabelachtig fortuin. Het gaat om de schat van de tempeliers uit de koninkrijken Aragón, Valencia en Mallorca, die koning Jaime II nooit heeft kunnen vinden. Er zijn mensen die beweren dat die schat niets minder is dan de Heilige Graal, de kelk met het gestolde bloed van Christus zelf, dat Jozef van Arimatea opving aan de voet van het Kruis. Mocht dat waar zijn, dan is het spirituele belang van die heilige Kelk van onschatbare waarde.

De legende wordt bevestigd door röntgenonderzoek van de drie panelen, want onder de verflaag staan woorden die betrekking hebben op de schat. Ik heb niet veel tijd gehad voor het onderzoek, maar voldoende om te weten dat er iets ontbreekt; dat niet alle informatie aanwezig is. Jullie zullen de ontbrekende sleutels moeten vinden, want mijn uren zijn geteld en ik heb er de energie niet meer voor.

Ik moet jullie waarschuwen dat jullie niet de enigen zijn die belangstelling hebben voor de schat. Ik hoop dat mijn vijanden in de loop van de tijd het spoor bijster zijn geraakt of de hoop hem ooit te vinden hebben opgegeven. Als dat niet zo is dan wil ik dat jullie weten dat zij heel gevaarlijk zijn en dat ook al heb ik gisteren de strijd gewonnen, een overwinning nog heel ver weg is. Wees discreet en voorzichtig.

Om verschillende redenen houd ik van jullie alledrie als mijn kinderen. Het leven scheidt mensen, maar ik zou graag willen dat jullie als jonge volwassenen weer een drie-eenheid vormen, zoals jullie in 1988 waren. Het minst waardevol van mijn erfenis zijn de schilderijen en de ring. Maar ook die legendarische schat zelf, het fortuin van een koning, betekent niet zoveel voor mij. De echte erfenis die ik jullie wil nalaten is die van het avontuur van jullie leven en de mogelijkheid om jullie vriendschap te hernieuwen die onze families generaties lang verbonden heeft. Geniet van het samenzijn, geniet van het avontuur, en heel veel succes. Ik heb ieder van jullie persoonlijk een brief geschreven. Veel geluk in jullie leven.'

Marimón zat ons over zijn bril aan te kijken met een professionele blik. Toen verscheen er een bijna kinderlijke glimlach op zijn gezicht en zei hij: 'Wat opwindend, hè?'

16

We vroegen de notaris of hij een plek voor ons alleen had. Ik was hele-maal van de wijs; ik wist niet wat opwindender was: de bevestiging dat de schat echt bestond of het weerzien met Oriol. Ik wilde dolgraag met hem alleen praten, maar het was niet het geschikte moment – ik moest nog even geduld hebben.

'Het is waar! Er is een schat!' riep Luis uit zodra we in het kamertje zaten dat de notaris ons had toegewezen. 'Een echte, niet zo eentje als bij onze spelletjes van vroeger met Enric!'

'Mijn moeder had me er al op voorbereid,' kwam Oriol bedaard tussen-beide, hoewel hij zijn enthousiasme maar nauwelijks kon verbergen. 'Het verbaast me niet,' zei hij en hij keek me lachend aan. 'En jij, Cristina, wat vind jij ervan?'

'Ik ben echt overrompeld, ook al had Luis het me al verteld. Ik kan het bijna niet geloven!'

'Ik ook niet,' zei Oriol, 'ondanks dat mijn moeder ervan overtuigd is. Maar in hoeverre is het echt waar? Mijn vader was iemand met een rijke fantasie. Want als een dergelijke schat echt bestond, zou iemand hem dan niet al eeuwen geleden hebben gevonden? En als hij nog steeds bestaat, zal het ons dan lukken hem te vinden?'

'Natuurlijk bestaat hij,' zei Luis. 'En ik zal alles doen wat in mijn vermo-gen ligt om hem op te sporen. Zie je ons al hutkoffers vol goud en oogver-blindende edelstenen openmaken? Wauw!' Daarna werd hij serieus en ter-wijl hij naar zijn neef keek, zei hij: 'Kom op, Oriol, wees geen spelbreker. Die poen kan ik goed gebruiken. En als de materiële kant ervan jou niet interesseert, dan geef je de schat maar aan ons arme sloebers.'

Oriol gaf toe. Natuurlijk zou hij alles doen om die schat te vinden. Per slot van rekening was het de laatste wil van zijn vader. Of niet soms?

'Ik wil ook graag meedoen aan de zoektocht,' zei ik. 'Of er nou wel of geen schat is. Het is het laatste van al die spelletjes die we vroeger met Enric hebben gespeeld. Ter ere van hem en vanwege het avontuur.'

Toen begon ik te rekenen. Ik had een week vakantie genomen op mijn kantoor. Ik was woensdag aangekomen, en nu was het zaterdag, dan zou ik uiterlijk aanstaande dinsdag het vliegtuig terug moeten nemen. Ik had geen flauw idee hoeveel tijd het zou kosten om een schat te vinden, maar ik wist wel zeker dat drie dagen niet genoeg was.

Er moest iets op mijn gezicht te lezen zijn, want de neven Bonaplata en Casajoana keken me vragend aan.

'Wat is er?' vroeg Luis.

'Ik moet dinsdag weer terug naar New York.'

'Oh, nee!' zei Oriol en legde zijn hand op die van mij, die op de stoelleuning lag. 'Je blijft bij ons. Totdat we iets hebben gevonden.' Door zijn aanraking, zijn blik, zijn glimlach, die zeelucht, zomer en kus, ging er een siddering door me heen.

'Maar ik moet terug naar mijn werk!'

'Vraag een sabbatical,' zei Luis. 'Denk je eens in hoe goed de vondst van al die middeleeuwse kostbaarheden op je curriculum zal staan! "Briljante advocaat, expert in testamenten met schat". Succes verzekerd. Alle advocatenkantoren in New York zullen om je vechten!'

Ik moest lachen om die onzin.

'Blijf bij ons,' onderbrak Oriol me met zijn diepe stem die me aan die van zijn moeder deed denken. Zijn hand lag nog steeds op de mijne.

Ik zei nog geen ja. Ik laat me niet onder druk zetten. Maar eigenlijk wilde ik natuurlijk het liefst blijven. We spraken af dat zij voor sluitingstijd snel naar de bank zouden gaan om de andere twee delen van het drieluik op te halen. Ik stelde voor dat we na het eten zouden afspreken in het appartement van Luis; ik had tijd nodig om na te denken en wilde de brief van Enric in mijn eentje lezen.

Ik liep naar de haven en al snel ging ik op in de levendige sfeer van de Ramblas: die bonte menigte, die gezellige drukte trok me aan als een magneet.

Ik herinner me dat toen ik klein was Enric ons op een dag had meegenomen naar de kerstmarkt en we langs die fontein getooid met lantaarns kwamen, die Canaletas wordt genoemd.

'Weten jullie,' zei Enric toen, 'dat als je van dit water drinkt, je altijd, hoe ver weg je ook bent, naar Barcelona terugkeert?'

En we dronken het alledrie. Jarenlang had ik bij mezelf gezegd dat ik het wel niet zou hebben doorgeslikt.

Een paar straatartiesten danste op een aanstekelijke manier en met verve de tango op de keiharde muziek van een cassetterecorder. Hij met zijn zwarte pak en hoed, zij in een strakke lange rok met een hoog split, dat een van haar benen onthulde, en met brillantine in haar haar. Ze hadden een erotische uitstraling. Er stond een kring mensen om hen heen; sommigen gaven spontaan wat munten, anderen alleen toen een andere knappe tangodanseres glimlachend rondging met de pet. Ik bleef staan om naar ze te kijken; ze deden het heel goed.

Ik ging een lunchroom binnen waar je door het raam de mensen over de boulevard zag slenteren en ging aan een tafeltje zitten waar ik dat schouwspel goed kon zien. Ik bestelde iets te eten en haalde de brief van Enric uit mijn tas.

Ik staarde naar de envelop, waarop mijn naam in schoonschrift geschreven stond. Ik voelde een eerbiedige angst voor dat gedurende dertien jaar gesloten omhulsel, dat al begon te vergelen. Mijn hart klopte in mijn keel.

Uiteindelijk scheurde ik met behulp van een mes de envelop aan de bovenkant heel voorzichtig open.

Mijn lieve meisje.

Ik heb altijd van je gehouden als van een dochter. Wat jammer dat ik je niet kan zien opgroeien, dat je zover weg bent gegaan!

Op dat moment, met mijn kipsalade en cola light voor me, sprongen de tranen in mijn ogen. Ik hield ook van hem! Heel veel!

Als het gaat zoals ik denk dat het zal gaan, zul je nu een heel ander leven hebben, ver weg van je vrienden van vroeger. Oriol en Luis heb je vast al heel wat jaren niet meer gezien. Daarom, omdat je zo ver bij de anderen vandaan zit, wilde ik dat jij de ring zou krijgen. Door die ring zul je terug moeten komen. Hij heeft macht. Die ring is niet zomaar voor iedereen bestemd; hij geeft de eigenaar ervan een bijzonder gezag. Maar hij stelt ook eisen, soms te veel, meer dan waaraan je tegemoet kunt komen. Ga ermee naar boekhandel Del Grial, in de oude wijk, en laat hem aan de eigenaar zien. Ik weet zeker dat die zaak er over dertien jaar nog is. Mocht dat om een of andere reden niet het geval zijn dan heeft de notaris, meneer Marimón, een lijst in zijn bezit, die ik hem in een gesloten envelop heb gegeven, met adressen waar je terecht kunt. Deze ring symboliseert jouw missie. Je zult hem moeten bewaren totdat jullie de schat hebben gevonden. Als je er ten slotte in slaagt deze onderneming tot een goed einde te brengen, of als je besluit er niet mee door te willen gaan, dan mag je, maar alleen in die gevallen, afstand doen van de ring. Schenk hem dan aan de persoon die jij het meest geschikt vindt. Het moet iemand met een heel sterk karakter zijn, want de ring heeft een eigen leven en een eigen wil. Misschien zou jij zelf die persoon kunnen zijn. Geniet van dit laatste spelletje met mij. Vind die schat die ik niet kon, niet wilde of niet verdiende te vinden. Wees gelukkig met Luis en Oriol.

Ik houd heel veel van je, al van voor je geboorte.

Je peetoom

Enric

De tranen stroomden over mijn wangen en dreigden op tafel te vallen. Ik sloeg mijn handen voor mijn gezicht. Enric, lieve Enric. Ik had zoveel van hem gehouden. Wat bedoelde hij in zijn brief met dat hij al voor mijn geboorte van me hield? Dat had ik, dacht ik, nooit eerder gehoord. Had dat iets met mijn moeder te maken? Mijn vingers waren nat, maar ik negeerde het door naar de boulevard te kijken, licht, druk, kleurrijk. In het raam zag ik vaag de weerschijn van mijn beeld in zachte lijnen, impressionistisch. Blond halflang haar, met op de lippen de karmijnrode lippenstift van die ochtend, de ogen bijna onzichtbaar. Was ik dat? Of was dat slechts de schim van het meisje dat ik zou zijn geworden als ik in Barcelona was gebleven? De vrouw die ik nooit meer zou worden? Weer barstte ik in snikken uit.

God! Wat deed dat heimwee naar mijn jeugd pijn. En de herinnering aan Enric. En het verlangen naar die slungelige jongeman die ik in een onweersbui had gekust en die beslist niet de man was die ik vandaag als Oriol had begroet.

Het verdriet om Enric was omgeslagen in zelfmedelijden, en mijn bittere tranen smaakten zoet. Ik had te doen met dat meisje, verloren in de tijd, en met die jonge vrouw, uitgeput door de emoties van de laatste uren, met haar verdriet waardoor ze niet kon slapen.

Ik riep de ober, bestelde een glas wijn en bedacht toen dat ik beter een halve fles kon nemen. Ik ben niet gewend aan alcohol bij de lunch, maar ik had besloten mezelf het plezier te gunnen van een mooie herinnering aan een sentimentele bui. En dat gaat niet goed samen met een cola light.

17

Luis woont in een penthouse in Pedralbes dat uitkijkt op het klooster waaraan de wijk zijn naam ontleent; het is een harmonieus complex, bestaande uit een kerk, een kloostergang en nog wat bijgebouwen uit de veertiende eeuw, met mooie torens en daken, alles omgeven door muren. Tegenwoordig is Pedralbes opgeslokt door de grote stad, maar Luis vertelde me dat toen het door doña Elisenda de Montcada, de echtgenote van de koning, werd gesticht, het erg afgelegen lag aan de voet van de berg, ver van de stad, en dat er toen veel struikrovers waren, zodat de nonnen zich achter muren en met bewapende mannen moesten beschermen tegen ongewenst bezoek. Maar het appartement keek ook uit naar de andere kant: de stad met in de verte, aan de horizon, de zee. De woning stond op naam van de moeder van Luis, waarom wist ik niet. Ik bedacht dat het misschien een tactiek was om zichzelf te beschermen, net als de zusters clarissen deden achter hun muren. Alleen dan een moderne variant. Daarom kon de telefoondienst mij dus geen informatie geven over de neven Bonaplata en Casajoana in Barcelona. Ze verschuilen zich allebei op een of andere manier achter mama. En daar zullen ze hun redenen wel voor hebben.

Ik had verwacht hen opgewekt aan te treffen, maar dat viel tegen. Luis deed open en trok een quasi-verdrietig gezicht, en terwijl hij op zijn wang wees tekende hij met zijn vinger het spoor van een traan. Ik begreep hem meteen; hij bedoelde dat Oriol had gehuild, en tegelijk maakte hij een niet mis te verstaan gebaar waarmee hij doelde op de seksuele geaardheid van zijn neef, wetend dat die hem niet kon zien. Ik ergerde me aan die gebarentaal van hem. Hij begroette me met normale stem, maar vertelde intussen een ander verhaal. Oriol was in de kamer en Luis wilde niet dat hij die gebaren zou zien, wat me meteen deed denken aan onze kindertijd. Maar deze keer vond ik het helemaal niet leuk.

'Hallo, Cristina!' zei Oriol enigszins aangeslagen, zonder uit zijn stoel op te staan. Zijn blauwe ogen waren roodomrand. Ja, hij had gehuild. Maar dat wilde nog niet zeggen dat hij homoseksueel was of verwijfd, zoals Luis zojuist met zijn parodie had geïnsinueerd. Ik begreep best waarom hij had gehuild. Ik was zelf ook in tranen geweest bij het lezen van de brief van Enric. En hoe erg zou ik niet hebben gehuild als het mijn eigen vader was geweest? Een vader die er in je jeugd opeens niet meer was, die vader die je al zo lang miste en die nu na zijn dood in een brief tot je sprak. Een officieel schrijven dat na dertien jaar wachten opeens zijn laatste gedachten overbracht. Wie zou dan niet geëmotioneerd zijn?

Ik zou er ik weet niet wat voor over hebben gehad om zijn brief te lezen. Maar dat was zo intiem dat ik het hem niet durfde te vragen. Tenminste niet nu.

'Kijk hier eens naar,' zei Luis wijzend op twee paneeltjes die op een kast stonden. Ze waren vijftien bij vijfenveertig centimeter en samen waren ze net zo groot als dat van mij bij mijn ouders thuis. Ze waren identiek qua stijl en kleur.

'Dus deze vormen een drieluik met mijn paneel, als ik het goed begrijp?'

'Ja, dat klopt,' bevestigde Oriol. 'Het hout, hoewel geïmpregneerd, is behoorlijk aangevreten door de houtworm, maar aan de zijkanten kun je nog de restanten van scharnieren zien. Gelukkig zijn het temperapaneeltjes met een ondergrond van gips, waar houtwormen moeilijk doorheen komen.'

'Scharnieren?' vroeg ik.

'Kijk maar,' verduidelijkte Oriol. 'En aan de afmetingen kun je zien dat het een draagbaar altaartje moet zijn geweest. Deze twee stukken fungeerden als deuren die op dat van jou, het grootste, werden dichtgeklapt. Het moet een handvat hebben gehad en door z'n kleine omvang was het makkelijk te vervoeren. De tempeliers zullen het gebruikt hebben om de mis te lezen als ze op veldtocht waren.'

'Tempeliers?' wilde Luis weten. 'Hoe weet je dat het van de tempeliers was?'

'Vanwege de heiligen.'

'Wat zijn dat dan voor heiligen?' vroeg ik.

'Op het rechterpaneel, dat van Luis, zie je, onder de afbeelding van de gekruisigde Christus op de Calvarieberg, Sint-Joris, die staat op de draak uit de legende.'

Ik keek naar het paneeltje voor mij, dat het rechterpaneel van het drieluik moest zijn. Zoals Oriol zei, was het onderverdeeld in twee afbeeldingen. Op het onderste zag je een soldaat te voet, die op een vreemdsoortig beestje stond met een omvang niet groter dan een hondenvel; hij droeg een maliënkolder onder een korte tuniek, een muts en een helm met een heiligenaureool eromheen en hij hield een lans vast.

'Wat een flutdraakje,' zei ik.

Ze moesten allebei lachen.

'Je hebt gelijk,' zei Luis. 'Wat een onnozel beest. Die had hij net zo goed met een paar schoppen kunnen wegjagen in plaats van hem te doden.'

'De gotische schilderkunst, althans die uit de dertiende en begin veertiende eeuw, maakt zich niet druk om proporties en perspectief,' vertelde Oriol ons. 'Het belangrijkste is dat je weet om welke heilige het gaat. Als er een soldaat wordt geschilderd die op een of ander reptiel staat dan is het beslist Sint-Joris. Alleen heeft deze Sint-Joris iets bijzonders.'

'Hoezo?' wilde ik weten.

'Omdat hij meestal wordt afgebeeld met een rood kruis, maar dan wel smal en langwerpig, als van een gewone kruisridder. Niet zoals dit. Dit is overduidelijk een breedarmig kruis, het kruis van de tempelridders. Deze heilige was waarschijnlijk afkomstig uit Klein-Azië, een officier in het Romeinse leger die nadat hij tot het christendom was bekeerd allerlei martelingen onderging tot hij uiteindelijk werd onthoofd. Er zijn geen historische bronnen die naar zijn persoon verwijzen, maar volgens de legende had hij een prinses gered uit de klauwen van een verschrikkelijke draak. De kruisvaarders maakten hem tot ridder, waardoor hij een machtig symbool werd: de overwinning van het goede op het kwade. Er wordt gezegd dat hij een paar keer in de strijd is verschenen, zoals in Aragón en in Catalonië, waarbij hij met zijn zwaard een christelijke overwinning op de Moren behaalde.'

'En daarom is hij de patroonheilige van Catalonië en Aragón,' voegde Luis eraan toe.

'Ja, dat klopt, maar ook van Engeland, Rusland en nog een aantal andere landen; in de middeleeuwen was hij erg populair. In elk geval is van belang dat hij werd onthoofd. Op de bovenste afbeelding, jullie hebben het beeld vast wel herkend, zie je een gekruisigde Christus op de Calvarieberg in een soort kapelletje. Heel klassiek. Je ziet de treurende Maagd en een lijdende apostel Johannes met een hand tegen zijn wang om aan te geven hoe diep getroffen hij is. Dit beeld komt zo vaak voor in de gotiek, zowel op schilderijen als in beeldhouwwerk, dat antiquairs de heilige de bijnaam "hij met de kiespijn" gaven.

Op mijn paneeltje, dat te oordelen naar de scharniersporen aan de linkerkant van het drieluik zat, zie je bovenaan, ook in een soort kapelletje, een triomferende Christus, die verrijst uit het Heilige Graf.'

Ik keek naar het bovenste deel, afgerond door een licht puntige boog, in dezelfde stijl als op mijn schilderij van de Maagd, en ik besefte dat die boog anders was op het paneel van Luis. Zijn boog had in het midden een lobje naar beneden, waardoor hij in tweeën werd gedeeld.

'En op het onderste deel hebben we de Heilige Johannes de Doper, de voorloper van Christus,' vervolgde Oriol, 'degene die hem doopte in de Jordaan. Hij was de patroonheilige bij uitstek van de Arme Ridders, zoals de tempeliers graag werden genoemd.'

'Ja, hij ziet er wel armoedig uit,' beaamde ik. Het was een man met een baard en lang haar; hij had een soort perkament in zijn rechterhand en droeg een lendendoek van schapenvacht.

'Hij werd onthoofd, net als Sint-Joris,' vertelde Oriol.

'Bedankt voor het detail, maar dat had je van mij weg mogen laten,' zei ik schertsend, alsof dat te erg voor me was.

'Salomé, de concubine van de koning, vroeg hem of ze een wens mocht doen. Die willigde hij in en toen bleek ze het hoofd van de Doper op een schotel te willen.'

'Wat afschuwelijk!' zei Luis.

'Dus de tempeliers hielden van heiligen die hun hoofd verloren,' besloot ik terwijl ik opzettelijk Oriol aankeek.

'Ja zeker,' antwoordde hij en een beetje spottend hield hij mijn blik vast. Ik was er niet zeker van of hij de ondertoon van mijn opmerking wel had gevat.

'Dat vraagt om uitleg, meneer de historicus.' Nu was het Luis die meer wilde weten. 'Die tempeliers waren wel een rare sekte.'

'Het is een lange geschiedenis. Het begon toen de christelijke vorsten, merendeels Bourgondiërs, Franken, Teutonen en Engelsen, opgezweept door de preken van door Europa trekkende monniken, als een sprinkhanenplaag het Heilige Land binnenvielen. Veel erger nog. Zelfs de Byzantijnen en hun hoofdstad Constantinopel, christelijk maar orthodox, hadden te lijden onder die bende barbaren. Er waren vreselijke bloedbaden. Wij, de Iberische koninkrijkjes, droegen nauwelijks bij aan de troepenmacht, omdat we onze handen vol hadden aan onze eigen Reconquista; we hebben het nu over een eeuw voor de slag van Navas de Tolosa. In die tijd beheersten de Moren het grootste deel van het Iberisch Schiereiland, en de christelijke koninkrijkjes leefden onder voortdurende dreiging.'

'Goed, en wat heeft dat met die hoofden te maken?' vroeg ik ongeduldig.

'In de loop van de tijd begon er de klad in te komen, het christelijke elan van de adel in het Heilige Land werd minder en men ging concessies doen. Dus als er een ridder krijgsgevangen werd gemaakt in de strijd, werd er gewoonlijk onderhandeld over losgeld voor zijn vrijheid. Als het om iemand uit het volk ging, die niets kon betalen, werd hij tot slaaf gemaakt. Maar dat gebeurde niet met de Arme Ridders van Christus. Die hadden de gelofte van armoede afgelegd en ook een gelofte om te sterven in de strijd voor het geloof; het waren goedgetrainde oorlogsmachines. De Moren wisten zodoende dat het niet uitmaakte welke rang een gevangengenomen tempelier had, of hoe rijk de orde was, ze zouden nooit losgeld voor iemand krijgen. En ze konden ook niet als slaven worden ingezet: dat zou als een tijdbom in huis werken. Als ze er in slaagden een van de ridders van het rode breedarmige kruis levend in handen te krijgen, dan werd die zo snel mogelijk, maar wel met groot respect en bewondering, dat wel, onthoofd. Daarom streden de tempeliers tot de dood, ze gaven zich niet over, vroegen niet om een wapenstilstand en verwachtten geen clementie.'

'Ja, nu snap ik het,' zei Luis met een knipoog. 'Daarom hadden die tempeliers zoveel op met de onthoofde heiligen; het waren collega's.'

Oriol beaamde dat met een gebaar.

'Aha,' riep ik net als Luis ironisch uit, 'dat verklaart alles. Ook dat ze resten van doden in hun ringen bewaarden. Wat een raar volk.'

'Nou goed, wat gaan we doen?' zei Luis. 'We hebben hier de paneeltjes van de onthoofde heiligen voor ze hun hoofd verloren, en het middenstuk is in New York. Volgens Enric bevat dat drieluik het geheim van een fabelachtige schat.' Hij keek mij aan. 'Jij zult ervoor moeten zorgen dat dat ontbrekende stuk naar ons wordt opgestuurd.'

'Wacht even,' zei Oriol. 'Niemand is verplicht om een erfenis te accepteren. Cristina wilde ons zo-even geen antwoord geven, maar nu moet ze beslissen of ze mee wil zoeken naar de schat of niet. Als ze besluit om het te doen, gaat ze een verplichting aan en dat kan grote gevolgen voor haar hebben. Om te beginnen al omdat ze een tijd hier moet blijven.' Hij wierp een blik op mijn verlovingsring. 'En ze heeft vast en zeker afspraken in Amerika.'

'Wat is er met jou, Oriol?' vroeg Luis. 'Vanwaar die vraag? Natuurlijk wil Cristina die schat vinden!'

'Laat haar dat zelf maar zeggen. Ik heb ook zo mijn gevoelens bij deze zaak. Ik geloof dat je soms dingen moet laten rusten. Je moet de doden niet tot leven wekken.'

Er was een trieste ondertoon in zijn stem, die me raakte.

'Wat wil je daarmee zeggen?' zei Luis een beetje boos. 'Begin je daar nu weer over, Oriol? God nog aan toe! We hebben het over de laatste wil van je vader!'

'Ik wil graag meedoen met het zoeken naar de schat,' zei ik in een opwelling, waarmee ik de beginnende woordenwisseling afkapte – ook al wist ik heel goed wat die beslissing voor beroering zou veroorzaken in New York.

'Ik ook,' zei Luis en nu zaten we allebei op Oriol te wachten.

Hij keek naar het plafond en leek na te denken. En toen trok die glimlach over zijn gezicht, die van vroeger, die waarop ik verliefd was geworden. Het leek of de zon door de wolken brak.

'Ik laat jullie de lol niet alleen,' zei hij en hij stak arrogant en uitdagend zijn kin in de lucht. 'Bovendien vinden jullie hem nooit zonder mij. Ik doe ook mee.'

En bijna euforisch van blijdschap keek ik naar Luis, die allang niet meer boos was en ook lachte. Het was als terugkeren naar vroeger, opnieuw spelen met Enric. Alleen was hij er nu niet bij. Of misschien toch?

'Bravo!' riep Luis en hij sloeg met zijn handpalm tegen die van ons. 'Op het fortuin!'

Plotseling betrok het gezicht van Oriol, toen hij zei: 'Ik weet het niet, maar ik voel ook iets vreemds.' Hij slikte. 'Misschien is het toch niet zo'n goed idee.'

Het lachen verstomde en ik bedacht dat hij misschien iets wist wat wij nog niet wisten. Waarom die terughoudendheid? Wat had zijn vader hem geschreven in zijn laatste brief?

18

Die avond kostte het me weer moeite om in slaap te vallen. Ik piekerde erover hoe ik dit moest aanpakken. In het donker zat ik naar de lichtjes van Barcelona te kijken en hoewel het al ruim vier uur in de ochtend was, leek de stad minder slaperig dan de avond ervoor. Natuurlijk, het was vrijdag. We waren met ons drieën uit eten gegaan en hadden daarna wat gedronken in een trendy bar. Luis had me zitten pesten. Hij gedroeg zich als het haantje op het erf en ik liet hem in de waan dat ik het kippetje was. Hij maakte me complimentjes en de seksuele bijbetekenis van zijn woorden hield gelijke tred met het aantal genuttigde glaasjes. Zijn opmerkingen stoorden me niet, ik moest erom lachen. Ik liet hem zijn gang gaan omdat ik wilde zien hoe Oriol reageerde. Die keek geamuseerd naar zijn neef en zei zo nu en dan iets aardigs over mij. Waarom klonken dezelfde woorden uit zijn mond zoveel beter dan uit die van Luis? En zijn ogen, zijn blauwe ogen glansden in het halfduister van de bar. Hij verhief zijn stem niet zoals zijn neef, zodat ik elke keer als hij iets zei onmiddellijk dichter naar hem toe schoof om hem boven het lawaai uit beter te kunnen verstaan. In het begin vond ik het wel een leuk spelletje, maar ik had nog steeds de indruk dat Luis het haantje was, ik het kippetje... en Oriol de kapoen. En dat beviel me helemaal niet, dus wilde ik het niet te laat maken, ook al om op een redelijk uur naar New York te kunnen bellen.

Mijn moeder was in alle staten. Had ze me niet gewaarschuwd dat het een val was, dat die schat alleen maar een verzinsel van iemand was om mij naar Barcelona te lokken? Hoe kon ik mijn geweldige carrière als advocaat zomaar overboord gooien en een sabbatical nemen! Ook een of twee maanden zouden al funest zijn.

Alicia. Natuurlijk was het de schuld van die heks! Als ik maar bij haar uit de buurt bleef! En nee, dat kon ik wel vergeten: onder geen enkele voorwaarde stuurde ze me het schilderij van de Maagd, zoals ik had gevraagd. Of ik alsjeblieft maar terug wilde komen; deze zaak beviel haar van geen kanten. Oh! En Mike? Wat ging er met Mike gebeuren?

Ik wierp tegen dat het een bijzonder avontuur was, zo een waar de meeste mensen hun hele leven naar verlangen en dat ze nooit meemaken, dat ze moest bedaren, dat Mike het best zou begrijpen en ook de collega's op kantoor. En als ze het niet pikten, dan zou ik bij terugkomst vast iets beters vinden.

'Maar begrijp je het dan niet, Cristina? Als je nu blijft, zul je nooit meer terugkomen,' snikte ze.

Ik deed mijn uiterste best om haar te kalmeren. Over het algemeen is mijn moeder een heel beheerste vrouw. Waarom die uitbarsting? Wat was er met haar aan de hand?

Mike was veel redelijker.

'Oké, ik moet toegeven dat het klinkt als een avontuur van Indiana Jones,' zei hij, 'maar zijn er geen stoppen bij een bepaald iemand doorgeslagen? Een schat? Dat lijkt erg opwindend, maar schatten vind je in het werkelijke leven niet. Nou ja, op de beurs en in het casino misschien... Maar dat is alleen voor professionals.

Als je nog een paar dagen wilt blijven, doe dat dan, maar we spreken eerst af voor hoelang. Wat wil je? Een paar weken, een maand... maar niet langer. Vergeet niet dat we verloofd zijn en de trouwdatum nog niet eens hebben afgesproken.'

'Ja, natuurlijk!'

Als Mike begon te redeneren en over de juiste voorwaarden ging onderhandelen, was er geen speld meer tussen te krijgen.

'Maar ik kan niet anders. Afgesproken. Zodra ik terug ben prikken we een datum. Oké?'

'Ja. Oké,' antwoordde hij voorzichtig. 'Maar je hebt nog steeds niet gezegd hoelang je blijft.'

'Omdat ik dat nog niet precies weet... Minder dan een maand. Echt,' zei ik nadrukkelijk.

'Maar hadden we niet gezegd dat we een vaste tijd zouden afspreken?' Het leek wel of hij boos werd.

'Ja, dat is ook zo,' haastte ik me hem gelijk te geven. 'Maar om te weten hoeveel tijd ik nodig heb, heb ik tijd nodig...'

Het bleef stil aan de andere kant van de lijn. Ik vroeg me af of Mike mijn woordspelletje wel snapte – hij is meer iemand van getallen – of dat hij geleidelijk aan woedend werd.

'Liefje?' vroeg ik even later. 'Ben je er nog?'

'Ja, maar dit bevalt me niet,' snauwde hij. 'Ik wil verdomme weten hoeveel tijd mijn verloofde aan de andere kant van de oceaan denkt te blijven. *Capici?*' Soms probeert Mike iets in het Spaans te zeggen en komt er een Italiaans woord uit de Bronx uit.

Hierover en over andere dingen brak ik me het hoofd om vier uur in de ochtend terwijl ik over de donkere tuin naar de verre lichten van de stad keek en voelde dat ik van hem, van Oriol, slechts door een muur gescheiden was.

Ik begreep best dat Mike pissig was dat ik nog niet wilde zeggen wanneer ik precies terugkwam. Maar ik dacht dat ik het redelijk in de hand kon houden. En maandag ging ik met mijn baas op het advocatenkantoor praten. Ik zou onbetaald verlof vragen. Misschien zou mijn baan vergeven zijn bij terugkomst, maar ik had een zekere reputatie en op mijn leeftijd moest werk vinden geen probleem zijn, daar maakte ik me geen zorgen over.

María del Mar. Zij was wel een probleem. Mijn moeder weigerde het paneel op te sturen en ik wist dat ze niet te vermurwen was, ook al zou de wereld vergaan; in sommige dingen lijken we op elkaar. Ik zou het zelf in New York moeten gaan halen.

Shit! Het schilderij was van mij! Ik vroeg niet om een van haar spullen.

Maar het was haar houding die me zorgen baarde. Niet dat ze zo vreselijk evenwichtig is, hoewel ze haar heftige emoties goed weet te verbergen, maar het was heel lang geleden dat ik haar zo ontdaan had meegemaakt als toen ik haar vertelde dat ik bleef.

Alicia. Er was iets heel persoonlijks tussen haar en Alicia. En ik had haar in de waan gelaten dat ik vanuit het hotel belde! Ik moest er niet aan denken hoe ze zou reageren als ze erachter kwam dat ik bij de moeder van Oriol logeerde. Er was vast en zeker iets gebeurd tussen die twee, iets wat mijn moeder me nooit had verteld en ook niet van plan was te vertellen. Natuurlijk, dat was vroeger; misschien zou er nu niets anders op zitten dan het geheime laatje vol herinneringen open te trekken. Ik moest een goede reden verzinnen zodat ze het paneel naar me toe zou sturen. Lukte dat niet, dan zou ik het onverwachts gaan halen, zodat ze geen tijd had om het te verbergen. Hierover piekerend moest ik in slaap gevallen zijn.

Toen ik wakker werd, drongen er kleine straaltjes zon door de kieren van de luxaflex die achter het gordijn schuilging. Het duurde even voordat ik wist waar ik was – het was niet in mijn appartement in New York, niet in het huis van mijn ouders op Long Island. Ik was in Barcelona, in het huis van Oriol! Het was zondag, mijn vijfde dag in de stad, maar het leek veel langer.

Opeens dacht ik aan twee dingen tegelijk: ik had honger en ik wilde de jongen met de blauwe ogen zien.

Mijn maag moest wachten totdat ik had gedoucht en me een beetje had opgeknapt. Daarna ging ik naar de keuken in de hoop er Oriol aan te treffen. In plaats daarvan kwam ik Alicia tegen.

'Goedemorgen, liefje,' zei ze glimlachend en gaf me twee zoenen. 'Jullie zijn gisteren laat thuisgekomen, hè?'

Ze had mijn handen gepakt en plotseling, als in een opwelling, zocht haar blik de ring. Het enige wat ik kon zeggen was goedemorgen; Alicia begon weer te praten, maar keek me nu aan.

'Alchemisten rekenden de robijn tot de categorie van de vuursteen, een karbonkel ofwel miltvuur. Ja, dezelfde benaming die wordt gegeven aan de plaag van biologisch terrorisme die tegenwoordig in jouw land in de mode is en die jullie antrax noemen. Het woord bestaat niet meer met betrekking tot edelstenen en je zult het niet meer in die betekenis in het woordenboek tegenkomen,' hoorde ik haar met haar diepe stem zeggen. 'Het werd in de occulte wetenschap gebruikt en komt van *carbunculus*, dat gloeiende kool betekent en slaat op het vuur binnen in die steen.'

Ze pakte mijn hand en terwijl ze die streelde trok ze hem naar zich toe om de ringen beter te kunnen bekijken. Ze had vooral aandacht voor die van de tempelorde, was op zoek naar de innerlijke glans ervan. De steen scheen haar te fascineren, deed haar ogen schitteren, trok haar blik als een magneet.

'De robijn wordt overheerst door Venus en Mars, liefde en oorlog, geweld en hartstocht. Bloedrood. Van die kleur komt de naam. Weet je dat er mannelijke en vrouwelijke zijn?'

Ik keek haar met onverholen verbazing aan, ook al begon ik het klappen van de zweep al aardig te kennen. Stenen met een geslacht? Het idee!

'Ja, dat zegt de occulte wetenschap,' ging ze met een nog diepere stem verder, alsof ze me een geheim toevertrouwde. 'Ze verschillen van elkaar door hun schittering. Die van jou is mannelijk. Kijk maar, zijn glans zit vanbinnen. Zie je dat die zespuntige ster, als je de ring draait, in het kristal meebeweegt?'

Ik knikte. Ik had al eerder die diepe schittering, die in de steen opgesloten heldere ster, opgemerkt. Maar op dat moment wist ik niets te zeggen. Die vrouw had me overrompeld, misschien omdat ik nog niet helemaal wakker was, en het kostte me moeite de even onverwachte als buitenissige informatie in me op te nemen.

'De vrouwelijke robijnen schitteren naar buiten, ze worden door Venus overheerst. Die van jou niet. Die heeft de kleur van duivenbloed, hij is mannelijk, luistert naar Mars, de god van de oorlog, van het geweld...'

Op dat moment zochten haar blauwe ogen weer die van mij, ze leek uit een trance te ontwaken. Zachtjes liet ze mijn hand los en een warme glimlach verscheen op haar gezicht. 'Er is geroosterd brood in de keuken voor het ontbijt. Maar eet niet te veel; over een paar uur gaan we lunchen.' Die kameleontische vrouw was opnieuw veranderd – nu leek ze op een lieve, zorgzame moeder. Ze was alleraardigst en leek in geen enkel opzicht op de beschrijving van de heks met de heksenketel waarop Luis en mijn moeder toespelingen hadden gemaakt, die toverkol met haar verhaal over alchemie, van wie ik zojuist een glimp had opgevangen. 'Ik heb Luis ook uitgenodigd. Ga nu maar naar het terras. Daar is Oriol aan het ontbijten.'

Dat leek me een uitstekend idee. Ik was meteen weg, uit angst dat Alicia weer in vervoering zou raken over de ring, wat me nog ongeruster zou maken.

❧

19

Daar buiten, aan een tafeltje in de kleurige rozentuin die in volle bloei stond, zat Oriol achter de krant met een kop koffie. Bij al die kleurenpracht tussen het schitterende groen van de bladeren scheen volop de zon, die stralende lichtvlekken wierp tussen de schaduwen van de bomen. Een zacht briesje bracht wat koelte en streelde mijn huid.

Ik stond stil om naar hem te kijken; het zag eruit als een tafereeltje op een van die tuinschilderijen van Santiago Rusiñol die in het grote huis aan de muur hingen en ik was er zeker van dat een paar van die doeken deze tuin voorstelden. Ik haalde diep adem en merkte dat alle angst die het alchemistenverhaal van Alicia bij me had opgeroepen, verdwenen was. Ik richtte mijn aandacht op Oriol, die verdiept was in zijn krant en zich niet bewust was van mijn aanwezigheid. Ik besefte dat hij, ook al was hij veranderd, nog steeds dezelfde jongen was op wie ik als meisje verliefd was geworden.

'Goedemorgen,' groette ik lachend.

'Goedemorgen.'

'Fijn dat je hier bent,' zei ik om hem uit te testen. 'Dus je hebt vannacht geen pand gekraakt.'

Hij keek me plagerig aan en maakte een uitnodigend gebaar om bij hem te komen zitten.

Dat deed ik, en terwijl ik aan een geroosterde boterham begon, ging ik door op het onderwerp: 'Ik heb gehoord dat je, als je geen college geeft op de universiteit, je bezighoudt met het bezetten van andermans eigendommen.'

Hij keek me weer aan met die blik van 'je wilt dus oorlog, hè?' Maar ten slotte antwoordde hij: 'Leegstaande panden,' en nam een slokje koffie. 'Er zijn mensen die geen onderdak hebben en arme kinderen die naar school moeten en naschoolse opvang nodig hebben. Een leegstaand pand gebruiken om je naasten te helpen, terwijl anderen er niets mee doen en speculanten alleen zitten te wachten tot het meer waard wordt, is een actie van liefdadigheid. Geen misdrijf.'

'Je zou ze hierheen kunnen halen; er is plaats genoeg.'

Hij begon te lachen. Hij was heel charmant en smeerde rustig boter en marmelade op zijn toast. Hij fronste zijn voorhoofd alsof hij nadacht en begon te eten terwijl hij ja zat te knikken waardoor het leek of hij me gelijk gaf.

'Geen slecht idee. Maar dat doe ik om twee redenen niet.'

'Welke?'

'Ten eerste, omdat mijn moeder me zou vermoorden.' Ik lachte. 'En ten tweede, omdat dit niet leegstaat.'

'Maar er is plaats genoeg voor meer mensen. Waarom geef je niet iemand onderdak?' Ik wilde hem een beetje in het nauw drijven.

'Kom op, advocaatje!' Zijn blauwe ogen keken met een geamuseerde blik strak in de mijne. 'Mag ik soms een beetje afwijken van mijn principes? Bovendien geeft mijn moeder al onderdak aan een arm Amerikaans meisje, of niet soms?'

Ik gaf geen antwoord en dronk glimlachend mijn koffie op die heerlijke zonnige ochtend, terwijl ik mijn blik over de bomen, de bloeiende rozenstruiken en het goed onderhouden grasveld liet gaan en hem ongegeneerd zat te bewonderen. Ik genoot van dit ogenblik.

'Je bent een grote jongen geworden,' zei ik. 'Je hebt geen pukkeltjes meer en je ziet er geweldig uit.'

Hij lachte. 'Hier in dit land is het de gewoonte dat de man het meisje complimentjes maakt en niet andersom.'

'Nou, doe dat dan maar,' zei ik en stak uitdagend mijn kin omhoog. 'Maar dan wel met meer stijl dan gisteravond, alsjeblieft.'

Ik dacht wel bij mezelf: Cristina, je zit te flirten, pas op, rustig aan. Overdrijf niet. Maar ik was nu lekker op dreef en had geen zin om me in te houden.

Weer die geamuseerde blik. Hij nam de tijd voor zijn koffie, de toast en de rest... Hij liet me wachten. Ik zei tegen mezelf dat hij goed wist wanneer hij zijn mond moest houden, dat hij zich niet liet opjutten en de aanvallen goed ontweek, zoals toen ik zijn principes in twijfel trok. Hij zou een goede advocaat zijn.

'Jij bent ook groot geworden, haaibaai.' Dat was een gemene streek, zei ik bij mezelf. Het was de weinig vleiende bijnaam die Luis voor mij gebruikte, en dat mocht hij niet doen. 'Je had een paar tietjes van niks, en kijk nu eens wat een mooie voorgevel je hebt. Als het geen nep is, natuurlijk.'

'Nee, het is geen nep,' haastte ik me te verklaren.

Zo'n antwoord had hij niet verwacht. Hij hield weer even op en het leek of hij me zat te taxeren. Als ik niet zo veel zelfvertrouwen had gehad, had ik me erg, maar dan ook heel erg ongemakkelijk gevoeld. Ik dacht dat hij het opzettelijk deed, dat hij me om een of ándere reden wilde straffen.

'En je achterste. Wat een mooie rondingen!'

'Bedoel je dat ik te dik ben?'

'Nee, ik zou zeggen bijna volmaakt. De stoelen moeten wel erg blij zijn als jij erop gaat zitten.'

'Hartstikke leuk!' antwoordde ik.

Hij keek me vrolijk en brutaal aan. Nee, zei ik bij mezelf, hij kan niet homoseksueel zijn, zoals Luis suggereert. En ook geen vent zonder ballen zoals ik gisteravond dacht. Maar wie weet, misschien doet hij wel alsof, is hij het wel, en is hij daarom zo grof en platvloers tegen me, om mij te ontmoedigen en op een afstand te houden. Misschien deed ik wel te uitdagend.

'Je bent een knappe meid,' besloot hij.

'Dank je. Dat heeft moeite gekost, hoewel je sinds gisteravond niet veel hebt bijgeleerd,' waarna we met een glimlach doorgingen met ons ontbijt. Ondanks de weinig verfijnde complimenten van Oriol en zijn bedekte agressiviteit voelde ik me gelukkig en genoot ik van het moment. Maar toen, in een plotselinge opwelling, schoot me te binnen wat ik al zo lang had weggestopt.

'Waarom heb je me eigenlijk nooit geschreven?' verweet ik hem opeens. 'Waarom heb je mijn brieven nooit beantwoord?'

Hij zat me een hele tijd verbaasd aan te staren. Alsof hij niet wist waar ik het over had.

'Het was aan tussen ons. Weet je nog? We zouden elkaar schrijven.' Ik merkte dat die diepe teleurstelling weer de kop op stak, oud zeer, frustratie. 'Je hebt gelogen.'

Hij bleef me maar aan zitten kijken met zijn blauwe ogen wijd van verbazing. 'Maar dat is niet waar!' zei hij ten slotte.

'Ja, dat is wel waar!' zei ik. Ik was verontwaardigd. Hoe kon hij zoiets zeggen! Dat zou al te gek zijn! Ik deed mijn best om mijn tranen terug te dringen.

'Nee, het is echt niet waar,' herhaalde hij nog eens.

'Hoe kun je dat nou ontkennen?' Ik hield even mijn mond om diep adem te halen. 'Zeg dat het niet waar is dat we elkaar gekust hebben in dat noodweer de laatste zomer aan de Costa Brava. En dat we het daarna stiekem weer gedaan hebben. Hier, in deze tuin, onder die boom.' Ik zweeg. Ik was kwaad en verdrietig. Het leek of Oriol me mijn mooiste jeugdherinneringen wilde afnemen. Ik stond op het punt om te zeggen: als je homo bent en er spijt van hebt, zeg het me dan gewoon. Maar kom niet met leugens. Ik voelde me heel erg gekwetst. Die ellendeling had mijn brieven niet beantwoord en nu deed hij of hij van niets wist. 'Zeg dat het niet waar is, als je het lef hebt,' drong ik aan. Ik had bijna gezegd 'als je kloten hebt', maar ik kon me nog net inhouden en zei wat me het eerste voor de mond kwam, de beschaafde versie van de Amerikaanse uitdrukking.

'Natuurlijk herinner ik me dat. We hebben elkaar gekust en het was aan tussen ons. Dat zeiden we althans. En we hadden beloofd elkaar te zullen schrijven.' Hij was serieus. 'Maar ik heb geen enkele brief van je gekregen en op mijn brieven aan jou heb ik nooit antwoord gehad.'

Ik zat hem met open mond aan te kijken. 'Heb je me wel geschreven?'

Maar op dat moment kwam Luis lachend aanlopen. Ik verwenste hem vanwege die onderbreking. Als iemand het in zich heeft onbewust anderen te hinderen, dan is hij het wel.

Hij begon een praatje waardoor ik bleef zitten met mijn twijfel of Oriol had gelogen toen hij zei dat hij me had geschreven.

Bij het eten praatten we openlijk over het testament, over de schat. Alicia moedigde ons daarin aan. Ze leek nog enthousiaster dan wij. Het was vanaf het eerste moment duidelijk dat het moeilijk zou zijn haar erbuiten te houden. Toen ik haar uitnodiging aannam had ik me niet gerealiseerd dat dat de prijs was die we moesten betalen... Of in elk geval voor een deel. En wij waren te opgewonden om onze mond te houden of over iets anders te praten. Luis hield zich ook niet in ondanks de opmerkingen die hij zelf over de moeder van Oriol had gemaakt. Ik had de indruk dat Alicia het allemaal zo had gepland. Dat ze eerder van de schat had geweten dan wij, dat ze dingen wist die voor ons nog onbekend waren. Ze praatte niet veel, maar luisterde om de juiste vraag te stellen en om dan over het antwoord na te kunnen denken terwijl ze ons aandachtig gadesloeg. De herinneringen aan haar vervoering toen ze naar de ring keek en haar alchemistische toespelingen maakten me ongerust. Wat wist deze vrouw, en wat verzweeg ze?

20

Ik herinnerde me niet dat de laan waaraan de kathedraal lag zo breed was, en ook niet dat er zo veel open ruimte was tussen de gebouwen. De beelden die in mijn hoofd zaten, waren die van de kerstmarkt waar we naartoe gingen om spulletjes te kopen voor de kerststal en de boom. Het was koud en we hadden een jas aan, het was vroeg donker en alle kraampjes waren helder verlicht, sommige met slingers van gekleurde lampjes die aan en uit knipperden. Altijd klonken op de achtergrond het 'Stille nacht, heilige nacht, la, la, la, la, la, la' en andere kerstliedjes, gezongen door eeuwige kinderstemmen. Het was een wereld van illusies, van de bijbelse geschiedenis in een kinderverhaal, van figuurtjes van klei, mos en kurk. Betoverende dagen die voorafgingen aan de avond waarop de boom snoep *uitpoepte* en de kerstman en de Drie Koningen met elkaar wedijverden wie het mooiste speelgoed bracht. De geur van vochtig mos, spar, eucalyptus en mistletoe bedwelmde ons. De herinnering aan die uitstalling van minuscule herders en hun kuddes, engelen, poepende poppetjes, huizen, bergen, rivieren, bomen en bruggen – allemaal klein en onschuldig – is zo bijzonder dat ik haar nog steeds bewaar als een van de schatten uit mijn jeugd. En Enric. Enric genoot er net zo van als wij, en in mijn herinnering waren de meeste van die legendarische bezoeken aan de kerstmarkt met hem. Hij bood altijd uit zichzelf aan om er met ons naartoe te gaan. Zijn winkel lag heel dicht bij de kathedraal en hij duldde geen tegenspraak; dus gingen hij, mijn moeder, die van Luis en wij drieën met hem mee, en daarna trakteerde hij ons op een kop chocolademelk in een van de granjas in de Calle Petrichol.

'Herinner je je nog dat we naar de kerstmarkt gingen?' vroeg ik aan Luis.

'Wat?' antwoordde hij verbaasd. Hij zou wel zitten te denken aan goudschatten en edelstenen en ik dacht aan de schat aan herinneringen. Het was halverwege de ochtend en Luis zette net zijn auto in een parkeergarage in de buurt van de kathedraal. We hadden met Oriol afgesproken dat wij naar Del Grial zouden gaan terwijl hij door een paar bevriende restaurateurs röntgenfoto's zou laten maken van de panelen.

'Of je nog weet dat we hier kwamen om beeldjes en mos te kopen voor de kerststal,' herhaalde ik.

'Oh, ja, natuurlijk,' zei hij glimlachend. 'Dat was een geweldige tijd. Er is nog steeds een markt met de kerstdagen; nu is dat hele stuk autovrij.' We staken de laan over en ik ontdekte opnieuw de trotse voorgevel van de kathedraal, vol met fijn uitgewerkt beeldhouwwerk.

'Ik wil graag naar binnen,' zei ik.

Even dacht ik aan de boekwinkel, maar Alicia had gisteren gezegd dat hij nog bestond, dus had ik geen enkele haast. Ik was nieuwsgierig naar wat er daar zou kunnen gebeuren maar tegelijkertijd ongerust: bang dat er niets zou gebeuren en dat het verhaal, dat mooie spel van de schat, plotseling voorbij zou zijn en tussen onze vingers door zou glippen, dat er niets van over zou blijven, zoals toen ik klein was en op het strand een handvol zand fijnkneep. Net als een kind dat meer plezier beleeft aan het snoepje dat hij een tijdje heeft bewaard, wilde ik ons bezoek aan de boekhandel nog even uitstellen.

'Wil je de toerist uithangen? Nu?' klaagde Luis.

'Heel even maar,' antwoordde ik. 'Ik wil zien of het er nog net zo is als vroeger.'

Met tegenzin gaf hij toe.

Oriol had gisteren tijdens het eten verteld dat gedurende de hele dertiende en veertiende eeuw, toen de tempeliers op hun hoogtepunt waren, aan de bouw van die indrukwekkende kathedraal was gewerkt, maar dat ze alweer van het toneel waren verdwenen voordat het gebouw was voltooid. En juist die monniken bevorderden de verbreiding van de gotische bouwstijl.

De kleine houten hal bij de ingang geeft toegang tot een immense ruimte van bewerkte steen, waar de pilaren rank uitlopen in zuilen die puntige bogen vormen en elkaar kruisen, waardoor er spitsbogen ontstaan. Iedere koepel wordt in het midden afgesloten door een gewelfsteen, de grote, ronde, met ornamenten versierde sluitsteen, een reusachtig medaillon dat in de lucht lijkt te zweven en waarop heiligen, ridders, blazoenen en koningen staan weergegeven. Aan de zijkanten, boven de kapellen, valt door grote boogvormige ramen met mooi gekleurd glas het licht op de stenen vloer.

Het interieur van de kerk stelde me niet teleur, maar het was de kloostergang die me verleidde. Hij ademde rust uit, afstand, afzondering van de materiële wereld: ik kon me haast niet voorstellen dat ik me in het hart van een drukke stad bevond. De binnenhof staat vol palmen en magnolia's, die hoog oprijzen of ze naar de hemel willen ontsnappen, voorbij de gotische bogen, tot boven een meer van witte ganzen. Het leek alsof we kilometers ver weg waren, honderden jaren terug, midden in de middeleeuwen.

Op dat moment zag ik de man. Hij leunde tegen een van de pilaren, naast de bemoste fontein waarop Sint-Joris te paard staat. Hij deed of hij naar de vogels keek.

Er ging een huivering door me heen. Het was de man van het vliegveld, die in mijn hotel had gewacht, dezelfde die was opgedoken in de mensenmassa op de Ramblas. Dezelfde donkere kleding en witte baard en hetzelfde witte haar. Zijn vreemde uiterlijk. Ditmaal zochten zijn koude blauwe ogen niet die van mij. Ik dacht dat hij maar deed alsof hij me niet zag.

'Laten we gaan!' zei ik tegen Luis en trok hem aan zijn jasje. Hij volgde me verbaasd en we liepen naar buiten door een van de deuren, die op straat uitkwamen tegenover een oud paleis.

'Wat is er opeens met jou?' wilde Luis weten. 'Waarom plotseling die haast...'

'Het is al laat,' mompelde ik. Ik had geen zin om het uit te leggen.

We staken het plein over in de richting van boekhandel Del Grial, die in een straatje vlakbij zat. Ik hoopte dat het onverwachte vertrek die vent met het witte haar op een dwaalspoor zou brengen; ik was er inmiddels van overtuigd dat hij me volgde.

Del Grial was echt een boekwinkel uit de oude doos, en de boeken die ze er verkochten waren ook oud. We vonden hem in een pand dat er zo vervallen uitzag dat ik zelfs niet durfde te raden hoe oud het was. De deur en de kleine etalages hadden houten kozijnen en door de ruiten gezien leek alles op stapels te liggen: de vensterbanken vol boeken, collecties oude prentenboeken, pakken kaarten, ansichtkaarten, affiches, kalenders van jaren, jaren terug, en alles bedekt met een eerbiedwaardige laag stof. Toen we naar binnen gingen, rinkelde er een bel. Er was niemand te zien en Luis en ik keken elkaar aan, ons afvragend wat we moesten doen. De wanorde die buiten al te voorspellen was, werd nog overtroffen door de werkelijkheid binnen. De winkel liep over in een gang, waar tegen de muren boekenkasten stonden, tot aan het plafond gevuld met uitgaven in verschillende banden en allerlei grootte; in het midden vormden tafels met oude tijdschriften een eilandje dat de ruimte in twee nog smallere gangen verdeelde. Op de omslagen stonden afbeeldingen van lachende meisjes uit de jaren twintig. Mijn oog viel meteen op een collectie knipplaten van poppen in alle mogelijke kleuren, met de prachtige kleding uit die tijd.

'Wat een plek!' riep ik uit, terwijl ik om me heen keek. Ik zou het liefst uren willen rondsnuffelen in die fascinerende wereld van oude spullen. De grote versierde kartonnen poppen, de knipplaten van legers met soldaten, de kleurprenten van dieren. Jeugdherinneringen aan een wereld van misschien wel zo'n honderd jaar geleden. Maar we kwamen voor iets heel concreets en na mijn ontmoeting met die man in de kathedraal voelde ik me onrustig, dus duwde ik Luis verder de winkel in.

'Hallo!' riep hij, toen er zo te zien niemand op het gerinkel van de bel af kwam.

En toen zagen we aan het eind van de gang enige beweging. Een jongen van een jaar of twintig keek een beetje geïrriteerd naar ons door zijn bril met dikke glazen, om te zien welke luidruchtige indringers zijn rust van de eenzame lezer in de bibliotheek hadden verstoord. We hadden hem vast op een ongelegen moment uit een veilige wereld van oude fantasieën teruggehaald naar de moderne, prozaïsche en gevaarlijke werkelijkheid waaruit hij was gevlucht, waar hij niet werd beschermd door barrières van letters, muren van woorden en loopgraven van zinnen, hoofdstukken en boeken.

'Wat kan ik voor u doen?' snauwde hij.

'Hallo,' herhaalde ik en ik ging naast Luis staan; ik vroeg me af hoe we die jongen ons wonderlijke verhaal moesten vertellen.

'We komen iets halen wat de heer Enric Bonaplata hier voor ons heeft achtergelaten,' zei Luis terwijl hij naar hem toe liep.

De jongen keek ons verbaasd aan voordat hij antwoord gaf. 'Die ken ik niet.'

'Het is ook iets van al heel lang geleden,' benadrukte Luis. 'Dertien jaar.'

'Ik weet niet waar u het over heeft.'

Toen liet ik hem mijn hand met de ringen zien. 'Hierover,' zei ik.

Hij keek me geschrokken aan, alsof ik hem had bedreigd.

'Wat is dat?' Achter de dikke brillenglazen leken zijn ogen op die van een vis. Hij keek naar mijn nagels. Ik zei bij mezelf dat als ik ze rood had gelakt die jongen in paniek was geraakt.

'De ring!' riep ik ongeduldig. En zijn ogen zochten de ringen om mijn vingers. Hij keek er een paar seconden naar zonder iets te zeggen.

'Déze ring!' legde Luis uit en hij pakte mijn vinger zodat de jongen hem van dichterbij kon zien.

Verbaasd bleef hij ernaar kijken voordat hij uitriep: 'De ring!'

'Ja, de ring,' herhaalde Luis.

De jongen keerde ons de rug toe en deed een paar stappen verder de winkel in terwijl hij riep: 'Meneer Andreu! Meneer Andreu!'

Tot mijn verbazing liep de boekwinkel na de gang nog verder door en vanuit een verborgen plekje antwoordde iemand, gealarmeerd door de toon waarop de bediende sprak: 'Wat is er aan de hand?'

'De ring!'

Er verscheen een magere man die eruitzag alsof hij de pensioengerechtigde leeftijd al lang was gepasseerd.

Dat domme gepraat over de ring, welke ring? herhaalde zich, en ten slotte duwde ik meneer Andreu de zegelring van de tempeliers onder zijn neus.

Hij hield mijn hand op de juiste afstand voor zijn bebrilde ogen en riep op zijn beurt uit: 'De ring!'

Hij kon zijn blik er niet van afhouden, zelfs niet toen hij vroeg: 'Mag ik hem zien?'

En hij bekeek hem aan alle kanten, hield hem tegen het licht en bracht er toen eindelijk uit: 'Het is de ring! Geen twijfel aan!'

Ja natuurlijk, dacht ik, dat is precies wat ik aldoor zeg. Op dat moment deed de schriele oude man zijn bril af en begon hij me met zijn blik op te nemen.

'Een vrouw!' zei hij. Uiteraard, dacht ik. Een vrouw en de ring. Heeft u het eindelijk begrepen? Al dat opgewonden gedoe begon op mijn zenuwen te werken, maar ik hield tactvol mijn mond. Eens kijken wat hij daarna zou doen.

'Hoe kan een vrouw nou de ring hebben?' Het klonk verontwaardigd. 'Zo lang wachten op een vrouw! Hoe is dat mogelijk?'

'Zaterdag werd het testament van meneer Enric Bonaplata voorgelezen,' greep Luis in, 'en deze dame hier, samen met Oriol, zijn zoon, en ikzelf zijn de erfgenamen voorzover...'

'Dat interesseert me niet,' antwoordde de oude driftkikker, hem onderbrekend. 'Ik zal doen wat ik heb beloofd en daarmee uit.'

Mopperend zei hij iets als 'Hoe verzint die Bonaplata het... Weer een vrouw...' en hij liep terug naar zijn hol, dat ik me voorstelde als een doolhof van oud papier waar hij op kauwde als hij honger had maar dat hij te oordelen naar zijn uiterlijk en gevoel voor humor niet goed kon verteren.

De jongen haalde zijn schouders op alsof hij zich voor zijn humeurige opa wilde verontschuldigen en ik draaide me om om naar Luis te kijken, die een wenkbrauw optrok alsof hij wilde zeggen: wat gaat er nu gebeuren?

Opeens sloeg mijn hart op hol. Luis stond met zijn rug naar de deur en op het moment dat ik naar hem keek, zag ik buiten iemand die door het raam naar binnen keek. Het was die kerel van het vliegveld! Die van het hotel, die ik zojuist in de kloostergang van de kathedraal had gezien. Ik stond te trillen op mijn benen.

De man bleef me een ogenblik aanstaren en verdween. Dit is geen toeval meer! dacht ik. Toen Luis me zo zag schrikken, draaide hij zich om naar de deur, maar het was al te laat.

'Wat is er?' wilde hij weten.

'Ik zag net die man, die uit de kathedraal,' fluisterde ik.

'Welke man?' Toen herinnerde ik me dat ik hem niets had verteld.

'Hier is het.' De oude man kwam terug met een map met papieren, zodat ik mijn vriend geen antwoord kon geven. Hij was dichtgebonden met een paar linten die met rode lak waren verzegeld. Op de vergeelde kaft stonden een paar met de hand geschreven letters die ik niet kon ontcijferen. De man gaf me de map en brieste opnieuw, terwijl hij naar Luis keek op zoek naar een medestander. 'Weer een vrouw!' herhaalde hij.

Ik kon me bijna niet inhouden om die oude sukkel een opmerking naar zijn hoofd te slingeren over vrouwenhaat. Maar ik deed het niet; ik had waar ik voor gekomen was en de verschijning van de man met de witte baard maakte me ongerust. Dus gaf ik de map met papieren aan Luis en bedankte de knorrige boekhandelaar, om meteen naar de deur te lopen. Half naar buiten leunend keek ik voorzichtig om me heen. Nee, hij was er niet meer. Een paar vrouwen op leeftijd schuifelden door de steeg, maar van die sinistere kerel was geen spoor meer te bekennen.

Maar ik was bang, onrustig; ik voelde dat er iets ging gebeuren.

21

We liepen door de smalle, bijna verlaten straatjes in de richting van de parkeergarage toen ik een paar goed geklede jongeren zag naderen. Ze leken in niets op die rare oude man en ik voelde me weer wat geruster. Maar toen we hen passeerden sprak een van hen me aan en duwde hij me tegen een monumentale houten poort die gesloten was. 'Als jullie je koest houden en doen wat wij zeggen, zal jullie niets gebeuren,' waarschuwde de kerel ons en hij zwaaide dreigend met een mes voor mijn gezicht.

Vanuit mijn ooghoeken meende ik te zien dat Luis ook werd bedreigd. 'Wat willen jullie?' zei hij.

'Geef hier!'

'Geen denken aan,' antwoordde Luis.

'Geef op of ik snijd je de keel af,' schreeuwde zijn belager waarbij hij aan de documenten begon te trekken die Luis weigerde los te laten.

Ze willen de papieren, dacht ik verbaasd. Ik zag mijn vriend al halfdood in een plas bloed voor me op de grond liggen terwijl ik hem probeerde te helpen. Noch die bundel papieren noch de schat, als die al bestond, was zijn dood waard. Niets was het waard om voor te sterven, daar had ik heel goed over nagedacht sinds de instorting van de Twin Towers. 'Laat los, Luis!' schreeuwde ik.

Maar Luis bleef zich verzetten en de man die hem probeerde te dwingen haalde met zijn mes uit naar de handen van mijn vriend. Gelukkig trok Luis ze op tijd weg, zodat zijn belager misstak.

Ik stond met mijn rug tegen de deur gedrukt toen zijn maat een mes op mijn keel zette en schreeuwde: 'Laat die papieren los of ik vermoord haar!'

Daarna gebeurde er van alles tegelijk. Ik zag dat van achter onze aanvallers, als vanuit het niets, de oude man met het witte haar en de witte baard opdoemde. Zijn ogen puilden bijna uit hun kassen. Ik was doodsbang toen ik hem zag en merkte dat mijn benen akelig slap werden. Van pure angst deed ik het bijna in mijn broek. Hij wierp zich op ons alsof het een strijd op leven en dood betrof, zwaaiend met een breed, blinkend mes dat er onheilspellend uitzag. Over zijn linkerarm hing een donker colbertje. Luis slaakte een kreet van pijn, want het mes van zijn aanvaller had zijn hand geraakt waarmee hij de map vasthield. Daarop volgde nog een schreeuw van schrik en pijn toen de oude man mijn belager met zijn dolk in de rechterzij stak. Die liet tot mijn grote opluchting zijn mes vallen, waardoor ik het lemmet niet langer op mijn keel voelde. Op dat moment liet Luis de map uit zijn gewonde hand vallen. Maar zijn aanvaller kreeg de papieren niet te pakken, omdat hij in een steekpartij verwikkeld was met de oude man die net op hem af was gestapt en zich woedend op hem had gestort. De oude griezel pareerde, met een voor zijn leeftijd verrassende behendigheid de messteek met het jasje dat over zijn arm hing, en haalde meteen daarop weer uit naar zijn tegenstander met dat enorme mes dat wel een kort zwaard leek. Maar de ander, die jonger was, sprong opzij. Ik stond nog steeds met mijn rug tegen de grote houten poort en zag hoe mijn gewonde aanvaller hinkend de benen nam. De andere boef, die nog tegenover de oude man stond en met zijn rug naar Luis, probeerde zijn onverwachte belager nogmaals te verwonden, maar die weerde de messteek opnieuw af met zijn arm. Hij wachtte geen verdere aanvallen meer af en voordat de oude man weer kon toeslaan ging hij ervandoor, achter zijn maat aan.

Ik was er niet gerust op: die oude vent joeg me meer de stuipen op het lijf dan het boeventuig dat op de vlucht geslagen was. Hij stak zijn dolk in een leren hoes die op zijn heup hing, zonder zelfs maar het bloed eraf te vegen, en vervolgens deed hij, terwijl hij van de een naar de ander keek met die enigszins verwilderde blauwe ogen van hem, rustig zijn verkreukelde jasje weer aan, net zo zwart als de rest van zijn uitrusting. Ik zag dat hij zijn wapen op die manier prima kon verbergen. Wat zou die gek willen? vroeg ik me af. We hadden ons geen van beiden verroerd. We waren totaal van de kaart en keken onze redder wantrouwig aan; mijn vriend hield zijn gewonde hand in de andere en ik stond met mijn rug tegen de poort gedrukt. Langzaam pakte de oude man de bundel papieren op en gaf hem aan mij. 'Let een volgende keer beter op,' zei hij met een schorre stem en zijn ogen waren strak op de mijne gericht.

Hij draaide zich om zonder Luis ook maar een blik waardig te keuren en ging.

'Die vent zou zonder de minste scrupules gemoord hebben!' riep Luis uit terwijl hij met zijn verbonden hand door de lucht zwaaide. We waren in zijn appartement in Pedralbes en de map lag op een tafeltje midden in de kamer met kussens eromheen waar wij met zijn drieën op zaten.

'Die lui hebben geluk gehad dat ze konden vluchten,' kwam ik tussenbeide. 'Die oude man ging uiterst koelbloedig te werk, hij toonde geen greintje gevoel.'

'Maar hij kwam jullie wel te hulp,' zei Oriol. 'Hoe verklaren jullie dan dat hij jullie beschermde, als het zo'n engerd lijkt?' Hij lachte een beetje en zijn diepblauwe ogen, zo verschillend van die van de oude man van vanochtend, schitterden geamuseerd. Ons opgewonden verhaal leek niet zo veel indruk op hem te maken. God, wat was hij knap!

'Ik weet het niet,' antwoordde ik. 'Ik begrijp niet wat er is gebeurd. Iemand wilde die map stelen, waar we de inhoud nog niet eens van kennen, maar die vermoedelijk te maken heeft met die fabelachtige schat. Dan komt die enge man opdagen, die me al achtervolgt sinds ik in Barcelona ben, en hij jaagt de boeven op de vlucht. Die lui wisten wat ze zochten, ze waren niet op zoek naar geld of juwelen en ze hadden het ook niet op mijn tas gemunt. Ze zaten achter de inhoud van de map aan. Ze weten van de schat!'

'En wat heeft die man ermee te maken?' kwam Oriol tussenbeide. 'Is het mogelijk dat hij je achtervolgde om je te beschermen?'

'Ik weet het niet,' moest ik toegeven. 'Er zijn hier zo veel geheimen, ik heb het idee dat jullie allemaal meer weten van wat er gebeurt dan ik. En dat jullie dingen verzwijgen,' ik keek hen allebei aan.

Oriol wierp zijn neef een blik toe en lachte. 'Wat vind jij ervan, Luis? Verberg jij dingen voor ons die we zouden moeten weten?'

'Nee, neefje. Nee, niet dat ik weet. En jij, wat verberg jij voor ons?'

'Niks belangrijks,' antwoordde Oriol en hij lachte nu breeduit. 'Maar jullie hoeven je nergens zorgen over te maken: als me iets invalt dat ik relevant vind, dan vertel ik het bij gelegenheid wel.'

Dit slappe antwoord wekte mijn verontwaardiging op. 'Je zegt ja en nee tegelijkertijd!' riep ik. 'Als je iets weet, zeg het dan! We zijn vandaag bijna vermoord, verdorie!'

Oriol keek me aan. 'Natuurlijk weet ik meer dan jij,' zei hij serieus. 'En Luis weet ook meer dan jij. We weten allemaal meer dan jij. Je bent veertien jaar weggeweest, weet je nog? In al die tijd is er een heleboel gebeurd. Je zult er geleidelijk aan wel achter komen.'

'Maar daarbuiten lopen mensen rond die erop los steken,' antwoordde ik, wijzend op de verbonden hand van Luis. 'Er zijn vragen die niet kunnen wachten. Wat zijn dat voor mensen?'

'Ik weet het niet.' Hij haalde zijn schouders op. 'Maar ik veronderstel dat het dezelfden zouden kunnen zijn waar mijn vader het mee aan de stok had toen hij op zoek was naar de schat van de tempeliers. Wat denk jij, Luis?'

'Ja, dat zou kunnen, en dat ze nog steeds achter de schat aan zitten. Maar zeker weten doe ik het niet.'

Ik dacht aan de inbraak in mijn appartement en ik realiseerde me dat we tegenstanders hadden die ons heel dicht op de hielen zaten. Maar die oude man was niet een van hen.

'En die gek?' informeerde ik. 'Die man met dat witte haar en de witte baard?'

Luis schudde van nee. 'Geen idee,' zei hij.

Oriol haalde zijn schouders op om te laten zien dat hij het ook niet wist.

'Nou, genoeg gepraat,' zei Luis ongeduldig. 'Maken we die map nog open of niet?'

Op de kartonnen kaft ervan kon je met enige moeite *Arnau d'Estopinyá* lezen. De map was dichtgebonden met verkleurde rode linten, die vastzaten met een paar lakstempels. Onmiddellijk herkende ik daarop hetzelfde tempelierskruis dat net zo groot was als dat van mijn ring. Luis ging een schaar pakken en knipte heel zorgvuldig alleen de linten door die nodig waren om de documenten eruit te kunnen halen. Het waren gelige vellen die met een onregelmatig handschrift in blauwe inkt waren beschreven. Ze waren genummerd en Luis begon de eerste bladzij te lezen.

22

Omdat ik voel dat ik aan het eind van mijn krachten ben gekomen en het niet lang meer zal duren voordat ik mijn ziel aan de Heer zal overgeven, vertel ik, Arnau d'Estopinyá, broeder-sergeant van de Tempelorde, wat mij is overkomen in het klooster van Poblet in januari van het jaar des Heren dertienhonderdachtentwintig.

Noch de martelingen van de dominicaner inquisiteurs, noch de dreigementen van de vertegenwoordigers van de koning van Aragón, noch ander geweld en leed dat mij is aangedaan door hebzuchtige mensen en smeerlappen die vermoedden wat ik wist, hadden mij het geheim kunnen ontlokken dat ik wilde meenemen in het graf.

Ik ben tot op de dag van vandaag de belofte nagekomen die ik heb gedaan aan broeder Jimeno de Lenda, de goede meester van de tempeliers van de koninkrijken Aragón, Valencia en Mallorca, en aan zijn luitenant broeder Ramón Saguardia. Maar als met mijn dood ook mijn geheim sterft, zal mijn belofte niet zijn vervuld. Uit vrees daarvoor, en niet om over de wederwaardigheden van mijn leven te vertellen, heb ik broeder Joan Amanuense gevraagd, onder de plechtige belofte van geheimhouding, mijn verhaal op te tekenen.

Plotseling hield Luis op met lezen, maar hij bleef onderzoekend naar het papier kijken.

'Dit is vals!' zei hij na een poosje en hij keek ons verontrust aan. 'Het leest te gemakkelijk voor een middeleeuwse tekst. Wat denk jij, Oriol?'

Zijn neef pakte een van de bladen en bekeek het zonder iets te zeggen. Even later zei hij plechtig: 'Dit geschrift is niet van voor de negentiende eeuw.'

'Hoe weet je dat?' vroeg ik teleurgesteld.

'Het is oud-Catalaans, maar beslist niet uit de dertiende eeuw: de woorden zijn veel te modern. Bovendien is het geschreven op een soort papier dat niet ouder kan zijn dan tweehonderd jaar en voor de letters is een tamelijk geavanceerde stalen pen gebruikt.'

'Waarom ben je daar zo zeker van?'

'Omdat ik historicus ben en tot vervelens toe van die oude documenten heb gelezen,' zei hij glimlachend. 'Is dat genoeg?'

'Ja,' antwoordde ik ontmoedigd. 'En ik begrijp niet waarom je lacht. Wat een teleurstelling!'

'Ik lach niet, maar ik schrik er ook niet zo van; transcripten lezen van zelfs veel oudere teksten is heel gewoon in mijn werk. Als het geen origineel document is, hoeft dat niet te betekenen dat het verhaal niet waar is. Je moet meer weten voordat je conclusies trekt. En er zijn ook nog de lakzegels met het tempelierskruis om de bundel papieren.'

'Wat is daarmee aan de hand?' vroeg Luis.

'Het lakzegel waarmee die afdruk gemaakt is ben ik eerder tegengekomen tussen de spullen van mijn vader.'

'Wil je daarmee zeggen dat hij de papieren heeft vervalst?' vroeg ik ter verduidelijking.

'Nee. Het kan echt een oud document zijn, hoewel niet ouder dan twee eeuwen, maar ik weet zeker dat hij het er wat officiëler heeft willen laten uitzien.'

'Ik geloof dat we weer zijn spel spelen,' zei Luis. 'Net als toen we klein waren.'

'Gaat het dan om een postume grap?'

'Nee, ik denk dat het om iets heel serieus gaat,' antwoordde Oriol. 'Ik weet dat hij echt vol overtuiging op zoek was naar de schat.'

'Maar is er een schat?' drong ik aan.

'Ja zeker. Of tenminste die was er. Maar wie weet, misschien is iemand ons voor geweest. Jullie herinneren je vast nog die keer dat we achter de schat aan zaten die hij verborgen had, hè?'

We knikten.

'Hij had chocoladegeldstukken verpakt in aluminiumfolie waardoor ze op goud en zilver leken. Wat vonden jullie het leukste? Het zoeken naar de schat of het eten van het snoepgoed?'

'De zoektocht,' zei ik.

'Maar nu is het anders,' verzekerde Luis. 'Nu zijn we geen kinderen meer en staat er veel geld op het spel.'

'Ik denk dat het nog steeds de zoektocht is,' zei Oriol. 'Het staat duidelijk in het testament van mijn vader: er is een schat, maar de echte erfenis is het avontuur om hem te vinden. Hij was gek op opera en klassieke muziek. Maar weten jullie wat het laatste was waar hij naar luisterde? Dat was Jacques Brel en om precies te zijn "Le moribond", een afscheidslied van iemand die op zijn sterfbed het leven liefheeft. En daarvoor draaide hij "Viatge a Itaca" van Lluís Llach, geïnspireerd op een gedicht van de Griek Konstantínos Kaváfis; dat verwijst naar de *Odyssee*, het avonturenverhaal van Odysseus op zoek naar zijn vaderland, Ithaca. Enric geloofde dat het leven zich afspeelde op de reis naar Ithaca, het Ithaca van iedereen; dat het leven de weg is, niet de aankomst. De laatste haven is de dood. En op die lentemiddag dertien jaar geleden liep het schip van Enric uiteindelijk binnen in Ithaca.'

We zaten in stil gepeins verzonken, moedeloos.

'Lieve mensen,' ging Oriol na een moment van bezinning verder, 'we hebben geen schat geërfd. We hebben een zoektocht geërfd. Zoals het spel van toen we kinderen waren.'

'Wat doe ik?' vroeg Luis na een tijdje. 'Lees ik verder?'

Ik dacht bij mezelf dat hij niet geïnteresseerd was in een zoektocht; hij wilde de schat.

Ik ben in het binnenland geboren, maar mijn bestemming was de zee. Ik ben niet van adel, maar mijn vader was een vrij man en een goed christen. Ik werd niet tot ridder geslagen, ondanks mijn verdiensten, want zelfs binnen de Tempelorde met zijn nederigheid waartoe we door onze geloften waren verplicht, werd de klasse van de geboorte gehand-haafd.

Toen ik tien jaar was, heersten er droogte en hongersnood op het land van mijn vader en zond hij mij naar zijn broer, die koopman was in Barcelona.

Wat kan ik verder zeggen? Ik raakte onmiddellijk in de ban van de zee, nog meer zelfs dan van de grote mensenmassa's die de straten van die enorme stad met haar geroezemoes doorlopend bevolken. Er was een levendige zeehandel met Perpignan en met de pas door koning don Jaime I op de Saracenen veroverde koninkrijken Mallorca, Valencia en Murcia. De Catalaanse schepen en kooplieden voeren over het hele Middellandse-Zeegebied tot Tunis, Sicilië, Egypte, Constantinopel en het Heilige Land.

Maar ik droomde van roemrijke wapenfeiten ten dienste van het christendom en ik hield meer van schepen dan van handel. Ik verlangde ernaar de zeeën te doorkruisen en binnen te lopen in vreemde havens in het Oosten, en telkens als mijn oom me om een boodschap naar de haven stuurde, was ik helemaal verbluft bij het zien van de schepen en probeerde ik op allerlei manier van willekeurig welke zeeman te weten te komen hoe zijn laatste reis was verlopen en hoe die vreemde toestellen aan boord werden bediend.

De kades waren een totaal andere wereld dan het binnenland, waar ik vandaan kwam; het was er exotisch, fascinerend. Er waren rijke kooplieden uit Genua en Venetië, met kostbare gewaden vol juwelen; je zag er grote, lichtblonde Noormannen die uit Sicilië kwamen, Catalaanse en Aragonese ridders met strijdrossen, wapens, bedienden en manschappen die zich inscheepten voor oorlogen overzee, barbaars uitziende, in huiden geklede soldaten die vandaag vertrokken om voor onze heer, koning don Pedro III te vechten tegen de Saraceense opstandelingen van Montesa en zich morgen inscheepten om strijd te leveren in Noord-Afrika, ingehuurd door de koning van Tremancén. Er waren ook zwarte mensen die uit het zuiden kwamen, stuwadoors die balen en in lompen gehulde Moorse slaven inlaadden. Er werden vreemde talen gesproken en 's avonds hoorde je rond de kampvuren en in de pensions nieuwe liedjes en verbijsterende verhalen over oorlogen en liefdesavonturen. Er heerste een fanatieke bedrijvigheid en de timmerlieden, of ze nu op de scheepswerf of aan het strand aan het werk waren, bleven maar zagen, hameren en kalfateren. Ze waren bezig met de vloot die de Middellandse Zee moest gaan beheersen. Wat een heimwee heb ik naar die tijd. Ik ruik nog de geur van pijnbomen, teer, zweet en geroosterde sardienen met etenstijd.

Maar het waren vooral de broeders van de Militia die dat kind betoverden. Ze gingen nooit naar de kroeg en de mensen gingen eerbiedig voor hen opzij. Onder hen waren het vooral die van de Tempel die boven de anderen uitstaken, ver boven de Hospitaalridders van Sint Jan. Altijd ernstig, met kort haar, goed gevoed en gekleed. Hun tunieken leken op maat gemaakt, geen vodden zoals die van de franciscanen, geen kleding die van anderen gestolen leek te zijn zoals die van de soldaten van de koning. De tempelbroeders veroorloofden zich – ook al waren ze rijk – geen enkele luxe, zoals andere geestelijken, en hun regels waren zeer streng. Zij bezaten de grootste schepen in de haven en hun provinciale meester heerste over de koninkrijken van onze koning don Pedro en over dat van zijn broer koning Jaime II van Mallorca, die bij hem in leendienst was.

Ik probeerde altijd met hen in gesprek te komen, en door met deze en gene te praten werd ik gegrepen door hun geloof, hun vastberadenheid en hun absolute overtuigdheid van de uiteindelijke overwinning van het christendom op zijn vijanden. Ze hadden op alles een antwoord en waren bereid op ieder moment hun leven te geven in de strijd. Ook kwam ik erachter dat de tempelridders liever vochten op hun strijdrossen dan het gezag te voeren over hun schepen. Dat was werk voor monniken van nederiger komaf, zoals ik.

Toen ik net vijftien jaar was, mocht ik van mijn vader toetreden tot de orde. Ik wilde kapitein worden op een oorlogsschip en vechten tegen de Turken en de Saracenen, Constantinopel, Jeruzalem en het Heilige Land zien. De adellijke jongens konden hun geloftes afleggen als ze dertien waren, maar ik bracht geen schenking mee, alleen mijn geloof, mijn enthousiasme en mijn handen.

Bevriende tempeliers van de kades deden een goed woordje voor me bij de commandeur van Barcelona en die was bereid me te ontmoeten, maar ondanks mijn enthousiasme zei de oude monnik dat ik veel moest bidden en moest volharden. Hij liet me een jaar wachten om mijn geloof op de proef te stellen.

Het was een jaar waarin veel gebeurde. Ik bleef mijn oom helpen en door de oorlogsvoorbereidingen liep zijn handel steeds beter. Het was toen dat het Aragonese eskader, met onze koning don Pedro el Grande aan het hoofd, vertrok om Tunis te veroveren. Wat was dat een geweldige koning, God hebbe zijn ziel.

De jongens van mijn leeftijd vonden het machtig om de troepen, de ridders en hun strijdrossen aan boord te zien gaan. We zagen de koning, Roger de Lauria, de admiraal van de vloot, de graven en edelen. Het was een geweldig spektakel en we kregen er niet genoeg van om de stoeten juichend te volgen tot aan de haven.

Ook de Tempelorde stuurde een paar schepen en troepen om de vorst te steunen, maar louter uit plichtsbesef en zonder enthousiasme. Er werd verteld dat broeder Pere de Montcada, onze toenmalige provinciale meester, er ontstemd over was. De Heilige Vader, een Fransman, had die koninkrijken in het noorden van Afrika bestemd voor Karel van Anjou, koning van Sicilië en broer van de Franse koning.

Dus toen koning don Pedro, die al wat versterkingen in Tunis had om de verovering te beginnen, hulp vroeg aan paus Martinus IV, werd die hem geweigerd. En terwijl hij daar in het noorden van Afrika twijfelde of hij de oorlog tegen de wens van de paus in door zou zetten, werd hij benaderd door een gezantschap van Sicilianen die in opstand waren gekomen tegen Karel van Anjou vanwege Franse gewelddaden. Onze vorst, boos over de houding van de paus, die zich een bondgenoot van de Galliërs had getoond, ging in Sicilië aan land, gooide de Fransen eruit en werd daar tot koning gekroond. Dit maakte Martinus IV zo kwaad dat onze koning don Pedro uiteindelijk werd geëxcommuniceerd.

Zo ging het jaar voorbij en ten slotte werd ik toegelaten, maar alleen als seculiere scheepsjongen op het schip van kapitein broeder-sergeant Berenguer d'Alió. Dat jaar versloeg admiraal Roger de Lauria het Franse eskader van Karel van Anjou in Malta, en het jaar daarop in Napels.

De paus, boos op onze koning omdat hij zijn beschermelingen zo afstrafte, riep op tot een kruistocht tegen hem, waarbij hij de koninkrijken van don Pedro aanbood aan iedere vorst die ze maar wilde opeisen. Natuurlijk was de uitverkorene Karel van Valois, zoon van de koning van Frankrijk en Isabella van Aragón. De Gallische legers trokken de Pyreneeën over en belegerden Girona. Wij, de Catalaanse en Aragonese tempeliers, hoewel rechtstreeks gehoorzaamheid verschuldigd aan de paus via onze meester, zochten uitvluchten om niet in te hoeven grijpen en hielpen zo op bedekte wijze onze koning.

De komst van het eskader van de admiraal werd het begin van het einde van die beschamende kruistocht. Roger de Lauria verwoestte niet alleen de Franse vloot in de golf van León, maar de plunderende soldaten van zijn schepen stortten zich op een zo wrede wijze op de vijand op het land, dat die moest vluchten en grote verliezen leed. God hield niet van de Fransen in Catalonië en ook niet van die verkeerde paus.

Ik was achttien jaar, al een goede zeeman en de Catalaans-Aragonese admiraal was mijn held. Mijn droom was om kapitein te worden op een galei en deel te nemen aan grote veldslagen zoals die van Roger de Lauria.

Maar wat kan ik u verder vertellen? Na de goede tijdingen kwamen de slechte. Twee jaar later viel Tripoli in handen van de Saracenen, waarbij vermaarde Catalaanse tempelridders stierven, onder wie twee van de Montcada's en de zoons van de graaf van Ampurias. Het was de voorbode van het naderende onheil. Het was uiteindelijk in dat tragische jaar dat ik mijn geloftes aflegde en tempelbroeder werd.

De tweede grote ramp was Akko. Ik was al vierentwintig jaar en de tweede man aan boord van de *Na Santa Coloma*, een prachtige galei van het zogenaamde hermafrodiete type, met negenentwintig roeibanken en twee masten; de snelste van de Catalaanse tempeliersvloot. Ik bleef onder bevel staan van broeder Berenguer d'Alió. Onze missie was de schepen van de Tempelorde van de koninkrijken van Aragón, Valencia en Mallorca te beschermen, maar ondanks dat ik aan een groot aantal schermutselingen en enteringen van Berbers had deelgenomen, had ik nooit zoiets meegemaakt als de slag om Akko.

Nooit eerder was de *Na Santa Coloma* verder geweest dan Sicilië, en ik was opgetogen. Eindelijk zou ik het Heilige Land zien! Wij tempeliers van de Iberische koninkrijken hadden thuis onze eigen kruistocht en vochten daarom zelden in het Oosten. Maar de situatie was hopeloos; de sultan van Egypte, Al-Ashraf Khalil, was bezig de christenen in zee te gooien, na een aanwezigheid van meer dan honderdvijftig jaar in het Oosten. Akko was omsingeld, maar gelukkig heerste onze vloot over de wateren, de enig mogelijke weg om de stad in of uit te komen. Bij aankomst was de situatie kritiek en om de muren te beschermen stuurden we een eenheid boogschutters naar de plaatsen waar de tempeliers het nog voor het zeggen hadden.

De stad was in rook gehuld door het vuur op daken en muren, veroorzaakt door de regen van brandende olievaten, die door honderd katapulten doorlopend werden afgevuurd. Het rook er naar verbrand vlees. De vlammen leken zelfs het steen te doen branden, en er waren niet genoeg handen om water aan te dragen en de branden te blussen.

Af en toe dreunde de inslag van rotsblokken van een paar ton, afgeschoten door twee kolossale geschutstorens die in opdracht van de consul waren gebouwd. Alle muren, huizen en torens stortten hierdoor ineen in een wolk van stof.

Alles voorspelde een tragisch einde en we lieten enkele vrouwen, kinderen en christelijke mannen die niet in staat waren op de muren te vechten, aan boord om ze naar Cyprus mee te nemen. Maar er moest ruimte overblijven. Ik had de opdracht eerst onze tempelbroeders te redden, daarna de monniken van het Heilige Graf, de Hospitaalridders en de Teutonen en vervolgens de vooraanstaande ridders en vrouwen. En ten slotte iedere christen.

Op een dag hoorden we een dof geluid, als van een aardbeving, op het moment dat een van de hoogste torens en een deel van de muur die door de Moren waren ondermijnd en die voortdurend door projectielen werden beschoten, instortten. Een nevel van stof en rook bedekte de zon. Daarna hoorden we het gekrijs van mammelukken die de stad bestormden en het geschreeuw van mensen die door de straten wegvluchtten. Sommigen zochten een laatste schip in de haven, anderen namen hun toevlucht tot ons fort in de ommuurde stad, dat uitkeek op de zee met een eigen kade. Maar de redmiddelen en ruimte waren beperkt en we moesten velen buitensluiten. Je hart brak als je met het zwaard de christenen, vrouwen, kinderen en ouderen moest verjagen, en ze moest achterlaten in de handen van die bloeddorstige ongelovigen, wetend dat ze in die chaotische stad nergens een toevluchtsoord zouden kunnen vinden...

'Een ogenblikje,' smeekte ik. 'Stop alsjeblieft.'

Luis hield op met lezen en hij en Oriol keken me nieuwsgierig aan. De rillingen liepen me over de rug, mijn haren stonden overeind en van streek verborg ik mijn gezicht in mijn handen. Lieve hemel! Ik had zojuist het verhaal van die droom gehoord die ik nog maar een paar weken geleden in mijn appartement in New York had gehad! Iemand had mijn visioen honderden jaren geleden al beschreven! De toren die viel, de stofwolk, de vluchtende mensen, de messteken – nu wist ik het – van de tempeliers die wilden voorkomen dat het gewone volk zijn toevlucht zou zoeken in hun overvolle fort... Het was onmogelijk, absurd.

'Wat is er?' vroeg Oriol terwijl hij mijn arm aanraakte.

'Niets!' Ik ging rechtop zitten. 'Ik moet naar het toilet.'

Ik ging op de closetpot zitten; ik was zo onder de indruk dat ik niet op mijn benen kon staan. Ik wilde nadenken, de logica ervan ontdekken. Maar die was er niet. Het was geen kwestie van verstand, maar van gevoel, en wat ik een paar maanden geleden had gevoeld en wat ik nu voelde ging iedere logica te boven. Het joeg me schrik aan. Ik was in tweestrijd of ik er mijn mond over zou houden of het zou vertellen. Ik was bang dat ze me zouden uitlachen, vooral Oriol. Luis zou dat zeker doen. En ik stel me niet graag kwetsbaar op. Maar die hele geschiedenis van de schat en de tempeliers was vreemd, heel vreemd; tenminste, het is niet iets wat je iedere dag overkomt. Ik bedacht dat het beter was om de surrealistische kant van het verhaal te accepteren en besloot het te vertellen. Eigenlijk wilde ik maar al te graag die vreemde gewaarwording delen.

Luis keek me aan met dat spottende, ongelovige lachje dat me deed denken aan dat dikke, chinchilla-achtige joch van vroeger, maar hij zei niets.

Oriol krabde zich nadenkend op het hoofd. 'Wat een vreemd toeval!' zei hij.

'Toeval!' riep ik uit.

'Denk je dat het iets meer kan zijn dan toeval?' Nieuwsgierig keek hij me aan.

'Ik weet niet wat ik moet denken.' Ik was blij dat hij me niet uitlachte. 'Het is heel vreemd.'

Hij maakte een vaag gebaar en bleef zwijgen.

'Als jij ons jouw dromen vertelt, dan hoef ik niet te lezen,' kwam Luis ironisch tussenbeide. 'Zal ik doorgaan?'

'Nee,' antwoordde ik beslist. 'Ik ben doodop, ik wil uitrusten.' Natuurlijk wilde ik graag weten hoe het verhaal van Arnau d'Estopinyá verderging, maar de emoties van die dag hadden me uitgeput.

'Praat eens met mijn moeder,' raadde Oriol me aan.

'Wat bedoel je?' vroeg ik verbaasd.

'Dat je met Alicia Méndez over je droom van Akko moet praten.'

'Pas maar op dat ze je niet behekst,' waarschuwde Luis gekscherend. Wat een brutaliteit! Ik vond dat hij te ver ging: dat hij haar achter haar rug een heks noemde was één ding, maar dat hij dat in het bijzijn van haar zoon deed, was iets anders.

'Misschien is dat het,' Oriol was niet van zijn stuk gebracht. 'Misschien dat haar hocus-pocus, of liever gezegd, haar visie op andere dimensies van de realiteit, je kan helpen.'

'Dank je, ik zal erover nadenken,' zei ik.

23

❖

Oriol nam bij Luis thuis afscheid omdat hij had afgesproken met een groep die een of andere liefdadigheidsactie organiseerde voor de sociaal zwakkeren, en ik moest alleen in een taxi terug naar het huis van Alicia. Ik moet bekennen dat ik me teleurgesteld voelde. Luis nodigde me uit om bij hem te blijven eten, maar dat sloeg ik af. Later op die mistroostige avond toen ik al onderweg was naar haar huis, bedacht ik dat ik misschien toch beter bij hem had kunnen blijven en zijn insinuaties en grappen voor lief nemen. Ik voelde me alleen, aan mijn lot overgelaten in die stad die me niet vertrouwd was en die plotseling donker en vijandig was geworden. Ik had warmte en vrolijkheid nodig om me op te beuren en verlangde ineens naar de flauwe opmerkingen van Luis.

'Psychometrie.'

'Wat zeg je?'

'Psychometrie,' herhaalde Alicia.

Hetzelfde woord; ik had het dus goed gehoord. Maar ik kende het niet en had in de verste verte geen idee wat het kon betekenen. Ik wachtte tot ze verder zou gaan.

'Psychometrie noem je het verschijnsel waardoor iemand gevoelens, emoties en gebeurtenissen uit het verleden kan waarnemen via een voorwerp dat ervan doordrenkt is.' Alicia had mijn handen in de hare genomen en keek me recht in de ogen. 'Bij jou is dat gebeurd met de ring.'

Ze zei het serieus, beslist; ze was ervan overtuigd.

'Wil je zeggen dat...'

'Dat jouw droom over de instorting van die toren, over de bestorming van Akko,' onderbrak ze me resoluut, 'over de gewonde krijgsman die er wankelend in slaagt het fort van de tempeliers te bereiken, iets is wat echt is gebeurd. Door de angstige spanning van de drager is de ring doordrenkt geraakt met deze emotie en jij bent in staat geweest dat waar te nemen.'

'Maar hoe dan? Wil je zeggen dat wat er in mijn droom gebeurde zevenhonderd jaar geleden door iemand in Akko werkelijk is meegemaakt?'

'Ja. Precies.'

Ik bleef in die blauwe ogen staren terwijl haar grote warme handen me op een vreemde manier kalmeerden. Alicia legde uit wat niet uit te leggen was. Het was te gek voor woorden en onder normale omstandigheden zou ik het nooit hebben geloofd, maar als je ooit iets vreemds is overkomen, iets wat je verstand te boven gaat, dan weet je hoe prettig het is als iemand daar een logische verklaring voor heeft.

'Daar heb ik nog nooit van gehoord.'

'Het is een soort helderziendheid.'

'Maar hoe werkt het dan?'

'Eerlijk gezegd weet ik dat ook niet.' Er verscheen een flauwe glimlach op haar gezicht. 'Occultisten zeggen dat er zogenaamde Akasha-kronieken bestaan, waarin de herinnering aan alles wat er ooit is gebeurd is vastgelegd. Onder bepaalde omstandigheden hebben we daar toegang toe. De ring is blijkbaar een middel dat die mogelijkheid biedt. Enric heeft het ook meegemaakt.'

'Had Enric dat ook?'

'Ja, hij vertelde me dat hij soms beelden zag van gebeurtenissen uit het verleden, bijna altijd tragische. Gebeurtenissen die sterke emoties opriepen bij de mensen die ze hadden beleefd. Hij schreef het toe aan de ring en dacht dat die een soort opslagplaats van belevenissen was.'

Ik keek naar de robijn die in het licht van de kamer van Alicia geheimzinnig glansde en dacht aan de vreemde dromen die me hadden geplaagd sinds ik de ring had. Een enkele kon ik me nog vaag herinneren, maar nu was er een verklaring voor die ongebruikelijke droomgezichten van de laatste maanden. Maar hoe ik ook mijn best deed, ik kon me, afgezien van een paar concrete dingen met een duidelijk verloop, niets van betekenis meer herinneren van de beelden waarvan ik dacht dat ik ze in mijn geheugen had opgeslagen.

Door het grote raam waren de lichtjes te zien van de nachtelijke stad daar beneden, vervaagd door de regenachtige nevel die eroverheen lag.

Er was een prachtige verzameling ivoren beeldjes, met goud of brons bekleed, sommige met edelstenen erop. Het waren allemaal jonge vrouwen, de ene in een danspas, de andere met een muziekinstrument, die vanaf verschillende meubels, waaronder een opvallend grote commode, naar ons keken.

En dan was er nog een naakte danseres, een modernistisch brons op ware grootte, verstild in een eeuwige danspas, die een glas-in-loodlamp met bloemmotieven omhooghield. In het schijnsel daarvan fonkelde de fluweelrode wijn in onze glazen met een diepe, donkere gloed. We dineerden samen op de bovenste verdieping van het huis, in het privé-vertrek van Alicia, een warme, gezellige plek met uitzicht op een betoverende stad. Haar gezelschap beurde me op. Ze was nieuwsgierig naar wat er die dag was gebeurd en ik zag geen reden waarom ik het haar niet zou vertellen. Toen ik bij het verhaal over Akko was gekomen, moet ze mijn angst hebben opgemerkt. Ze schoof haar stoel dichterbij en nam mijn handen in de hare.

'Dat was me nog nooit gebeurd.' Ik merkte zelf dat ik zat te jammeren als een klein meisje dat is gevallen en haar knietjes heeft bezeerd.

'Dat ben jij niet,' troostte ze me, 'dat is de ring.'

Nu streelde zij de robijn met zijn zespuntige ster die van binnenuit intens schitterde, geheimzinnig alsof hij een eigen leven had, en vervolgens streelde ze mijn handen. Het deed me goed. Het was alsof ik er een beetje loom van werd; na de spanning en stress van die dag voelde ik hoe mijn lichaam zich ontspande en tot rust kwam. Wat een dag! Het was begonnen met de zoektocht naar de boekhandel Del Grial, vervolgens de overval en het verschijnen van die vreemde, gewelddadige man. Daarna de emoties bij het lezen van het manuscript en de schok toen ik daarin die onwaarschijnlijke droom herkende.

'Er is iets met dat juweel, het is niet gemakkelijk om er eigenaar van te zijn,' zei ze plotseling. 'Het heeft macht.'

Ik schrok van die opmerking, die mij weer herinnerde aan het testament, dat ik door de gebeurtenissen van de afgelopen tijd bijna vergeten was.

Die ring is niet zomaar voor iedereen bestemd. Hij geeft de eigenaar ervan een bijzonder gezag, stond in mijn brief, en ook zoiets als dat ik hem moest houden tot de schat gevonden was. Nu klonken die woorden als een bedreiging. Ik beloofde mezelf de brief nog eens te lezen zodra ik weer op mijn kamer was.

'Die ring gaat een heel bijzondere band aan met zijn eigenaar, net als bij een vampier,' voegde ze er even later aan toe. 'Hij gebruikt jouw energie om wat er binnen in hem schuilt op te roepen, en geeft je dat terug in de vorm van die dromen van overledenen.'

Ik keek met een ombestemd gevoel naar mijn ring met zijn rood schitterende robijn, die als een bloedzuiger om mijn vinger zat. Als ik niet die band met Enric had gevoeld, had ik hem meteen afgedaan.

'Maak je geen zorgen, liefje,' zei de vrouw, die mijn gedachten leek te lezen. 'Ik zal je helpen.'

Er was een speciale klank in haar diepe stem, waardoor mijn blik naar haar blauwe ogen werd getrokken die zo leken op die van haar zoon. Haar woorden troostten me en ik besefte dat zij de enige was die me kon begrijpen. Ze had een verholen glimlach om haar mond terwijl ze over mijn haar streelde. Toen gaf ze me een kus op mijn wang. De tweede kus kwam in de buurt van mijn mond terecht. Daar schrok ik van. Maar pas toen onze lippen elkaar vonden in een derde kus, ging er een belletje bij me rinkelen. Ik merkte dat ik in haar armen lag en sprong overeind.

'Welterusten, Alicia,' zei ik. 'Ik ga naar bed.'

'Welterusten, liefje.' Haar glimlach was breder geworden. 'Slaap lekker, en waarschuw me als je iets nodig hebt.' Ze deed niets om me tegen te houden, alsof ze mijn reactie had verwacht en er stilletjes plezier om had.

Toen ik op mijn kamer was deed ik de knip op de deur.

Het was een dag vol hevige emoties geweest. Ik was uitgeput, maar ook onrustig en in een soort halfslaap werd ik overvallen door die vreemde gebeurtenis. Ik zag het alsof ik erbij was:

Een kreet sneed als een mes door de dichte lucht en galmde door dat smerige gewelf, terugkaatsend tegen de grote, zo te zien bewerkte stenen. De mist die door de tralieraampjes naar binnen kwam vermengde zich met de rook van een houtskoolvuur waarin de ijzers roodgloeiend werden, en van de fakkels die die hel verlichtten. Broeder Roger had de folteringen al een uur lang doorstaan maar begon nu te bezwijken. Toen de echo van zijn kreet weggestorven was, bleef hij kreunen, wat hem onwaardig was.

Ik beefde. Alleen bedekt met een haveloze lendendoek wist ik niet of het mijn angst was of de ijzige mist die tot in mijn botten doordrong en me deed klappertanden. Mijn lichaam was een en al pijn; liggend op de pijnbank, aan handen en voeten vastgebonden, voelde ik dat ik bij een volgende draai aan de moer zou bezwijken. Maar ik moest volhouden en ging door met bidden: Heer Jezus Christus, mijn God, help mij in dit moeilijke uur. Help broeder Roger, help mijn broeders, die allemaal volharden, dat niemand zich overgeeft, dat niemand liegt.

Ik hoorde de stem van de inquisiteur die mijn medebroeder ondervroeg: 'Beken dat jullie Baphomet hebben aanbeden! Dat jullie op het kruis hebben gespuugd! Dat jullie sodomie hebben gepleegd met jullie medebroeders.'

'Nee, dat is niet waar,' fluisterde broeder Roger.

Daarna stilte. Ik wachtte vol angst de volgende kreet af, die niet lang op zich liet wachten.

De dominicaner monnik die mij ondervroeg had een paar ogenblikken gezwegen, misschien om te kijken hoe mijn medebroeder gefolterd werd, maar hij begon weer snel met dezelfde vragen: 'Jullie hebben Christus verloochend, hè?'

'Nee, dat heb ik nooit gedaan.'

'Hebben jullie het hoofd aanbeden, dat Baphomet wordt genoemd?'

Ik opende mijn ogen en zag verblind door tranen het plafond vol mist en rook, waar de balken nauwelijks meer te onderscheiden waren. Ik zag de wrede trekken van de inquisiteur, die de monnikskap droeg van zijn dominicaner habijt. 'Beken en ik zal u vrijlaten,' zei hij.

'Nee, dat is niet waar,' antwoordde ik.

'Geef hem het ijzer,' beval hij de beul. En meteen daarna voelde ik het branden van het gloeiende ijzer op mijn buik, zo strak als een trommelvel.

Mijn kreet vulde de ruimte.

Ik zat in bed. De gewaarwording en de pijn waren zo echt dat ik die nacht weer nauwelijks kon slapen, op wat korte momenten van pure uitputting na.

24

Je hart brak als je met het zwaard christenen, vrouwen, kinderen en ouderen, moest verjagen, en ze moest achterlaten in de handen van die bloeddorstige ongelovigen, wetend dat ze in die chaotische stad nergens een toevluchtsoord zouden kunnen vinden.

Luis begon weer te lezen; hij herhaalde de laatste zin voordat ik hem gisteren onderbrak.

Daar stierf onze grootmeester, de tempelier, Guillaume de Beaujeu, aan de verwondingen die hij had opgelopen bij de verdediging van de muur toen de mammelukken te vuur en te zwaard de stad binnenvielen.

De zon was uit het appartement van Luis verdwenen om zich te verschuilen achter de Collcerola-heuvels. Het was middag en we waren weer met ons drieën bij elkaar gekomen om het stuk van Arnau d'Estopinyá verder te lezen. Oriol had het die ochtend druk gehad op de universiteit en ondanks mijn ongeduld en de schrik van die bloedige droom vannacht, had ik besloten te wachten totdat we er alledrie zouden zijn. Natuurlijk bekende Luis dat hij niet had kunnen wachten en dat hij het document al verschillende keren had gelezen. Nu deed hij het hardop nog een keer; we zaten ieder op een groot kussen op een prachtig Perzisch tapijt en dronken koffie.

We hielden het nog tien dagen vol, hoewel de Saracenen net zo goed wisten als wij dat het ondanks de muren van drie tot vier meter dik niet lang meer zou duren voordat het fort zou vallen. Daarom stelden de

muzelmannen het opnieuw inzetten van hun belangrijkste belegerings-
artillerie eerst nog uit. De laatste dag moesten we met de weinige boogschutters die we nog hadden zorgen dat de sloepen veilig aan boord van
de galei kwamen. Op dat moment kwam het gevaar niet zozeer van de
ongelovigen, als wel van de vluchtelingen in het fort die, door paniek
bevangen, er alles voor overhadden om aan boord van de schepen te komen; ze waren bereid iedere prijs te betalen, boden zelfs al hun bezittingen aan. Er waren er die door die ramp fortuin maakten. Zoals, zegt
men, de toenmalige tempelbroeder Roger de Flor, die later, toen hij de
orde verliet om zijn straf te ontlopen, de grote kapitein Almogavar zou
worden, kwelgeest van de muzelmannen en orthodoxen, en die in die
dagen dankzij het galjoen waarop hij kapitein was en de misère van de
vluchtelingen grote rijkdommen verwierf.
Toen ons schip, vol met gewonden die bij iedere slagzij kermden en
kreunden, reeds koers zette naar Cyprus, kon ik door de nevel van rook
en stof die boven de ruïnes van Akko hing nog net het wapperen van de
islamitische vlag zien. Ik voelde me diep bedroefd, en niet alleen vanwege het verlies van het laatste grote bolwerk in het Heilige Land. Ik had
het voorgevoel dat het einde van de orde van de Arme Ridders van
Christus, die van de tempeliers, in zicht was.
Onder de gewonden bevonden zich twee jonge, gedreven monniken: de
ridders Jimeno de Lenda en Ramón Saguardia. Saguardia was bij grootmeester Guillaume de Beaujeu toen deze dodelijk gewond raakte; hij
probeerde hem te helpen en vrezend voor zijn leven gaf de grootmeester hem de ring met de robijn. Als door een wonder slaagde Saguardia erin zijn eigen leven te redden, doordat hij zwaargewond maar
op eigen kracht de poorten van het tempelfort wist te bereiken dat
binnen de ommuring van Akko lag en dat op dat moment door de
mammelukken werd bestormd. Bijna was hij gestorven tussen de rumoerige menigte op enkele meters van de ingang. Op de lange weg
terug naar Barcelona raakte ik met beiden bevriend.

Saguardia, bedacht ik, dat moest de ridder zijn die in mijn droom de ring
droeg.

Terug aan de Catalaanse kust hield de *Na Santa Coloma* zich weer bezig
met het bewaken van schepen en het aanvallen van de Moren. Enkele ja-

ren later kwamen koning Jaime II en onze provinciale meester Berenguer de Cardona overeen om de omvangrijke bezittingen van de tempeliers in de buurt van de stad Valencia, die zijn grootvader Jaime I aan ons had gegeven voor onze hulp bij de verovering van het koninkrijk, te ruilen voor de stad Peñíscola, het fort, de haven, verschillende kastelen in de omgeving, bossen en veel land. Kort daarvoor was ik benoemd tot sergeant en onze meester was zo goed mij het gezag te geven over een tweemaster met latijnzeil, een vrachtschip dat tussen Barcelona, Valencia en Mallorca voer.

Dat was niet wat ik wilde, maar ik kweet mij zo goed mogelijk van mijn taak, zoals de beloftes van gehoorzaamheid vereisten, wat niet wegnam dat ik er met mijn superieuren en mijn vrienden, de broeders Lenda en Saguardia, over sprak om hen ervan te overtuigen dat ik beter op mijn plaats was in de oorlog dan in het vervoer.

Enkele jaren later kreeg ik het gezag over een galei met zesentwintig roeibanken en een mast. Onze Lieve Heer gunde me de overwinning in een aantal hachelijke situaties, en ik heb dan ook vele vijandelijke schepen veroverd. Alles leek goed te gaan, maar broeder Jimeno de Lenda was bezorgd. Op een dag zei hij tegen me dat een zekere Esquius de Floryan, een vroegere commandeur van de tempeliers die vanwege zijn goddeloosheid uit de orde was gezet, onze koning Jaime II had bezocht met grove beschuldigingen aan ons adres. De vorst bood hem een grote beloning als hij daar bewijzen van kon overleggen. Dat kon Esquius niet en de koning vergat de zaak.

Dat jaar verloren we het eiland Ruad, de laatste bezitting van de tempeliers in het Heilige Land. Jimeno werd steeds gespannener; hij zei dat duistere machten onze ondergang beraamden en dat als we niet snel een deel van het verloren terrein in het Oosten zouden herwinnen, onze heilige missie in het gedrang zou komen en onze geest zou verzwakken. Twee jaar later tekende Jaime II in Elche de vrede met de Castilianen, en voegde daarmee aan het koninkrijk Valencia een deel van Murcia toe, met inbegrip van de hele kust tot Guardamar. Het gebied dat beschermd moest worden was nu veel uitgestrekter, het reikte tot ver in het zuiden en stond meer bloot aan de aanvallen van de Moren. Dat was het moment waarop mijn vroegere superieur Berenguer d'Alió, vanwege zijn leeftijd, afzag van de bevelvoering over de *Na Santa Coloma*. Zo werd ik de kapitein.

Maar wat kan ik u verder vertellen? Niet lang daarna brak het rampjaar 1307 aan. Broeder Jimeno de Lenda werd meester van Catalonië, Aragón, Valencia en het koninkrijk Mallorca en broeder Saguardia werd toen commandeur van de belangrijkste enclave van de Tempelorde in het koninkrijk Mallorca; Masdeu, in Rousillon, werd zijn luitenant. De verrader Filips van Frankrijk lokte onze grootmeester Jacques de Molay met eerbewijzen en listen naar Parijs, en op de ochtend van 13 oktober vielen zijn troepen bij verrassing het tempelfort aan, waar de grootmeester, die geen weerstand bood, gevangen werd genomen. Tegelijkertijd en op dezelfde manier namen ze de kastelen en commanderijen van de tempeliers in heel Frankrijk in beslag. Die goddeloze koning was uit op de ondergang van onze orde en dat is hem gelukt, door laster, leugens en de meest afschuwelijke beschuldigingen. Deed hij dat uit liefde voor rechtvaardigheid, uit liefde voor God? Nee! Hij wilde zich alleen de rijkdommen van de Tempelorde toe-eigenen die bestemd waren om de heilige missie te financieren ter herovering van het Heilige Land. Filips IV, 'de Schone' genaamd, wist wat hij deed en hoe hij het moest doen; het was niet de eerste keer dat hij voor geld mensen gevangennam, martelde en vermoordde. Jaren eerder had hij de Lombardische bankiers vervolgd om hun goederen in Frankrijk in te pikken, en hetzelfde deed hij later met de joden.

Maar hij beschuldigde niet alleen de Franse monniken. Om zijn misdaden te verbergen, belasterde hij de hele orde en iedere tempelier afzonderlijk, door brieven te sturen naar christelijke koningen onder wie de graaf van Barcelona, onze heer don Jaime II, koning van Aragón, Valencia, Corsica en Sardinië, zoals hij graag werd genoemd. Aan zijn titels had hij die toegevoegd van de eilanden die de paus hem had geschonken in ruil voor de oorlog die hij tegen zijn jongere broer, Frederik, koning van Sicilië, had gevoerd. Hieruit blijkt wat voor soort vorst hij was. In de commanderij van Masdeu was men snel op de hoogte van wat er in Frankrijk gebeurde; broeder Ramón Saguardia aarzelde niet en galoppeerde met twee ridders en een bediende in één ruk naar ons hoofdkwartier in het kasteel Miravet. Ramón vertrouwde de koningen niet: hij dacht dat ze hebzuchtig waren, aasgieren, en had de kostbaarste bezittingen van zijn commanderij met zich meegenomen om ze te redden. Bij zijn vertrek stuurde hij boodschappers naar de andere vestigingen van de tempeliers in Rousillon, Cerdaña, Mallorca en Montpellier om hun meest geliefde goederen in Miravet in veiligheid te brengen. Toen broeder Jimeno de Lenda de berichten hoorde, beval hij het kapittel van de orde met spoed bijeen te komen. Onder hen bevonden zich de commandeur van Peñíscola en ikzelf. Er werd besloten hulp en bescherming te vragen aan onze koning, Jaime II, maar in het geheim begonnen we al de forten die het best bestand waren tegen een lange belegering te versterken en van krijgsvoorraad te voorzien.

Door de broeders Jimeno en Ramón was mij een heel bijzondere eer toebedacht. Ze wilden de kostbaarheden van iedere commanderij beschermen. Als alles in Miravet verzameld was, zou ik, mocht de situatie nog verder verslechteren, naar Peñíscola vertrekken om de schat naar de *Na Santa Coloma* te brengen, die door geen enkele koninklijke galei kon worden ingehaald, en hem op een veilige plaats verstoppen zolang de onzekere tijden zouden voortduren. Ik zwoer bij mijn eigen zielenheil dat die juwelen nooit in het bezit mochten komen van iemand die geen goede tempelier was. En Ramón Saguardia gaf me zijn ring, die met het breedarmige kruis in de robijn, ter herinnering aan mijn belofte en mijn missie. Ik was ontroerd door het vertrouwen dat die hoge monniken in mij stelden en ik bracht de dagen, in afwachting van het bijeenbrengen van de schat, door met vasten en bidden tot de Heer om een zo grote taak waardig te zijn.

Ik zou mijn leven geven, ik zou alles geven, om mijn opdracht toch vooral tot een goed einde te brengen.

25

'Het is uit,' zei Luis. 'Dit was de laatste bladzij.'

'Hoe kan dat?' vroeg ik verbaasd. 'Het verhaal is nog niet afgelopen.'

'Maar het document dat in deze map zit wel. Dit is alles.'

Ik keek naar Oriol. Hij zat na te denken.

'De schat is dus geen legende,' zei hij ten slotte. 'We weten nu tenminste zeker dat hij heeft bestaan. Misschien is hij nog niet gevonden en ligt hij ergens op ons te wachten.'

'En we weten nu ook dat de ring van Cristina echt is,' merkte Luis op. 'En dat hij eerst van de grootmeester is geweest en daarna van Ramón Saguardia en van Arnau d'Estopinyá.'

Ik was nog steeds onder de indruk omdat mijn droom overeenkwam met het verhaal uit die map en accepteerde zonder verdere vragen de conclusies van Luis. Ik zou eigenlijk alles hebben geloofd wat me werd verteld, hoe vreemd het ook klonk.

Het was overduidelijk dat het broeder Saguardia was die bij de val van Akko de ring droeg. Dezelfde die zwaargewond midden in een Moorse aanval kans zag de burcht van de tempeliers te bereiken. Precies daarover ging mijn droom. Ik had gezien wat broeder Ramón Saguardia zag in de straten van Akko tussen de vluchtende mensen die wanhopig een veilig toevluchtsoord zochten.

Ik keek naar de ring met zijn bloedrode steen, die schitterde in het lamplicht. Hoeveel geweld, hoeveel pijn lag daarin besloten?

'Maar in de tekst wordt het paneel niet genoemd,' vervolgde Luis zijn analyse. 'Dat is het enige element waarvan we uit de tekst niet kunnen opmaken of er een verband is met het verhaal.'

'Maar er is wel een verband,' onderbrak ik hem. De neven hielden hun mond en wachtten tot ik verderging. 'De Maagd op mijn paneel draagt de ring aan haar linkerhand. Deze zelfde ring.'

Ze waren allebei even stil en keken me stomverbaasd aan.

'Is dat waar?' vroeg Oriol ten slotte nog steeds perplex. Ik knikte zonder iets te zeggen.

'Dan hangt alles met elkaar samen,' kwam Luis tussenbeide.

'Ja,' zei Oriol nadenkend. 'Maar het is wel heel vreemd. Ben je er zeker van?'

'Natuurlijk. Wat is er dan vreemd aan?' wilde ik weten.

'Dat gotische maagden geen ringen dragen, en al helemaal niet die uit de dertiende of begin veertiende eeuw. Ik weet een heleboel over middeleeuwse kunst en ik heb honderden afbeeldingen gezien van Maria met het Kind. In die tijd pronkten heiligen niet met sieraden en alleen als de Maagd werd voorgesteld als koningin droeg ze een koningskroon. Slechts bisschoppen en kerkelijke hoogwaardigheidsbekleders laten zich afbeelden met ringen, sommige met robijnen en meestal over witte handschoenen heen. Pas vrij laat in de vijftiende eeuw begint er hier en daar een ring te verschijnen in de Vlaamse en Duitse schilderkunst, en dat neemt in de zestiende eeuw sterk toe. Maar dat is ver nadat deze paneeltjes werden geschilderd. Het pronken met sieraden door een gewone burger werd door de katholieken uit die tijd onder de kroon van Aragón als een teken van slechte smaak gezien.'

'Welke betekenis heeft die ring dan op het paneel van Cristina?' vroeg Luis hem.

'Ja, dat is heel vreemd,' antwoordde Oriol. 'En niet alleen vreemd; het zou toen een regelrechte schande zijn geweest. In geschriften uit die tijd worden mannen gewaarschuwd tegen het kopen en het openlijk tonen van juwelen door hun echtgenotes.' Alsof hem plotseling iets te binnen schoot, voegde hij eraan toe: 'Overigens, ik herinner me wel eens een Maagd met een ring te hebben gezien uit dezelfde tijd als onze paneeltjes. Maar dat is een vervalsing van een gotisch paneel uit de dertiende eeuw.'

'Denk je dat mijn schilderij niet echt is?' vroeg ik teleurgesteld. 'Denk je dat jouw vader mij een vervalsing cadeau gedaan zou hebben?'

'Nee,' zei Oriol beslist. 'Jou een vervalsing sturen? Dat is absurd. Soms denk ik wel eens dat hij meer van jou hield dan van mij. Enric had het geld om te kopen wat hij wilde en de naam een verkwister te zijn. Ik weet zeker dat het echt is.'

'Maar hoe komt het dan dat de Maagd op mijn paneel wel een ring draagt?'

'Het moet een teken zijn.'

'Een teken?' onderbrak Luis. 'Hoezo een teken? Dat zal het voor jou misschien zijn, omdat je verstand van oude kunst hebt, maar voor Cristina en mij heeft het geen enkele betekenis. We zouden het absoluut niet hebben opgemerkt.'

'Wie denk je dat dat teken op het schilderij heeft gezet? Was dat de oorspronkelijke schilder, of heeft iemand het er later op aangebracht?'

'Ik weet zeker dat het dezelfde persoon was die een boodschap in die schilderijen heeft verborgen.'

'Is het dan echt waar dat er een boodschap op die panelen staat?' vroeg Luis.

'Ja. Door de opwinding over die bundel papieren zijn jullie vergeten te vragen naar het röntgenonderzoek. Ik heb vanmorgen de uitslag gekregen.'

'En wat hebben ze ontdekt?' vroeg ik dodelijk nieuwsgierig.

'Op allebei de panelen staat onderaan, aan de voeten van de heiligen, precies zoals mijn vader het ons in zijn testament beschreef, een inscriptie waar later overheen is geverfd.'

'Wat staat er?' wilde Luis weten.

'Op het ene staat "de schat" en op het andere "grot aan zee".'

'De schat ligt in een grot aan zee!' riep ik uit.

'Ja, daar lijkt het op,' gaf Oriol toe. 'En dat past prima in het verhaal. Lenda en Saguardia gaven een zeeman opdracht de schat te verbergen.'

'Nou, dan hebben we een spoor,' zei Luis.

'Ja, dat is belangrijk,' antwoordde zijn neef, 'maar het is niet genoeg. Wie weet hoeveel grotten er wel niet zijn aan onze kust. Dan kunnen we de hele westelijke Middellandse Zee wel gaan afzoeken. Zelfs als we ons beperken tot de provincie waarover broeder Lenda meester was, dan blijft nog over de Catalaanse kust, inclusief de Franse gebieden Perpignan en Montpellier, de Valenciaanse kust, een deel van Murcia en de Balearen. Als hij verder weg is gegaan, de Moorse gebieden niet meegerekend: Corsica, Sardinië en Sicilië. Als we niet méér gegevens hebben, kunnen we de rest van ons leven wel blijven zoeken.'

'We moeten dus meer sporen vinden,' zei ik.

'Wat we nodig hebben is jouw deel van het drieluik,' hielp Luis me herinneren.

'Ik zal ervoor zorgen dat het wordt opgestuurd,' zei ik en vroeg me af hoe ik mijn moeder zover kon krijgen.

'Ik kom naar Barcelona,' zei ze meteen toen ze mijn stem hoorde aan de telefoon.

'Jij?' En per ongeluk liet ik me ontvallen: 'Waarom?'

'Luister eens, Cristina, er is iets vreemds aan de hand,' antwoordde María del Mar. 'Je bent nooit in het hotel als ik je bel. Ook niet op uren dat je in bed zou moeten liggen. Denk je dat ik gek ben? Jij zit helemaal niet in dat hotel. Je boodschappen worden doorgegeven en dan bel je me later terug, en ik kan wel raden waarvandaan.'

Kijk eens aan, dacht ik. Mama is ooit ook dochter geweest.

'Ik denk dat je je in de nesten werkt,' ging ze verder. 'Vergeet de erfenis van Enric, zijn verhalen en schatten. Hij had altijd al een rijke fantasie. Maar jouw leven is hier, in New York; je moet terugkomen.'

'Mama, ik heb je al gezegd dat ik deze geschiedenis helemaal wil afmaken. Of het nu flauwekul is of niet. En jij blijft thuis. Je bent in geen veertien jaar in Barcelona geweest en nu heb je opeens haast. Laat mij nu maar afmaken waar ik mee bezig ben en ga dan maar een keer terug en doe waar je zin in hebt.'

'Aha, ben ik soms niet welkom?'

Ze is weer eens gepikeerd, zei ik bij mezelf. Waarom is onze relatie toch altijd zo moeizaam?

'Natuurlijk ben je welkom, mama.' Ik wilde aardig zijn. 'Maar dit is mijn zaak.'

'Nou goed, dan ben ik er overmorgen.' Haar toon was beslist. 'Ik heb gekeken hoe laat er een vlucht gaat. Je wacht me wel op op het vliegveld, hè?'

Oh, nee! Ik schrok me dood. Ik zag het al voor me, samen met mijn moeder en de neven discussiëren over de schat. Belachelijk! Of proberen inlichtingen los te krijgen van commissaris Castillo. Wij allebei met blote benen. Een fraai stel detectives! Of met Alicia. Het was wel duidelijk dat ze Alicia niet kon luchten of zien, zelfs niet op een foto. Nu ik haar persoonlijk had leren kennen, werd het me duidelijk dat mijn moeder er misschien wel haar redenen voor had...

'Nou goed,' flapte ik er opeens uit. 'Eerlijk gezegd ben je hier niet welkom, mama.' Het bleef stil aan de andere kant van de lijn en ik voelde me schuldig. Het arme mens!

Ik was te ver gegaan.

'Je bent bij haar in huis, hè?' vroeg ze ten slotte.

'Wat zeg je?' Dat had ik niet verwacht.

'Dat je bij Alicia in huis logeert. Vergis ik me?'

'En als dat zo is, wat dan nog?' verdedigde ik me. 'Ik ben geen kind meer, mama. Ik neem allang mijn eigen beslissingen.'

'Ik had je gezegd dat je uit haar buurt moest blijven.'

Ik voelde me net een klein kind dat op iets stouts wordt betrapt. Alleen was ik nu dik in de twintig en hoefde ik niet meer naar haar te luisteren. Ik deed er het zwijgen toe omdat ik niet goed wist wat ik moest zeggen.

'Er zijn dingen die je niet weet.' Haar toon was niet langer beschuldigend. Ze smeekte me. 'Die vrouw is gevaarlijk, ga daar weg. Alsjeblieft.'

Ik zei nog steeds niets. Haar overstappen van een autoritaire toon op een smeekbede bracht me in de war.

'Ik kom naar Barcelona en jij gaat met mij mee terug naar New York.'

'Niet weer, mama!' Dat aandringen van haar irriteerde me.

'Geloof me. Ik weet wat goed voor je is.'

'Bespaar je de reis. Je zult me niet zien.'

Zij was weer stil en ik voelde me opnieuw schuldig dat ik zo onaardig tegen haar deed, maar ik wilde niet dat ze me de wet voorschreef. Ik weet het, het leven brengt risico's met zich mee en mijn moeder loopt over van liefde en goede bedoelingen, maar ik wilde niet dat María del Mar mij in een gouden kooitje opsloot zodat haar kleine meisje niets kon overkomen. Haar angsten werden op een weegschaaltje afgewogen tegen mijn vrijheid. En mijn vrijheid woog het zwaarst.

'Het spijt me, mama,' zei ik in een poging tot verzoening, 'bemoei je er alsjeblieft niet mee. Ik doe wat ik denk dat ik moet doen.' Wie zei ook alweer dat het makkelijk was om enig kind te zijn, dacht ik.

'Ik kom, of je het nu leuk vindt of niet.'

'Je bent vrij om te doen wat je wilt en te gaan waarheen je wilt.' Dit is het moment waarop mama het hard gaat spelen, zei ik bij mezelf, en ik moet zorgen dat ze niet overmoedig wordt. 'Maar reken niet op mij.'

Het antwoord was stilte.

'Ben je er nog, mama?' vroeg ik na een tijdje.

'Ja, liefje.'

'Heb je me begrepen?'

'Luister, laten we het over iets anders hebben, want vandaag is er niks met je te beginnen,' antwoordde ze op een toon waarin irritatie maar ook berusting doorklonk. Het verbaasde me dat mijn moeder de strijd zo gemakkelijk opgaf. Maar toen zei ze: 'Dat is waar ook, waar belde je eigenlijk voor?'

Door het bericht van haar voorgenomen reis naar Barcelona was ik helemaal vergeten waarom ik had gebeld: ik wilde haar overhalen mij het paneel te sturen. Toen was het me opeens duidelijk. Dat was precies waar ze me wilde hebben.

'Oh ja, mama. Dat was ik nog vergeten,' zei ik huichelachtig. 'Je moet me dat paneel opsturen.'

'Dat is een veel te waardevol stuk. Dat kan ik je maar beter zelf komen brengen.'

'Maar mama! Beginnen we nu weer? Daar hebben we het al over gehad.'

'Het paneel en ik zitten in dezelfde deal,' en ik hoorde een triomfantelijk lachje in haar stem doorklinken.

Ik was uitgepraat. We wisten allebei dat zij had gewonnen, dat zij het voor het zeggen had.

'Jij kunt het paneel niet zomaar houden,' klaagde ik. 'Het is van mij.'

'Jij bent ook mijn dochter en je doet wat je zelf wilt.'

Weer stilte.

'Luister, liefje,' voegde ze eraan toe toen ik bleef zwijgen, en haar toon was nu teder, 'je zult het fijn vinden dat ik kom. Er zijn dingen die je moet weten.'

Door die zin drong het tot me door. Natuurlijk! Zij had dingen verborgen gehouden over ons leven in Barcelona. Zou ze een of ander spoor hebben in verband met de schat, of met de dood van Enric? Ik had beslist een heleboel te vragen. Het zou fantastisch zijn als ik haar zover kreeg die eerlijk te beantwoorden.

'Oké,' gaf ik toe. 'Ik zal een kamer voor jullie reserveren.'

'Ja, een tweepersoons. Voor jou en mij.'

'En daddy?'

'Papa blijft in New York.'

Ze komt zonder papa! zei ik bij mezelf. Misschien heeft ze me meer te vertellen dan ik voor mogelijk houd.

26

'Wil je het paneel zien waar ik het over had?' vroeg Oriol. 'Dat valse schilderij van een Maagd met ring.'

Ik was met een duf hoofd opgestaan, maar gelukkig stond er koffie in de keuken. Net toen ik een kop aan het inschenken was, kwam hij binnen. Hij hoefde die ochtend niet naar de universiteit en was goedgehumeurd. Enthousiast zei ik ja, maar ik haalde hem over eerst samen te ontbijten.

'De Maagd is vast zo in de ban van de ring dat ze best even kan wachten,' zei ik met een hint naar het bekende verhaal. Hij lachte diplomatiek, meer gewiekst dan charmant, in mijn ogen.

Het huis heeft een grote zolder die dienstdoet als rommelkamer, waar allerlei spullen worden bewaard die in de loop van de tijd onder een laag stof zijn komen te zitten. Het zijn oude meubels en erfstukken van de Bonaplata's, sommige van enige generaties terug. Hij zocht tussen de schilderijen zonder lijst die in een hoek op de grond stonden en haalde er een kleintje tussenuit.

'Dit is het,' merkte hij op, en ik was met stomheid geslagen.

'Oriol,' zei ik toen ik van de schrik was bekomen. 'Dit is precies hetzelfde paneel als dat van mij!'

'Wat? Als dat van jou?' vroeg hij verbaasd. 'Weet je dat zeker?'

'Heel zeker.' Peinzend bracht hij zijn hand naar zijn kin en ik pakte het paneel op om het van dichtbij te bekijken. Het was net zo zwaar, maar dit was dikker en de gaten van de houtworm aan de zijkanten leken erop geschilderd.

'Het is een kopie,' zei Oriol. 'Ik heb het verschillende keren onderzocht omdat ik gefascineerd was door de mysterieuze ring die de Maagd draagt, maar hoewel het op het eerste gezicht echt lijkt, weet ik nu dat het een eigentijdse vervalsing is. Trouwens, die ring is niet het enige vreemde op het schilderij.'

'Wat is er dan nog meer vreemd aan?'

'De plaats waar het Kind zit. Bij houtsnijwerken, beelden en op schilderijen uit die periode zit het bijna altijd aan de linkerkant van de Maagd, tenminste op afbeeldingen uit de tijd en het gebied waaruit het schilderij afkomstig is. Een paar jaar later begonnen de kunstenaars die monotone vormgeving te doorbreken. Het Kind verschijnt dan spelend met vogels, in een enkel geval zelfs met de kroon van de Maagd, wanneer ze als koningin wordt afgebeeld. Maar bijna altijd zit hij links, hoogstzelden rechts.'

In stilte dacht ik na. Het was nog nooit bij me opgekomen dat er zo veel merkwaardige dingen op een schilderij konden staan. Komt dat omdat de artiest de vrije hand heeft?

'Het is verbazingwekkend,' zei hij met zijn blik op de Madonna.

'Wat is verbazingwekkend?' vroeg ik, bereid om me te verwonderen over dingen waarover ik eerder nooit zo had nagedacht.

'Dat Enric een kopie had. Die moet hij hebben laten maken voordat hij jou het origineel stuurde.'

'Maar waarom wilde hij een imitatie? Vond hij het schilderij zo mooi?' Ik zette het paneel op een aftandse toilettafel en legde mijn ring naast die van de Maagd. Alleen de grootte was anders, voor de rest waren ze identiek. 'En als hij het zo mooi vond, waarom heeft hij het dan niet opgehangen in een van de vele kamers in het huis? Waarom had hij het verborgen?'

'Oude dingen hebben mij altijd al geboeid,' zei Oriol zonder op mijn vraag te antwoorden; misschien had hij niet eens gehoord wat ik zei. Hij leek in zijn eigen gedachten verzonken, in de raadsels die opgesloten lagen in het paneel. 'Toen ik klein was, ging ik dolgraag hier naar deze plek, waar ik helemaal onder het stof kwam te zitten en niets liever deed dan tussen de spullen rommelen; ik kende elk voorwerp als mijn broekzak. Het zijn familiestukken die mijn vader had kunnen verkopen in zijn winkel, maar dat heeft hij nooit willen doen. En nu herinner ik mij iets over het paneel waaraan ik vroeger nooit belang heb gehecht maar wat nu misschien wel van betekenis is.'

'Wat dan?'

'Dat ik het hier ontdekte precies in de periode dat mijn vader overleed. Daarvoor was het er niet. Ik herinner het me als de dag van gisteren, hier, weggestopt tussen de andere schilderijen, maar zonder stof.'

'Denk je dat het iets te maken heeft met zijn dood?'

'Mijn moeder heeft me het verhaal van de panelen verteld, dat er mogelijk een tweede erfenis was en een schat, maar het is nooit bij me opgekomen dat dit schilderij er ook maar iets mee te maken zou kunnen hebben.' Hij stopte even alsof hij zijn gedachten op een rijtje wilde zetten en keek me toen met zijn blauwe ogen aan. 'Maar er zijn te veel toevalligheden en ik raak er steeds meer van overtuigd dat alles met elkaar verband houdt: het paneel, de ring, de schat en zijn dood.'

Ik zag dat Oriol graag wilde praten en ik stelde voor om nog een kop koffie te nemen, nu aan de tuintafel, daar in de schaduw van de bomen, omringd met hagen en bloeiende rozenstruiken.

'Waarom heeft hij zelfmoord gepleegd?' vroeg ik hem op de man af toen we nog maar net zaten.

'Dat weet ik nog steeds niet.' Zijn blik dwaalde af naar de stad, die vaag te zien was tussen een paar cipressen aan de oostelijke horizon, onder de lijn van de blauwe zee. Ik kon merken dat die vraag hem vaker was gesteld, talloze malen, maar dat die hem nog steeds pijn deed. 'Mijn moeder heeft me verteld dat hij problemen had met zijn concurrenten, leden van een internationale maffia die zich bezighield met handel in oude kunst. Soms maak ik mezelf wijs dat hij er niet zelf een einde aan heeft gemaakt maar dat hij is vermoord. Het doet pijn als ik bedenk dat hij ervoor heeft gekozen de strijd op te geven, weg te gaan, mij in de steek te laten.' Hij wist zijn tranen nog net in te houden. 'Ik weet zeker dat er een betere oplossing bestaat voor problemen dan een schot door de mond. Daardoor is er een grote leegte in mijn leven ontstaan, ik voel het nog – het doet nog zeer.'

'Het spijt me,' zei ik en ik zweeg uit medeleven.

'Ze zeggen dat hij vier van die maffiosi heeft vermoord,' ging hij even later verder. 'Maar dat hebben ze nooit kunnen bewijzen.'

'Denk jij dat hij het heeft gedaan?'

'Ja.'

'Maar waarom? Waarom zou iemand die zo aardig is zulke misdaden plegen?'

'Ik kan je alleen maar vertellen wat mijn moeder me heeft gezegd. Ze hadden ruzie over die panelen, ze dachten dat er een boodschap in verborgen zat, de sleutel tot iets veel groters: de schat van de tempeliers. De documenten van Arnau d'Estopinyá, of ze nu de vertaling van nog veel oudere zijn of de neerslag van mondelinge overlevering, bevestigen dat. En het is waar dat er een boodschap in het schilderij verborgen zit, ook al is die niet volledig of voor ons onbegrijpelijk. Die handelaren waren daar natuurlijk van op de hoogte en wilden de panelen van mijn vader kopen; toen hij weigerde namen ze hun toevlucht tot intimidatie. Mijn vader had een compagnon, of vriend,' – hier liet Oriol een veelbetekenende stilte vallen – 'misschien was het zijn minnaar. De anderen sloegen hem in elkaar, ik denk dat ze Enric schrik wilden aanjagen, maar wat er gebeurde is dat ze hem met opzet of per ongeluk hebben vermoord. Mijn moeder zegt dat er vanaf dat moment midden in de nacht telefoontjes kwamen. Ze bedreigden hem. Maar niet alleen hem, ook ons.'

'En toen heeft je vader hen vermoord.'

'Daar lijkt het op. Hij wilde ze de panelen niet geven. Ik weet ook niet of hij zijn familie wilde beschermen of zijn vriend wreken. Heb je wel eens van Epaminondas gehoord?'

'Pocahontas,' zei ik gekscherend, om het gesprek wat luchtiger te maken. De naam klonk als die van een Griekse held, maar veel meer wist ik er niet over te zeggen.

'Epaminondas, de Thebaanse prins,' antwoordde hij glimlachend.

Ik pakte mijn kop koffie en gebaarde dat ik het verhaal graag wilde horen.

'Dat verhaal en de hoofdpersoon lieten mijn vader niet los, het was een voorbeeld voor hem, dat heeft hij me keer op keer verteld. Epaminondas was een uitzonderlijke legeraanvoerder die zich bovendien onderscheidde door zijn grote beschaving; hij was altijd omringd door filosofen, dichters, musici en wetenschappers. Dat maakte hem in de ogen van mijn vader nog veel bewonderenswaardiger. In de vierde eeuw voor Christus overheerste Sparta Griekenland, hun soldaten stonden bekend als de beste uit de oudheid. Athene noch een van de andere steden durfde hen te trotseren. Maar Thebe verzette zich en toen het machtige zeer superieure Spartaanse leger de stad binnen viel, maakte Epaminondas met zijn heilige falanx ze een voor een af.'

'Wat is die heilige falanx?'

'De heilige falanx was de kern van het Thebaanse leger, een elitekorps van zo'n driehonderd jonge edellieden die twee aan twee hadden gezworen dat ze liever zouden sterven dan hun krijgsmakker in de steek laten. En het was die verwoede strijd voor de kameraad, die verregaande passie, die hen onoverwinnelijk maakte.'

'Oh!' riep ik uit. Het werd me iets duidelijker. Ik wist dat volgens de morele normen van het oude Griekenland homo- en biseksualiteit bij mannen werd toegestaan.

'Hetzelfde was het geval bij de tempelridders. Als er een extreme situatie ontstond, als ze in de minderheid waren, vochten ze twee aan twee en ze lieten nooit hun strijdmakker in de steek. Levend noch dood. De tempeliers gaven zich nooit gewonnen. Dat is te zien op een van de zegels van de tempeliers, waar twee soldaten op te zien zijn die hetzelfde paard berijden. Dat beeld gaf niet de werkelijkheid weer, het was een symbool. De tempeliers hadden meer dan voldoende paarden, volgens het reglement van de orde moest iedere ridder over twee goede dravers beschikken... Dat zegel was het symbool van de gezworen kameraadschap.'

'Dus jij gelooft dat Enric eigenlijk niet doodde om zijn familie te verdedigen, dat hij het niet voor jou deed, maar om zijn vriend te wreken,' wilde ik de gedachtegang van Oriol afmaken. 'Dat het een belofte was aan zijn vriend, zoals die van de heilige falanx, zoals de tempeliers van het zegel.'

Hij antwoordde niet en zijn blik dwaalde opnieuw af, voorbij de cipressen, naar de zee. Ik keek in dezelfde richting en mijn ogen vulden zich met het licht van die heldere ochtend en het blauw van de Middellandse Zee, die in de verte schitterde. Ik nam een slok van mijn koffie, die koud was geworden, en ik bleef kijken naar die jongen die ik als kind had aanbeden. Ten slotte zocht zijn blik, die glinsterde van ingehouden tranen, die van mij en dat was zo overweldigend dat ik het gevoel had dat iemand me in mijn nek kietelde.

Toen trok hij een gezicht dat Luis zou hebben omschreven als aanstellerig en zei: 'Is het niet mooi?'

'Wat?'

'Zo veel van iemand houden dat je er je leven voor geeft.'

27

Zijn blik en het zinnetje 'zoveel van iemand houden dat je er je leven voor geeft' drongen door tot in het diepst van mijn ziel. Ik bleef er maar aan denken en ik bleef die blauwe ogen zien, vochtig van emotie. 'Is het niet mooi?' had hij gezegd. Ja, zei ik bij mezelf, het was mooi, poëtisch, ontroerend. Maar achter die tragische lyriek ging iets schuil, gevoelens die me in de war brachten. Het was duidelijk dat Oriol dacht dat Enric uit liefde voor een man vier mensen had vermoord om daarna zelfmoord te plegen. En dat hij zich in de steek gelaten voelde door een vader die hij bewonderd had als een held, maar die hij niet kon vergeven dat hij hem welbewust wees had gemaakt. Als ik aan mijn kindertijd terugdacht, herinnerde ik me de liefde, de verering van Oriol voor Enric; hoe hij zijn hand vastpakte en naar hem opkeek, met een idolate lach als Enric een van zijn fantastische spelletjes bedacht. En later zag je die opgetogen uitdrukking van hem, zijn borst gezwollen van trots, zo van 'dat is mijn papa'.

En dan was er ook nog die onmiskenbaar homoseksuele passie van Enric waarover hij het had. Een buitensporige, tragische liefde waar Oriol duidelijk niet geschokt door was, maar zelfs bewondering voor leek te hebben. Een aanwijzing te meer dat Oriol homo was.

Vandaag zat ik opnieuw te piekeren over zijn seksuele geaardheid en ik was bang. Bang om weer als een idioot verliefd op hem te worden... zoals dat meisje dat zoveel om hem had gehuild. Ik had die middag niets te doen en was zenuwachtig. Onze zoektocht naar de schat was vastgelopen en de opwinding van een paar uur eerder was verdwenen. Misschien was het allemaal een laatste bedenksel van Enric geweest; misschien had ik gewoon naar New York terug moeten gaan, zoals mijn moeder me vroeg; misschien was ik, zonder het te weten, al betrokken bij een van die duistere gevaren die zij voorspelde. En misschien was het grootste gevaar wel Oriol en die gevoelens van mij die ik niet kon beheersen. En dus besloot ik de deur uit te gaan, weg van dat uitkijkpunt over de stad in het huis van Alicia, en me onder te dompelen in de mensenmassa op de Ramblas. En daar liet ik, rondslenterend, de kleur van de menigte, de klanken van de straatmuzikanten die om muntjes bedelden en de geur van de bloemenkiosken op al mijn zintuigen inwerken. Ik wilde voelen, niet nadenken.

Bijna zonder er bij stil te staan stak ik de Plaza del Pi over en toen ik naar de kathedraal liep, merkte ik opeens dat ik voor een antiekwinkel stond. Het was de vroegere zaak van Enric! Ik wist het zeker! Mijn voeten hadden me ongemerkt teruggebracht naar mijn kindertijd. Ik keek door de etalage, maar durfde niet naar binnen te gaan. Ook al wist ik dat het andere voorwerpen waren, voor mij waren het toch dezelfde dingen van altijd. Enkele grote pistolen, voorladers, een paar beeldjes van ivoor met goud, van het soort dat Alicia verzamelde, een Franse commode van pokhout en palissander, enkele barokke clair-obscurschilderijtjes... Ik werd weer net zo klein als het meisje van toen, en ontroerd en met snelkloppend hart verwachtte ik dat Enric echt achter het raam zou verschijnen. Lachend, zijn dunne haar achterover gekamd, een beetje gezet en met die ondeugende blik die bij zijn zoon ook zo nu en dan te zien was. En aan mijn rechterhand voelde ik verwachtingsvol zijn raadselachtige ring met de robijn kloppen.

Maar al snel besefte ik dat, hoe lang ik ook wachtte, hoezeer ik mijn herinneringen aan het verleden ook oppoetste als een toverlantaarn, ik het niet voor elkaar zou krijgen dat de geestverschijning van mijn peetoom naar buiten zou komen. Ik had opeens haast om weg te komen en versnelde mijn pas in de richting van de kathedraal. Toen ik overstak stond ik plotseling tegenover een van de andere antiekwinkels in de straat, waar ik op het etalageraam in vergulde letters las: *Artur Boix*. Waar kende ik die naam van? Artur Boix... Artur Boix... Natuurlijk, mijn reisgenoot!

Opnieuw stond ik verbaasd voor een antiquariaat, maar deze keer, ik zweer het, keek ik niet naar iets in de etalage. Ik zag niet eens wat er lag, geloof ik. Ik kon alleen maar kijken naar die naam op het glas: *Artur Boix, antiquair.*

Ik weet niet of ik rende, draafde of liep als een zombie, maar het volgende beeld dat ik van mezelf kan oproepen is dat ik in een telefooncel op het plein van de kathedraal commissaris Castillo stond te bellen. Gelukkig kreeg ik hem meteen aan de lijn, want ik brandde van ongeduld.

'Commissaris,' ik probeerde mijn stem rustig te laten klinken, 'herinnert u zich de achternaam van die kerels die mijn peetoom vermoord zou hebben?'

'Hoe zou ik me die níet kunnen herinneren,' antwoordde hij goedgehumeurd. 'Het is mijn favoriete mysterie. Ik bewaar een kopie van die zaak in mijn kast op kantoor en een andere in een koffer onder mijn bed. Gaat dat Amerikaanse meisje me helpen de intrige uit die detectiveroman à la Marlowe op te lossen?' Hij maakte er een geintje van. 'Ik hoef alleen maar te weten hoe uw peetoom het voor elkaar heeft gekregen om die vier tegelijk voor zijn rekening te nemen...'

Ik beloofde hem zo veel mogelijk te helpen, als hij me maar de namen gaf. En die liet hij vallen alsof hij de verzen opdreunde die hij als kind had geleerd voor een familiefeest. Twee ervan zeiden me niets, maar de beide andere wel: Arturo en Jaime Boix.

Hij had zojuist bevestigd wat mijn intuïtie me een paar minuten eerder al had ingegeven. Die aantrekkelijke man die naast me zat op de vlucht vanuit New York had vanaf het begin geweten wie ik was en waarvoor ik naar Spanje kwam. Hij was de zoon van een van de mensen met wie mijn oom te maken had gehad. De maffia van de handel in oude kunst had het overleefd, en te oordelen naar de indruk die Artur op mij maakte, gingen de zaken niet slecht.

Toen we aan een cafétafeltje aanschoven, ging het gesprek clichématig over de toeristische attracties in de stad, maar zodra de drankjes waren gebracht vroeg ik op de man af: 'Onze ontmoeting in het vliegtuig was niet toevallig, hè?'

'Het was niet moeilijk een plaats naast je te krijgen.' Artur liet zijn charmante glimlach zien. 'Alleen de juiste fooi voor de juiste persoon. In mijn beroep doe ik dat vaak.'

Ik keek naar hem door mijn glas cola light. Het was voor mij ook niet moeilijk geweest om een afspraak met hem te maken.

'Ik heb overigens wel lang op je telefoontje moeten wachten,' verweet hij me, alsof het een privé-afspraak betrof in plaats van een zogenaamd zakelijke kwestie. Tenminste voor hem. Het leek wel alsof hij niet anders had verwacht dan dat ik zijn kaartje zou gebruiken, omdat hij in het vliegtuig zoveel indruk op me had gemaakt. Hij was een verwaande kwast, maar ik moest toegeven: wél een interessante.

'En heb jij die inbraak gepleegd in mijn appartement in New York?'

Hij vertrok geen spier en bleef glimlachen. 'Dat was ik niet persoonlijk. Daar heeft een van mijn compagnons zich mee belast.'

'En dat beken je zomaar? Zo zonder meer?'

'En waarom niet?' antwoordde hij nu volkomen ernstig. 'Ik heb even veel recht op die panelen en de mogelijke schat als jullie drie, of zelfs nog meer.'

Hij was ervan overtuigd en ik wist niet wat ik moest zeggen van verbazing. Op grond waarvan dacht Artur er recht op te hebben? Ik wachtte tot hij verderging.

'Je moet weten dat jouw peetoom mijn vader, mijn oom en een paar van zijn compagnons heeft vermoord.'

'Compagnons? Ik dacht dat het lijfwachten waren.'

'Wat doet het ertoe wat ze waren. Hij heeft ze vermoord.'

'Dat is nooit aangetoond; er zijn geen bewijzen.'

'Bewijzen?' Nu lachte Artur. 'Waarvoor zou ik bewijzen nodig hebben? Ik weet dat hij het was. Ik weet dat ze een overeenkomst hadden gesloten. Dat je peetoom niet alleen het paneel van de Maagd niet gaf zoals afgesproken, maar dat hij, na hen vermoord te hebben, ook de andere twee gestolen heeft, dat van Sint-Joris en dat van Johannes de Doper.'

'Heeft hij de kleine panelen gestolen?'

'Ja, die heeft hij gestolen.' Artur keek me oplettend aan; hij zag de verbazing op mijn gezicht.

'Maar hoe...?'

'Je peetoom en mijn familie maakten deel uit van een soort geheim genootschap, ze hoorden tegelijk van de schat en ontdekten de panelen ergens in de buurt van het klooster van Poblet, waar ze schijnbaar oorspronkelijk vandaan kwamen. Beroepsmensen uit de antiekhandel kwamen snel in actie om er de hand op te leggen, maar door een stomme erfeniskwestie had het middenpaneel een andere eigenaar dan de zijpanelen. Een paar generaties terug had iemand ze verdeeld en het kostte enige tijd om ze op te sporen. Dat had ongelukkigerwijs tot gevolg dat toen mijn familie de kleintjes vond en verwierf, jouw peetoom het grote paneel in zijn bezit kreeg.'

'En ze kwamen niet tot overeenstemming,' onderbrak ik hem.

'Precies. Bonaplata en zijn vriend waren nogal onredelijk, ze wilden onze panelen kopen en de hele schat voor zich alleen hebben.'

'En jouw familie, wilde die wel verkopen?'

'Ook niet. Maar ze waren wel bereid om te onderhandelen...'

'En wat gebeurde er met de compagnon van mijn peetoom?'

'Goed... laten we zeggen dat die voortijdig uit de onderhandelingen is gestapt.' Er danste een ironisch vonkje in zijn ogen.

'Jullie hebben hem vermoord!'

'Het was een ongeluk.'

'Of een poging tot intimidatie...'

'Waar het om gaat is dat er een overeenkomst was gesloten...'

'Hoe weet jij dat?'

'Dat heeft mijn moeder me verteld.' Ik zei niets: dat wilde ik niet betwisten. 'Bonaplata zou zijn paneel voor een bepaald bedrag aan ons verkopen. Maar dat deed hij niet. In plaats daarvan vermoordde hij hen en stal die van ons.'

'Dat lijkt me niet logisch. Hoe zou mijn oom die gangsters kunnen misleiden en vermoorden?'

'Ik weet het niet, maar hij deed het.' Artur keek me met opgetrokken wenkbrauwen aan. 'Het was zijn schuld dat ik wees werd.'

'Maar jullie begonnen als eersten, door de man te vermoorden van wie hij hield.' Artur mocht dan redenen hebben om Enric te haten, maar ik moest hem wel verdedigen.

'Het doet er niet toe wie begon.' De sympathieke, aantrekkelijke man uit het vliegtuig liet nu zijn harde en verbitterde binnenkant zien. 'Hij gedroeg zich als een schoft, als een ploert, hij verbrak een overeenkomst, hij hield geen woord.'

Ik kneep mijn lippen op elkaar en keek hem strak aan voor ik antwoordde: 'Enric beschermde zijn familie alleen maar omdat jullie die bedreigden.'

Ik geloof niet dat hij luisterde naar wat ik zei. Zijn blik dwaalde door de bar en bleef ergens achterin hangen, alsof hij nadacht over iets wat hij maar moeilijk kon verwerken. Hij zweeg een hele tijd en toen, terwijl hij strak naar me keek, zei hij met een lage, hese stem: 'Tussen mijn familie en de Bonaplata's bestaat een bloedschuld.' En ik zag de rode gloed ervan in zijn ogen.

28

'Enric was mijn eerste liefde, mijn grote liefde.' Ik bleef mijn moeder aankijken zonder te kunnen geloven wat ik zojuist had gehoord. Ze zei dat ze met me wilde praten. En praten deed ze. Ze nam amper tijd om adem te halen. Verbijsterd luisterde ik naar haar. Jarenlang had ze haar mond gehouden, en haar geheim was als een onzichtbare dijk die ons scheidde: hij stond tussen ons in, vormde een barrière en onbewust had ik dat soms gevoeld. En nu was er plotseling een doorbraak en kwam alles er in één keer uit.

Ik had haar braaf van het vliegveld gehaald en toen ik al die koffers zag, vroeg ik me af waarom ze zoveel bagage bij zich had. Even was ik bang dat ze misschien voor langere tijd bij mij in Barcelona wilde blijven. Alsjeblieft niet! zei ik bij mezelf. Toen bedacht ik dat in een van de koffers misschien het goed verpakte paneel zat. Zelfs dan was het nog een hoop bagage. Mijn moeder heeft er altijd al van gehouden goed toegerust op reis te gaan. Ze nam haar intrek in hetzelfde hotel waar ik aanvankelijk logeerde; ze had een ruime maisonnette in een van de hoogstgelegen appartementen en ging ervan uit dat ik bij haar kwam logeren.

Ik hield voorzichtig in de gaten in hoeverre ze inbreuk op mijn privacy maakte, maar liet haar begaan. We hadden een afspraak waarvan het mee-brengen van het paneel uit New York de prijs was. Ik moest mijn aandeel nakomen; om te beginnen moest ik het huis van Alicia verlaten en bij haar intrekken.

'Vandaag komt mijn moeder,' zei ik. 'Ik ga naar het hotel.'

'Ja,' mompelde ze met een nauwverholen glimlach. Ze wist beter dan ik hoe mijn moeder over haar dacht. 'Je bent welkom als ze weer weg is.'

Mijn moeder bleef aan een stuk door ratelen over mijn reis, over die van haar, over hoe ze daddy in New York had achtergelaten, maar de verrassing bewaarde ze voor het diner.

Toen ze zei 'Enric was mijn eerste liefde, mijn grote liefde', zochten haar ogen die van mij.

Ik was stomverbaasd. Ik wist niet wat ik moest denken of zeggen; mijn eerste reactie was er een van ongeloof: dit moest een grap zijn. Maar er was geen geamuseerde blik in haar ogen en er speelde ook geen glimlach om haar mond. Dat gezicht met rimpels op het voorhoofd en kraaienpootjes, dat voor mij gewoon mijn moeder is, zat tegenover me en had de uitdrukking van een verdachte die op zijn vonnis wacht. Ik maakte de couverts los die op tafel lagen en stamelde: 'Maar... en papa dan?'

'Je vader kwam pas later...'

'Maar Enric, Enric was toch...'

'Homoseksueel,' zei ze ronduit.

'Ja, inderdaad,' beaamde ik, 'maar hij moet het maar een beetje zijn geweest, want anders...'

'Want anders had hij geen zoon gehad...'

Ik zweeg om het te verwerken, en zij hield een paar tellen haar mond alsof ze op adem moest komen en begon daarna met haar verhaal: 'Zoals je weet hadden de Bonaplata's en de Colls al generaties lang een heel hechte band. Mijn grootvader kwam aan het eind van de negentiende eeuw met de grootvader van Enric vaak bij café Els Quatre Gats, en onze vaders zetten die vriendschap voort.

Als kinderen speelden we samen als onze families bij elkaar kwamen, we hebben alle twee op het Frans Lyceum gezeten en in onze puberteit, toen we uit begonnen te gaan, hoorden we bij hetzelfde groepje, zowel in de stad als 's zomers aan de Costa Brava.

Ik voelde me altijd enorm tot Enric aangetrokken. Hij was intelligent, aardig, fantasierijk, had overal een snel en geestig antwoord op en toen we in de hoogste klas zaten en er zich paartjes begonnen te vormen, eigende ik me hem toe en werden we bijna vanzelfsprekend een stel. Ik was tot over mijn oren verliefd. Onze ouders waren verrukt dat we samen uitgingen, want die relatie zou immers twee families met elkaar verbinden die al zeer nauwe vriendschapsbanden hadden – hierop was al generaties lang gehoopt. Mijn ouders mopperden nooit als ik met hem uitging en laat thuiskwam.'

'Kusten jullie elkaar?' vroeg ik nieuwsgierig en ik zag dat mijn moeder ongemakkelijk in haar stoel zat te draaien.

Ze was even stil. Het kostte María del Mar duidelijk moeite hierover te praten. 'Ja,' antwoordde ze ten slotte. 'Maar vergeet niet dat je meer dan veertig jaar geleden en in onze kringen als maagd het huwelijk in hoorde te gaan. Zelfs al stond de huwelijksdatum vast, en zover zijn wij nooit gekomen, dan nog mocht je je niet laten gaan. Onze kussen en liefkozingen waren heel onschuldig.'

'En hij hoefde niet echt aan te dringen, hè?' zei ik ondeugend.

'Ja, dat is waar. Toen ik daarover nadacht, realiseerde ik me dat ik altijd het initiatief nam,' verzuchtte ze. 'Ik dacht dat ik temperamentvoller was dan hij.'

'Maar hoe komt het dat je het niet hebt gemerkt?'

'Daar heb ik ook eindeloos over nagedacht.' Weer zuchtte ze en ze schudde haar hoofd, alsof het haar nog steeds een raadsel was. 'Niemand wist toen dat hij zo was. Maar, natuurlijk, ik was zijn vriendin en had het moeten merken. Hij hield het verborgen en wilde niet dat zijn familie het wist. In die tijd zou het voor de Bonaplata's een schande, een vernedering zijn geweest zo'n zoon te hebben. En ik, die verliefd op hem was, was het perfecte alibi. Ik denk dat Enric wel een tijdje nodig heeft gehad om er zelf achter te komen, en het was voor hem best makkelijk dat hij mij had bij wie hij die gevoelens kon toetsen. Ik begon te merken dat hij geen zin had om tot 's avonds laat bij me te blijven, ook al had zijn familie er geen bezwaar tegen. Hij bracht me steeds vroeger naar huis en er waren dagen dat hij uitvluchten verzon om me niet te hoeven zien. Mijn eerste argwaan ontstond toen hij er verscheidene keren als ik hem belde niet was, uren nadat hij me thuis had gebracht. Die tijd gebruikte hij om naar homobars te gaan en er vrienden te ontmoeten.'

'Maar wat is er gebeurd? Hoe zijn jullie uit elkaar gegaan?'

'Op een goede dag, toen ik had begrepen dat Enric een dubbelleven leidde, vroeg ik hem waar hij de vorige avond was geweest en toen vertelde hij me dat hij veel van me hield maar alleen als vriendin. Ik stond perplex. Hij vroeg me of ik het alsjeblieft geheim wilde houden en bekende toen dat hij homoseksueel was. Hij hield vol dat hij van me hield, maar niet als vrouw, en hij zei dat het erg egoïstisch van hem was om mijn tijd te verdoen. Enric was iets ouder dan ik, en ik moet wel erg naïef zijn geweest, want het eerste wat ik hem vroeg was hoe hij wist dat hij homoseksueel was als we nog nooit met elkaar naar bed waren geweest. Hij lachte. Ik heb je al verteld dat ik stapelgek op hem was en toen zei ik dat tijd me niet interesseerde, dat helemaal niets me interesseerde, als we alsjeblieft maar niet uit elkaar zouden gaan. Ik smeekte. Ik. Stel je eens voor, ik die hem smeekte. In eerste instantie stemde hij toe, maar hij zei erbij dat ik aan het idee moest wennen dat het uit was tussen ons en dat ik een goede jongen moest zoeken om mee te trouwen. Als levenspartner moest ik hem vergeten, hij kon me niet geven wat ik nodig had en onze relatie zou mijn leven verwoesten. En hij begon me een paar van zijn avonturen te vertellen die hij 's avonds beleefde nadat hij me naar huis had gebracht. Maar ik wilde hem niet opgeven en ik ging zelfs zover dat ik met hem meeging naar de homobars die hij bezocht. Ik accepteerde zelfs de avances van een vrouw om niet uit de toon te vallen.

Ik was ten einde raad, alles liet me koud, ik wilde geen toekomst zonder hem. Ik zou zijn homoseksualiteit hebben aanvaard, met hem zijn getrouwd, en hij had met mannen mogen blijven omgaan, als hij maar bij me bleef. Ik stelde het hem voor en ik geloof dat hij die oplossing even heeft overwogen.

Ik mocht hem nog wel strelen. Nu denk ik dat hij me misschien maar liet begaan om me niet voor het hoofd te stoten, en ik besloot hem in de val te lokken. Daar heb ik nog steeds spijt van.

Op een middag toen ik alleen thuis was, vroeg ik of hij me kwam ophalen en ik verzon een smoes om hem in mijn kamer te krijgen. Nou ja, daar hebben we de liefde bedreven.'

'Zijn jullie met elkaar naar bed geweest?' riep ik uit. 'Dan was hij dus niet homoseksueel.'

'Jawel,' antwoordde ze niet erg op haar gemak. 'Maar hij kon het wel met een vrouw als hij wilde.'

'Verzette hij zich?'

'Ja, dat deed hij, maar ik heb me vreselijk uitgesloofd. Ik wilde hem een plezier doen. Ik was gek. Ik had zwanger willen worden. Alles liever dan hem verliezen.'

'Maar je zei toch dat je maagd was?'

'Natuurlijk was ik dat. Maar na die middag niet meer, door een wanhoopsdaad.'

'En wat gebeurde er toen?'

'Hij wilde niet meer met me uit.' Ze klonk verdrietig. 'Hij zei dat hij me pijn deed en dat we altijd vrienden zouden blijven. Dat hij van me hield, maar alleen als van een vriendin of zus. Ik voelde me doodongelukkig, ik verweet mezelf dat ik hem had verkracht en ik dacht dat ik hem daarom was kwijtgeraakt.'

'Je bent met de man naar bed geweest van wie je hield,' probeerde ik haar te troosten. 'Wat is daar slecht aan?'

'Nee, ik had het niet moeten doen. Ik had hem niet moeten dwingen.'

'Het is belachelijk dat je je nog steeds schuldig voelt. En als jullie zijn klaargekomen, zal hij het wel niet zo naar hebben gevonden. Maar vertel eens, wat gebeurde er daarna?'

'Het nieuws dat we uit elkaar waren viel erg slecht bij de Colls en de Bonaplata's, maar Enric en ik zagen elkaar nog regelmatig op feestjes van onze beide families. Hij deed altijd heel hartelijk tegen mij. De tijd verstreek, ik ging met vriendinnen en vrienden uit, probeerde weer mezelf te worden, totdat ik op een dag hoorde dat hij met een vrouw samenwoonde.'

'Alicia!'

'Ja, Alicia. Enric sprak met me af om het me te vertellen. Hij zei dat Alicia en hij hetzelfde soort leven leidden en dat ze een soort overeenkomst hadden gesloten.'

'Overeenkomst?'

'Ja. Zo zou het lijken of ze een normaal leven hadden, om hun ouders een plezier te doen.'

'Maar ze hebben een kind gekregen.'

'Dat was bij de afspraak inbegrepen. Dat wilden ze alletwee. Maar mij deed het pijn. Alles deed me pijn, onze breuk, dat hij ging samenwonen met Alicia, dat ze een kind zouden krijgen... Het was een heel nare ervaring. Hij troostte me en rechtvaardigde zich door te zeggen dat ik te burgerlijk was, dat ik niet was opgewassen tegen het biseksuele leven dat hij me kon bieden en dat ik het niet zou volhouden. Dat ik erg ongelukkig zou worden. En dat Alicia net zo was als hij.'

'Maar jij leerde daddy kennen en werd weer verliefd,' zei ik om haar op te vrolijken.

'Ja.'

'En niet lang daarna kreeg je mij.'

'Ja, liefje. Ik kon een nieuw leven beginnen.'

'Maar je bleef Enric zien.'

'Hoewel enigszins beschadigd, bleef onze vriendschap bestaan en zo werd de traditie van de families voortgezet. Om te laten zien dat ik geen wrok koesterde, wilde ik dat hij je peetoom werd. Hij was er heel blij mee en hield van je als van een dochter.'

'Maar als alles zo goed ging,' – nu María del Mar haar hart bij me uitstortte, kon ik haar iets vragen wat me al een hele tijd bezighield – 'waarom wilde je dan niet terugkeren naar Barcelona?'

Even keek ze me zwijgend aan. Het leek alsof ze nadacht over mijn vraag. En terwijl ik naar haar gezicht keek, dacht ik aan dat meisje van dertig jaar geleden. Ze moet erg op mij hebben geleken. Een andere generatie, andere sociale gewoonten, maar ze was jong. Zoals ik nu. Ze voelde, leed, zocht de liefde en die liefde ontglipte haar...

'Iedereen, zelfs Enric, dacht dat onze breuk zonder enige rancune was verlopen. Maar voor mij was het een pijnlijke schijnvertoning. Ik hield nog steeds van hem en haatte Alicia vanaf de eerste dag dat ik van haar bestaan op de hoogte was. Het deed me verdriet hen samen te zien, de komedie van hun ogenschijnlijke liefde, dat zij altijd de boventoon voerde, zichzelf zo briljant vond... Daardoor dacht ik gewoon dat Enric haar liever had dan mij. De avond waarop ik hoorde dat ze zwanger was, kon ik 's nachts niet slapen. In die tijd leerde ik je vader kennen en trouwden we.

We bleven elkaar op de bijeenkomsten van de families zien. De ene keer kwam hij toevallig alleen met Oriol, een andere keer samen met Alicia. Dat contact deed me pijn, maar ik verdroeg het, misschien omdat ik zijn vriendschap niet helemaal wilde verliezen, misschien omdat ik, hoewel ik van daddy hou, nog iets voor hem voelde. Maar ik wende er niet aan en met de jaren werd dat steeds onverdraaglijker. Ik verdroeg het, maar er kwam een veel dringender reden om Barcelona te verlaten.'

'Welke?'

Ze bleef me stil aankijken voordat ze antwoord gaf: 'Jij.'

'Ik?' antwoordde ik verbaasd.

'Ja.'

Ik hield mijn mond. Ik wachtte totdat zij ging praten. Ik wist dat ze daarvoor uit New York was gekomen.

'Het was begin september. Je was nog bijna een kind, en ik had samen met het meisje het zomerhuis opgeruimd omdat we teruggingen naar Barcelona. 's Middags was het drukkend warm. Plotseling klapperden de zonneschermen door een rukwind en zag ik loodgrijze wolken boven de zee komen aandrijven, die noodweer voorspelden. Ik wist dat jij op het strand was en pakte een paar handdoeken en een paraplu om je te gaan zoeken. Toen ik bij de zee kwam begon het te stortregenen. Ik zag het meisje dat op jullie paste en jullie vrienden naar het dorp rennen op zoek naar een schuilplaats. Jij was er niet bij en toen ik vroeg waar je was, wisten ze het niet. Ik schrok en liep verder het strand op. Door de stortbui kon ik niet veel zien, maar ik bleef zoeken en vond ten slotte tussen de rotsen een stelletje, weggedoken onder een jas, dat aan het zoenen was. Ik zag dat jullie het waren, Oriol en jij.'

Ze pauzeerde even; ik moet wel stomverbaasd hebben gekeken. Ik kon niet geloven dat die zo intieme herinnering op een of andere manier door mijn moeder werd gedeeld. Als ik dat had geweten, zou ik doodsangsten hebben uitgestaan!

'Ik was zo verbouwereerd dat ik niets anders wist te doen dan vliegensvlug naar huis te gaan. Doorweekt kwam ik terug. Ik raakte in paniek, was als de dood.'

'Maar waarom?'

'Ik had gezien hoe Oriol groter werd. Hij heeft de ogen van zijn moeder. Mijn hemel, wat haat ik haar! Maar verder is hij bijna helemaal zijn vader. Ik voel me nog verdrietig als ik eraan denk!' Ze stopte even en haar blik dwaalde door het vertrek. Er biggelde een traan over haar wang. Beschaamd verborg ze haar gezicht in haar handen.

Ik streelde haar arm in een poging om haar te troosten. En ik dacht dat zij dertig jaar geleden misschien wel net zo was als ik. Maar ik wilde niet worden zoals zij nu was.

'Oriol deed je denken aan jouw teleurstelling,' zei ik vriendelijk.

Een paar minuten zei ze niets en ik liet haar met rust.

'Ja. Maar ik was al aan die ontgoocheling gewend.' Weer keek ze me aan. 'Het was de teleurstelling die jou te wachten stond die me angst aanjoeg. Denk je dat ik voordat ik jullie op het strand had gezien, niet gemerkt had dat je hem leuk vond?'

'Maar mochten we elkaar dan niet leuk vinden?'

'Ik zei dat ik had gemerkt dat jij hém leuk vond, niet dat jullie elkáár leuk vonden.'

'Wat wil je daarmee zeggen?'

'Oriol was niet het type jongen dat achter een bal aan loopt te trappen, en ik zei al dat hij me erg aan zijn vader deed denken...' Ze stopte even en voegde er toen bewust aan toe: 'In dat opzicht.'

'In welk opzicht?' Ik was bang voor het antwoord.

'Wat zijn seksuele geaardheid betreft.'

'Die uitspraak slaat helemaal nergens op,' protesteerde ik.

'Dat doet hij wel,' antwoordde ze vastberaden. 'Hij is net als zijn vader, net als zijn moeder. Ze zijn van hetzelfde slag. Merk je dat niet? Hij is aardig, hij houdt van je als een vriendin, als van een zus. Misschien zal hij het toelaten als je er bij hem op aandringt om je niet voor het hoofd te stoten. Maar uiteindelijk zal hij weggaan, en als hij weggaat blijf jij met een gebroken hart zitten. Het is zijn aard. Ook al zou hij het willen, hij kan niet anders.'

'Je vergist je.'

'Nee, ik vergis me niet. Ik vergiste me niet. Met angst en beven zag ik dat jou hetzelfde als mij zou overkomen. Ik realiseerde me dat ik daar jarenlang onbewust bang voor was geweest. Toen ik ontdekte dat je gek was op Oriol, begon ik er bij je vader op aan te dringen om overplaatsing naar New York te vragen. Of naar Latijns-Amerika. Ik wilde ver weg. Ik wilde je bij hem vandaan hebben. Dat je niet zou lijden zoals ik. En daarom zijn we weggegaan om nooit meer terug te komen.'

'Maar je had niet het recht...'

'En de brieven,' ging ze opgewonden verder, 'de brieven die je hem schreef. En die hij schreef. Die heb ik achtergehouden.'

'Wat!' Ik sprong op uit mijn stoel.

'Ja.' Ze keek me uitdagend aan. 'Die heb ik achtergehouden, de ene na de andere... totdat jullie elkaar niet meer schreven.'

'Maar hoe durfde je!' Ditmaal ging mijn verbazing over in verontwaardiging. 'Je had geen enkel recht om in te grijpen in mijn leven.'

'Natuurlijk had ik dat recht! Vanzelfsprekend! Ik ben je moeder, ik had het eerder meegemaakt en het was mijn plicht om je te beschermen... Net zoals ik het recht had om naar Amerika te verhuizen en jou met me mee te nemen, waardoor jouw leven en toekomst volledig zouden veranderen. Het was mijn plicht om te voorkomen dat je zou lijden, en dat is het nog steeds.'

En toen begon ze weer over haar verantwoordelijkheid; dat ik Oriol moest vergeten, die fantastische verhalen over schatten en met haar mee terug moest gaan. Het moest nu afgelopen zijn met die avonturen, Mike was mijn toekomst en mijn schat, en dat mocht ik niet laten verpesten door die onzin van mijn peetoom. En zo bleef ze maar doorpraten. Ik weet niet meer wanneer ik alleen nog maar deed alsof ik luisterde.

Ik zag mezelf weer in haar en hoe ik over dertig jaar mijn dochter zou proberen te beschermen tegen de fouten die ikzelf had gemaakt. Ik stond versteld van haar verhaal. Hoe had mijn moeder Enric tot seks durven dwingen? Het was dezelfde vastberadenheid waarmee ze me nu voor die zogenaamde vergissing wilde behoeden. Ik kon haar niet vergeven dat ze brieven van me had gestolen – ik was verontwaardigd, maar opeens stroomde ik over van blijdschap. Het was waar, ik had hem niet geloofd toen hij het zei, maar het was waar. Oriol had me wél geschreven.

En ik vroeg me af of mama echt voor mij Barcelona had opgegeven en haar verleden achter zich had gelaten, of dat het was om Enric niet meer samen met Alicia te zien. Na het eten gingen we van de wijn over op likeur, totdat het restaurant sloot. Daarna gingen we stappen. Plotseling begon ik een vreemd soort kameraadschap te voelen.

'Vertel het nog een keer,' zei ik met een al enigszins dikke tong. 'Vertel het me, hoe heb je Enric zover gekregen?'

Zij, die net zoveel had gedronken als ik, lachte, trok een zedig gezicht en verontschuldigde zich door te zeggen dat ze toen erg zenuwachtig was en ik, vals kreng, drong er nog een keer op aan, vroeg giechelend nog eens naar de details. Daarna begon ze te huilen en toen ik mijn arm om haar heen sloeg, begon ik ook te huilen. Al snotterend verwenste ik haar uit de grond van mijn hart omdat ze de brieven van Oriol achterover had gedrukt. En tussen haar gesnik door zei ze dat ze het precies weer zo zou doen, dat ze niet zou toestaan dat ik net zoveel zou lijden als zij, en dat ik verre moest blijven van het soort man dat van twee walletjes eet.

'Je hebt hem dus echt in bed gekregen?' drong ik nog een keer aan.

Ik kon het niet van haar geloven. Niet van mijn moeder. Voor mij was ze geen vrouw, ze was mijn moeder, en moeders doen zulke dingen niet. Maar ze gaf me zelfs geen antwoord, keerde terug naar haar geklets over hoe fantastisch Mike wel was. En zo zouden we de hele avond door zijn gegaan met ons door drank benevelde gesprek, of liever, met elk onze eigen monoloog, als ik hem daar niet had zien zitten.

Hij zat in een hoek met zijn glas in de hand, zo eenzaam als de dood. De man met het witte haar, met zijn fletsblauwe ogen en zijn donkere kleding. De oude man van de dolk. Daar. En toen ik zag dat hij naar mij keek, huiverde ik.

'Griezel!' zei ik overmoedig door de alcohol en ik wees met mijn vinger naar hem. Maar ik betwijfel of hij me in die lawaaiige ruimte kon horen. 'Loop toch niet zo achter me aan.'

Hij keek alleen maar naar me. Even dacht ik dat hij zou glimlachen, maar dat was niet zo.

'Ga weg!' snauwde ik weer.

Mijn moeder wilde weten wat er aan de hand was, en net toen ik het haar wilde vertellen, was de man verdwenen. Ik bestelde een taxi aan de bar en pas toen ik het voertuig voor de deur zag staan, durfde ik de straat op.

29

Ons enorm brede bed stond met het voeteneind naar het zuiden gekeerd in de richting van de Montjuïc, en daar liet María del Mar zich op neervallen in haar ondergoed. Ondanks mijn hulp had het uitkleden haar zo veel inspanning gekost dat ze binnen een paar tellen zachtjes lag te snurken.

Ik zei tegen mezelf dat ouderen minder goed tegen alcohol konden en bedacht toen dat ze misschien ook meer dronken. Ik ging naast haar liggen en merkte dat het televisiemeubel, het enige obstakel tussen het bed en het indrukwekkende raam zo hoog in de lucht, laag genoeg was om toch een riant uitzicht te hebben op de haven en de berg.

Het eerste daglicht probeerde door de loodzware wolken heen te breken in een poging de duisternis te verdrijven. Maar zonder succes. De straatlantaarns langs de kades waren nog aan, hun schijnsel weerspiegeld in het zwarte water, terwijl die daarboven op de Montjuïc de lanen en toppen van de berg markeerden. Het sombere, nog nachtelijke grijs van de vegetatie gaf de begrenzing aan met de blauwgrijze tinten van de zeemist in de lucht, wat een dageraad voorspelde die moeite had om aan te breken.

Door het verschijnen van die man in het zwart was mijn argwaan weer gewekt en leek de alcoholroes verdwenen. Mijn god, wat een verrassing! Enric en María del Mar. Wat een ongelooflijk verhaal! Wat moest ze geleden hebben! Ze lag naast me te slapen, opgerold in foetushouding, alsof ze zich wilde beschermen tegen de volgende klap die het leven voor haar in petto had. Ik streek over haar haar dat, in een vergeefse poging er jeugdige kleur en glans aan te geven, kastanjebruin was geverfd en drukte een kus op haar voorhoofd.

Ik kon niet wachten en pakte het paneel van de Maagd uit; ik vond het mysterieuzer dan ooit en vergeleek de ringen met de robijn, die aan mijn vinger en de geschilderde – allebei mooi maar met een onheilspellende glans. Toen keek ik naar het aarzelende ochtendgloren, dat nog niet opgewassen bleek tegen de nacht. De lichten in de haven, nu een meer vol duistere geheimen, de slapende stad aan mijn voeten, dromerig maar triest, betoverend en raadselachtig. Zoals het paneel. Mijn laatste gedachte voor ik in slaap viel was aan die sinistere oude man. Waarom die vreemde angst? Opeens kwam het bij me op dat ik hem van vroeger kende. Maar van wanneer? Waarom was ik nog steeds bang voor hem hoewel hij me had gered toen we uit Del Grial kwamen?

Artur Boix belde me de volgende dag. Hij verontschuldigde zich dat hij zich de vorige dag zo had laten meeslepen door zijn emoties, maar als ík verdriet had om mijn peetoom kon ik me misschien voorstellen wat het verlies van zijn vader en oom voor hém betekende. Ik gaf toe dat ik me ook had laten gaan bij onze ontmoeting van gisteren en dat het mede daardoor enigszins uit de hand was gelopen.

Hij nodigde me uit voor een etentje, maar ik zei dat ik niet met een man alleen uit eten ging, of het moest mijn verloofde zijn, en dat mijn moeder bovendien in de stad was. Na een lichte aarzeling antwoordde hij dat hij mevrouw Wilson, meneer Wilson en mijn hele familie ook heel graag uitnodigde; ik voelde zijn lachje door de telefoon. Hij voegde eraan toe dat hij een heel fatsoenlijke jongen met goede bedoelingen was.

'Als dat zo is, kom ik liever alleen,' antwoordde ik lachend. Ik moet toegeven dat ik val op types met gevoel voor humor, en dat heeft Artur. 'Maar dan een lunch als mijn moeder weer weg is.'

'Je zult er geen spijt van hebben. Ik heb je een heleboel te vertellen.'

María del Mar bleef nog drie dagen in Barcelona. Dagen die ik helemaal aan haar besteedde: we maakten een nostalgische tour door de stad, we gingen naar de plaats waar we hadden gewoond, het huis van mijn grootouders, haar favoriete straten... We gingen chocolade drinken in de granjas waar we vroeger kwamen, we gingen op zoek naar haar lievelingsrestaurants, ze vertelde me verhalen van toen ze klein was, een jong meisje, pas getrouwd. Sommige kende ik, andere had ik nooit eerder gehoord. We lachten als een stel vriendinnen en de kameraadschap die tussen ons was ontstaan, groeide.

We gingen zelfs uit eten met Luis en Oriol, en bij die gelegenheid gaf ze ons een onverwacht cadeau: 'Hier is de röntgenfoto van het paneel van de

Maagd,' zei ze en ze gaf ons een enorm grote envelop, waarvan ze tot op dat moment niet had willen zeggen wat erin zat. 'Die heeft je vriendin Sharon gemaakt; ik geef hem jullie en hoop van harte dat jullie de schat van Enric zullen vinden.'

María del Mar had tranen in haar ogen, maar ik vraag me af of de neven dat zagen omdat ze als gehypnotiseerd naar de envelop zaten te kijken. Ik maakte hem voorzichtig open en zocht naar de verborgen inscriptie aan de voeten van de Maagd.

En die was er, hoewel ik alleen maar kon lezen 'ligt in een'.

'De schat ligt in een grot aan zee,' las Oriol teleurgesteld voor.

'Dat wisten we al, dat levert niets nieuws op,' zei Luis.

We bedankten haar beleefd voor het geschenk en ik wist dat dit niet de verwachte sleutel was, dat we verder moesten zoeken.

Zoals ik al had verwacht, wilde mijn moeder Alicia niet zien en kwam ze ook niet terug op haar mening over de jongen met de blauwe ogen, zoals ze me wel honderd keer zei. Ik moest hem vergeten, ik moest teruggaan naar Mike.

Maar ze maakte het niet te bont en vertrok toen ik genoeg van haar begon te krijgen en ongeduldig werd vanwege de onderbroken zoektocht naar de schat. Ik moet toegeven dat ik had genoten van haar gezelschap en dat het heel goed bestede dagen waren, maar ik had haar nog niet naar het vliegveld gebracht of ik ging naar het hotel om mijn koffers te pakken en keerde terug naar het huis van Alicia.

30

'Zou je het leuk vinden om een galei te zien?' vroeg Oriol plotseling. 'Een galei?' vroeg ik verbaasd. De vraag overrompelde me. Ik wist wel dat een galei een soort schip was en dat het voorkwam in het stuk dat we net hadden gelezen.

'Ja, een galei, het soort schip waarop Arnau d'Estopinyá, broeder-sergeant van de tempeliers, kapitein was,' verduidelijkte Oriol toen hij mijn aarzeling zag.

'Ik weet best wat een galei is,' antwoordde ik gepikeerd.

'Nou, wil je er een zien of niet?' zei hij lachend; zijn tanden waren stralend wit en zijn blauwe, amandelvormige ogen mysterieus. Die jongen, nou ja, die man, fascineerde me nog steeds.

Het was een enorm houten schip dat opgesteld stond in een van de vleugels van een oude overwelfde loods met een pannendak, op het terrein van de voormalige scheepswerf van Barcelona, waar de galei vermoedelijk vier eeuwen geleden werd gebouwd en waar nu het Museo Marítimo gevestigd was.

Behalve dat ik nieuwsgierig was hoe het schip van Arnau d'Estopinyá eruitzag, betekende dat bezoek voor mij nog iets meer: het was namelijk de eerste keer in mijn leven dat ik alleen met Oriol uitging. Nou ja, als je een galei gaan bezichtigen uitgaan kunt noemen. Ik zei bij mezelf dat voor iemand die verloofd was zoals ik, zo'n 'cultureel uitstapje' geen ontrouw was, in de verste verte niet. Ik keek naar mijn verlovingsring en opnieuw verbaasde het me dat die oude robijn van de tempeliers vanbinnen veel meer glansde dan de stralende pas geslepen diamant.

Een galei is een reusachtig vaartuig met een vrij laag boord, zodat de lange riemen makkelijk in het water kunnen glijden. Niet te vergelijken met het beeld dat we hebben van schepen met een hoog dek, die vol geschut staan, of met die karakteristieke karvelen van Columbus. Overal zag je roeispanen. Het leken er honderden.

'Het was een typisch mediterraan schip en toegerust voor de oorlog,' legde Oriol me uit toen ik vertelde wat mijn indruk ervan was en op de houtconstructie wees. 'Dit is precies hetzelfde model, en op ware grootte nagebouwd, van het schip waarmee don Juan van Oostenrijk, halfbroer van koning Filips II, deelnam aan de beroemde veldslag van Lepanto op 7 oktober 1571. Daar slaagde een gezamenlijke Spaanse, Venetiaanse en pauselijke vloot erin de Turken een definitieve nederlaag toe te brengen. Dezelfden die zich, sinds ze onze tempeliers drie eeuwen daarvoor het Heilige Land uit hadden gegooid, steeds verder over de Middellandse Zee hadden verspreid door Cyprus en Kreta te veroveren en Italië te bedreigen, met name het koninkrijk Napels en de grote Italiaanse eilanden, die toen in het bezit waren van de Spaanse kroon. Vreemd genoeg namen aan die veldslag ook de galeien van de Orde van de Hospitaalridders deel, de grootste rivalen van de Arme Ridders van Christus, en erfgenamen van een groot deel van hun bezittingen. Drie eeuwen later bestond de Orde van de Hospitaalridders nog steeds, maar nu onder de naam Maltezer Orde. Door de opmars van de Turken waren ze verbannen uit het Heilige Land en vervolgens uit Cyprus, Rhodos en Kreta. Daarna hadden ze hun hoofdkwartier gevestigd op het eiland Malta, dat tot dan toe deel uitmaakte van de kroon van Aragón en dat door don Carlos I aan hen was gegeven.'

Hij keek me glimlachend aan. 'In Spanje wordt gezegd dat wíj de vloot aanvoerden, maar als je het Museo Navale in Valencia bezoekt, zie je dat de Venetianen beweren dat zíj de bevelhebbers waren, en ik weet zeker dat de paus dacht dat híj de leider was. Fijne bondgenoten!'

Om hem een plezier te doen lachte ik om zijn ironische opmerking terwijl ik mijn blik afwendde van die blauwe ogen die me in verwarring brachten. Als ik ernaar zou kijken zou ik op mijn lippen de smaak van zout voelen, de herinnering aan zijn mond en de smaak van mijn eerste kus. Maar hij leek die emotie niet te delen en ging gewoon door met zijn verhaal.

'Bij geschiedenis hangt het ervan af door wie ze wordt geschreven, maar zeker is dat Venetië veel meer schepen inbracht dan het hele Spaanse koninkrijk, en dan heb ik het niet alleen over Catalonië, Valencia en Mallorca, maar ook over Napels en Sicilië.'

Ik bedacht dat Oriol zich zó liet meeslepen door het verleden dat een vrouw van nu, ik bijvoorbeeld, weinig kans maakte om zijn aandacht te trekken, omdat ze niet op kon tegen de sensuele rondingen van de galei. Zoals hij daar nu enthousiast naar het schip stond te kijken!

'Dit scheepsmodel is in zeshonderd jaar nauwelijks veranderd,' vertelde hij. 'In Byzantium zagen ze er omstreeks het jaar duizend al zo uit, omdat ze beschikten over de allerbeste techniek voor de toenmalige zeeslagen. Het was de directe opvolger van de Romeinse trireem en daarvoor van de Griekse en Fenicische vaartuigen. Je kunt zeggen dat dit scheepstype zo'n tweeduizend jaar lang de Middellandse Zee heeft beheerst. Het was gebouwd op snelheid en stortte zich op vijandelijke schepen om ze tot zinken te brengen door zijn metalen voorsteven in de vijandelijke romp te stoten, hoewel de ram in de middeleeuwen eigenlijk alleen nóg maar werd gebruikt als brug om de vijand te enteren. Op het schip dat je hier ziet stonden de kanonnen al grotendeels op het voorschip, met nog enkele op het achterdek en aan de zijkanten, maar de artillerie was nog niet erg krachtig. Toen het geschut beter werd, verdwenen de galeien als oorlogsschip; natuurlijk konden ze de vijand wel tot zinken brengen met bominslagen, maar waarom het eigen schip riskeren door die verhoogde vuurkracht?

De galei van Arnau d'Estopinyá was er een van het zogenaamde hermafrodiete type, omdat ze zich met zeilen én roeiriemen voortbewoog. Het schip kon twee grote latijnzeilen hijsen en had aan weerszijden zesendertig banken voor elk drie roeiers. Het schip dat je hier ziet is wat groter, iets breder maar wel korter; het had dertig banken en aan iedere riem konden vier galeislaven zitten. De riemen werden alleen bij zeeslagen gebruikt, als er haast was of geen wind. Stel je eens voor! Tweeënzeventig riemen die tegelijkertijd door het water slaan. Ze hadden een tamboer nodig die het ritme aangaf waardoor ze allemaal hetzelfde tempo konden aanhouden.'

Hij straalde van enthousiasme. Oriol zag voor zich hoe het schip van d'Estopinyá met zijn kiel het water doorkliefde en op volle snelheid op een vijandelijke galei afstevende.

'Het was in die tijd het snelste schip op zee,' voegde hij eraan toe.

En zo bleef Oriol maar doorgaan met zijn uitleg. Ik volgde hem met dubbele aandacht; natuurlijk was zijn verhaal interessant, maar ik moet bekennen dat het zijn persoon was die het verhaal zo fascinerend maakte.

We liepen het hele schip door, over de bodem, op kielhoogte. Daar zag je alleen de houten constructie van de romp, waar op sommige plaatsen planken ontbraken zodat de bezoekers in het ruim konden kijken en het gerei konden zien dat daar werd opgeslagen. Toen we bij het achterschip kwamen, was ik verrast door het imposante, rijkgedecoreerde en barokke kasteel, dat vanaf de bodem gezien hoog oprees.

'Op geen van deze galeien stond *Na Santa Coloma*. Deze die je hier ziet was het vlaggenschip waarover don Juan van Oostenrijk, de halfbroer van de Spaanse koning en de op een na machtigste man van de rijkste staat van de wereld, het bevel voerde. De enige versiering op de galei van Arnau d'-Estopinyá moet het breedarmige kruis van de Tempelorde zijn geweest, dat op de achtersteven geschilderd was, en de schilden die de galeislaven en boogschutters beschermden.'

We liepen een paar treden omhoog totdat we op een platform boven de eerste roeibanken kwamen ter hoogte van de zogenaamde zonnetent, de commandobrug van het schip. Daar verbleven de officieren van de galei, samen met de loods en de stuurman. Ze mengden zich niet onder de galeislaven, noch onder de slavendrijvers en de voormannen, die de bevelen gaven.

Van daaruit overzag je het hele roeigedeelte en aan het eind, op de voorsteven, zag je de ram. Boven onze hoofden werd op een scherm, ongetwijfeld automatisch, een film vertoond waarin galeislaven aan het roeien waren; ze zaten bijna precies boven de banken van het echte schip.

Toen gebeurde het; ik wist het meteen. De ring, dacht ik. Het is weer die ring.

Ineens werden de ingeblikte beelden en geluiden van de film duizend maal vergroot door wat er bij mij naar bovenkwam en wat iedere werkelijkheid overtrof.

Ik hoorde de tamboer die het ritme sloeg voor de roeiers en het gespetter van de riemen in het water, ik rook de scherpe, doordringende stank van zweet en vuiligheid van de in vodden gehulde en aan de bank geketende galeislaven, die daar hun behoefte deden. Ik voelde de wind, ik zag de blauwtinten van lucht en water en de witte schuimkoppen van de golven. Het was een heldere dag, maar de zee was ruw, zodat het schip hevig op en neer deinde.

Voor ons voer een andere galei met in de top van de mast het groen van de islam, terwijl aan die van ons de strijdwimpel van de tempeliers wapperde: de zwarte standaard met een wit doodshoofd.

De voormannen patrouilleerden door het middenpad en dreigden degenen die niet hard genoeg aan de riemen trokken met de bullepees, en een man die in de top van de hoogste mast zat, schreeuwde iets. Ik hoorde een stem, misschien die van mij, die bevel gaf de katapulten af te schieten, waarna vanaf de voorsteven het trillende geluid hoorbaar werd van het gebogen hout dat weer terugveerde in zijn oorspronkelijke stand.

Mijn hart ging sneller kloppen en ik greep nerveus het gevest van het zwaard aan mijn gordel; ik wist dat voor velen de dood nabij was, misschien ook voor mij.

Het vijandelijke schip sloeg roeiend op de vlucht en streek tegelijkertijd de zeilen, net als wij zojuist hadden gedaan. Maar ik was ervan overtuigd dat we hen zouden inhalen.

'Roeien!' schreeuwde ik.

En het bevel werd door de slavenopzichters brullend door het middenpad doorgegeven aan de trommelslager die, vanaf de voorsteven, het tempo van de riemen aangaf. De bullepezen begonnen neer te komen op de ruggen van de slaven die het hoge tempo niet konden bijhouden. Bij iedere slag begonnen ze in koor te grommen van inspanning als de riemen in het water zakten, en de snelheid van het schip verder werd opgevoerd. Het knallen van de zweep ging gepaard met kreten van pijn. De stank van lijven die vanaf de voorsteven mijn richting op waaide was nu nog intenser, en ik bespeurde in die walm iets wat ik op dergelijke kritieke momenten al zo vaak had geroken: die vage, alles doordringende rotlucht, de geur van angst.

De afstand tot ons doelwit werd kleiner, maar het was net als het onze een snel schip, en de stenen die ons geschut loste misten hun doel. Het gangboord op de voorsteven van de *Na Santa Coloma* stond vol boogschutters die wachtten totdat ze de Saracenen onder schot kregen. Iemand wierp een speer, die bleef hangen in het houtwerk van de voorsteven van de vijand, maar op die afstand ging het vaak mis en ik beval ze hun pijlen te sparen.

Op dat moment haalden de Moren de zonnetent van hun galei neer en de man die in de grote mast zat schreeuwde: olie! Rookslierten tekenden zich af tegen de hemel terwijl brandende olievaten rondom ons schip begonnen neer te vallen.

De soldaten deden hun borstschilden om, die niet veel hielpen tegen het vuur, maar de slaven roeiden zonder enige bescherming door en toen er tussen bank achttien en negentien aan stuurboord een vat over een van die ongelukkigen viel, veranderde de arme drommel in een vloeibare vuurbal waarvan de vonken op zijn kompanen oversprongen. Ze gilden het uit en toen ze de riemen loslieten, maakte het schip een draai naar bakboord.

De stuurman probeerde de koers te wijzigen; het gekrijs van de brandende mensen was angstaanjagend, maar dit was niet het moment voor angst of mededogen.

'Breng dor blad naar de kombuis!' commandeerde ik.

Het was niet de eerste keer dat we die strategie toepasten. Terwijl de slavenopzichters en soldaten het vuur met emmers water probeerden te blussen, brachten de matrozen vanuit het ruim een paar zakken dor blad en pek naar boven en gooiden dat in een grote ketel, die in de openlucht werd neergezet, op bank drieëntwintig, waar geen roeiers meer zaten en die smeulend werd gehouden. Even later was er boven het schip een zwarte rookkolom te zien.

'Riemen los!' schreeuwde ik.

Het bevel verspreidde zich door het middenpad en het schip kwam tot stilstand, staakte zijn achtervolging en wiegde op de golven heen en weer. Het vuur was al onder controle toen de schildwacht schreeuwde dat de Saracenen minder roeiers hadden ingezet en dat hun schip rechtsomkeert maakte. Even stonden de rookstrepen van hun projectielen stil, maar toen ze recht voor ons lagen begonnen ze weer te schieten, nu vanaf de plek op de voorsteven waar de roeiers hadden gezeten. Onze slavenopzichters maakten snel de kettingen los van de gewonden en stervenden in het roeigedeelte om hun plaatsen te laten innemen door vrijwillige roeiers, de zogenaamde *bonavoglies*, die geen voetboeien droegen. Onze galei, gehuld in een soort rookgordijn, dat door de matrozen in stand werd gehouden, leek ten dode opgeschreven, maar was in feite klaar voor de strijd.

Het vijandelijke schip naderde ons aan stuurboord, brandende pijlen op ons afschietend; ze probeerden van de verwarring gebruik te maken om ons schade toe te brengen. Ze zouden nooit de moed hebben gehad een schip als de *Na Santa Coloma* te enteren als de bemanning niet zo was uitgedund. Mijn mensen liepen door de rook alsof er echt iets ernstigs aan de hand was en de eerste speren van de Moren bereikten al het houtwerk en de galeislaven op de voorste banken, die begonnen te schreeuwen.

We waren zo'n tweehonderd meter van hen verwijderd toen ik het bevel gaf: 'Schiet de pijlen af! Roeien!'

De bevelen vlogen naar de voorsteven, de tamboer werd weer hoorbaar, net als de zweepslagen en het gejammer. Een wolk pijlen vloog naar onze vijand en even later hoorde je geschreeuw op de andere galei, dat toenam toen we het geluk hadden dat een van onze stenen op hun dek belandde.

De Saracenen hadden niet in de gaten dat ze misleid werden totdat ons schip naar voren sprong en de rookkolom uit de ketel, waar niets meer op was gegooid, niet met ons mee bewoog. Toen maakten ze een tweede fout. Omdat ze een aanvaring wilden voorkomen, wendden ze om ons te ontwijken het stuur naar bakboord, maar dankzij de kracht van onze roeiers, die hadden uitgerust terwijl die van hen moesten doorroeien, en ons groter potentieel, slaagden wij erin hen aan stuurboord, dicht bij de zonnetent, te rammen, waarbij de planken en houtspaanders in het rond vlogen, en hen tot zinken te brengen. Intussen hadden onze boogschutters, die probeerden hun roeiers, ongetwijfeld christelijke slaven, niet te raken, de tijd om weer een pijl, nu beter gericht omdat de afstand kleiner was, op de strijders en officieren af te schieten.

Gillend renden wij, de enteraars, ervaren in dat soort strijd, over de ram. We schreeuwden 'Voor Christus en de Heilige Maagd' en sprongen behendig op het andere schip. Ondanks de verliezen door de pijlen en Moorse sabelhouwen, en ons niets aantrekkend van de grotendeels op de voorsteven samengedrongen soldatenbende, bestormden we woest de zonnetent op de achtersteven, waar in een paar seconden tijd de officieren en opzichters de keel werd afgesneden. Toen we allemaal aan boord waren en door het middenpad naar de voorsteven liepen, langs de banken van hun galeislaven die ons toejuichten, wist ik dat wij de overwinnaars waren.

Ik slaakte vol vreugde en trots een overwinningskreet.

Toen realiseerde ik me dat ik weer in het museum was; er waren maar een paar seconden verstreken.

Oriol zei: '... het soort schepen met een hoog boord, zoals de karvelen van Columbus, werden in de tijd van Arnau ook gebruikt. Maar dat waren vrachtschepen. Die zeilden alleen, en door hun diepere romp konden ze meer vracht vervoeren. De vanzelfsprekende voorloper van de galei was de zogenaamde *coca*, de *urca*, de *carabella* en die hele familie kleinere schepen die *fustas* werden genoemd. Wat betreft de galeien zijn er meer dan twaalf verschillende types, van *uxers* tot *sagetias*, *rampís*, *londrós*...'

Ik greep me vast aan de reling en terwijl ik op de grond ging zitten, legde ik mijn hand op mijn borst. Mijn hart ging als een razende tekeer, ik kon geen lucht meer krijgen.

'Wat is er met je?' zei Oriol; hij onderbrak verontrust zijn betoog.

'Het gebeurde weer,' mompelde ik toen ik op adem was gekomen. 'De ring.'

31

Na die angstige ervaring verwachtte ik begrip van Oriol. Ik dacht dat hij gevoelig was en dat hij wist wat die vreemde ring met mensen kon doen; ik had dan ook niet verwacht dat juist hij zou zorgen voor de volgende schok die ik te verwerken kreeg.

We bleven net zo lang in het museum tot ik hem had verteld wat er was gebeurd. Toen Oriol ervan overtuigd was dat ik weer een beetje van de schrik was bekomen, zei hij, misschien om me wat op te vrolijken, dat hij me een heel speciale plek wilde laten zien. We staken een weg over en kwamen in een oude wijk, waar hij me een paar straten verderop een onooglijk barretje binnenloodste. Nou, speciaal was het zeker: aan de smoezelige wanden hingen schappen vol flessen met een vettige aanslag van tientallen jaren en een paar deprimerende schilderijen die zo vuil waren dat je er ternauwernood de rokende vrouwen op kon onderscheiden die met een blik van grenzeloze weerzin naar je keken. Ingelijste krantenknipsels bevestigden dat dit een bijzondere plek was. Er klonk Franse muziek die uit een oude radio leek te komen, zo'n gelakt houten geval van voor de transistor.

'Deze bar wordt "Pastis" genoemd,' vertelde hij toen hij zo'n drankje had besteld, een soort anisette waar je water bij moet doen en dat ik niet lekker vind.

Oriol wilde me waarschijnlijk wat opkikkeren met dat bocht, maar voor mij was dit beslist niet de manier. Alleen al als ik dacht aan die indringende beelden op de scheepswerf kreeg ik weer kippenvel, en onwillekeurig gleed mijn blik naar de ring met zijn bloedrode mannelijke steen; misschien zocht ik in de transparantheid ervan wel de schim van de oude tempelier die erin schuil leek te gaan.

'Ik houd van de legende van deze plek,' zei Oriol om me wat af te leiden van mijn akelige gedachten. Zijn ogen dwaalden door het armoedige lokaal met dezelfde nostalgische blik als eerder in het museum; daar kwamen beelden bij hem op van grote veldslagen op houten schepen en helden die verdronken waren in de Middellandse Zee, hier kwam hij bij het zien van het etablissement met een verhaal dat, hoe kan het ook anders, over vroeger ging. Zo was Oriol, hij leefde graag in het verleden. Zou hij die golven, de storm en de kus ook opnieuw beleven?

'De bar werd in 1946 geopend door Quimet, een amateurschilder en bohémien, toen hij terugkeerde uit Parijs, waar hij aan het einde van de Tweede Wereldoorlog als *pied noir* vanuit Afrika naartoe was gegaan. Hij had daar het succes gezocht, net als Picasso en Juan Gris vóór hem hadden gedaan. Parijs was toen nog het centrum van de kunst waarvan New York alleen maar kon dromen. Carmen, een energieke vrouw uit Alicante, kwam met hem mee. Er werd gezegd dat ze zijn nicht was; ze zag er goed uit en had een nog beter karakter. Ze was stapelgek op hem en overtuigd van zijn artistieke talent. Carmen werkte in bars, als schoonmaakster, ze deed van alles, als het maar genoeg opleverde om er samen van te kunnen leven. Maar de weerzinwekkende existentialistische schilderijen van Quimet verkochten niet. Wie wilde er in zijn huiskamer nou zulke troosteloze beelden ophangen, en dan nog van zo'n armzalig artistiek niveau?'

Ik dronk met kleine slokjes van dat witachtige spul dat Oriol voor me had besteld, zonder dat hij gevraagd had of ik iets anders wilde, en keek naar de doeken aan de muur, die wazig waren door de tabaksaanslag. Vrouwen met een lege blik en met glazen voor zich die ook leeg waren, mannen die rookten. Vrouwenfiguren op straat, vast en zeker wachtende hoeren. Het was me niet ontgaan dat de buurt waar Oriol me mee naartoe had genomen de vroegere rosse buurt was, bolwerk van de goedkope prostitutie in de stad. Ik knikte. Vanzelfsprekend zou ik bij mij aan de muur nooit zoiets ophangen.

'Quimet wilde graag een Toulouse-Lautrec zijn, naar het existentialistische voorbeeld van de jaren vijftig in Barcelona, en hij zette de beelden op het doek die hij om zich heen zag,' ging Oriol verder. 'Hij signeerde met "Pastis". Het was de tijd dat de Franse cultuur hoog in aanzien stond en de Angelsaksische onbekend was. De welgestelde burgers stuurden hun kinderen naar het Frans Lyceum.'

Zoals mama en Enric, dacht ik.

'Hoe dan ook, Quimet richtte samen met een groepje vrienden en stamgasten een onbeduidende pseudo-artistieke kring op die, al pastis drinkend, luisterde naar Edith Piaf, Montand, Greco en Jacques Brel, terwijl ze discussieerden over de laatste trends in de hoofdstad van de wereld.' Oriol nam nog een slokje en keek om zich heen voor hij mij aankeek en me toevertrouwde: 'Mijn vader kwam vaak in deze bar.'

Ik doorstond zijn blik. Waren de ogen van Oriol vochtig? Door de kleine ruimte had ik een smoes om een beetje dichter naar die verlegen, introverte jongen toe te schuiven die nu een mooie maar tweeslachtige man was geworden. Hield ik nog van hem? Voelde hij iets voor mij? Had hij dat ooit gedaan?

Zwijgend zaten we elkaar aan te kijken bij die oude balladen van de chansonnier die liefdeswoorden fluisterde in een schemerduister dat mij, ondanks het half dozijn stamgasten dat de ruimte bijna vulde, opeens heel intiem leek.

Ik meende te merken dat hij dichter naar me toe schoof, dat onze lippen naar elkaar verlangden, en ik wilde de smaak van zijn mond proeven. Ik zag mezelf weerspiegeld in zijn pupillen. Een meisje van dertien, verlangend naar haar eerste liefdeskus in een onweersbui in september. Een dwaze vrouw die fantaseerde dat de romance, die door afstand en tijd verloren was gegaan, opnieuw zou opbloeien. Zoiets was alleen mogelijk in de parallelle wereld van mijn dromen. Ik boog me nog een paar millimeter verder naar voren; mijn hart ging als een gek tekeer.

'Hij nam me hier mee naartoe.'

'Wie?' vroeg ik nogal stupide. Het was alsof ik plotseling wakker werd, opnieuw zonder te weten waar ik was, net als kort daarvoor op de scheepswerf. Alleen was nu niet de ring verantwoordelijk voor de magie, maar hij.

'Mijn vader, Enric,' antwoordde hij.

Oriol was er nog steeds, heel dichtbij, maar de betovering was verbroken. Had hij het expres gedaan? Was hij bang voor de kus die we elkaar met onze ogen beloofd hadden? Durfde hij niet? Was hij homoseksueel, zoals gezegd werd? Om mijn verwarring te verbergen, liet ik mijn blik langs die vier smalle wanden glijden.

'Hij vertelde me over de legende. Als je de krantenartikelen leest die hier aan de muur hangen, zul je zien dat het lijkt of het allemaal verschillende verhalen zijn, maar voor mij is het enige echte dat van Enric.'

'Vertel maar.'

'Quimet was een briljante, charismatische man, die mensen voor zich innam waardoor de bar een trouwe groep klanten en vrienden had. Alleen van zijn duistere kant wordt nu niet meer gerept.'

'Een duistere kant?'

'Ja: behalve schilderen, praten, drinken, boksen en roken deed hij eigenlijk niets. Nou ja, afgezien van...'

'Van wat?'

'Dat hij als hij dronken was Carmen verschrikkelijk aftuigde,' en hij wees naar de muur achter de bar. 'Kijk, op die foto staan ze allebei.'

Vol tegenzin keek ik naar de vergeelde zwartwitfoto waarop een man met achterovergekamd haar en een knappe vrouw met mooi halflang haar in de stijl van de jaren vijftig en met een vlekkeloos wit schort voor, lachend in de camera keken.

'Maar waarom heeft ze dat in godsnaam laten gebeuren?'

'Omdat ze van hem hield.'

'Dat is geen excuus.'

'Zij had hem onderhouden in Parijs en bleef ook hier in Barcelona voor hem werken.'

'Maar waarom liet ze toe dat hij niets uitvoerde en haar ook nog mishandelde?'

'Omdat ze van hem hield.'

'Dat rechtvaardigt nooit...'

'Hij was ziek. En op een kwade dag stierf Quimet, en Joost mag weten of dat door dronkenschap, cirrose of syfilis kwam,' onderbrak hij me. 'En van toen af aan werden deze plek en de liefde van Carmen een legende.'

'Waarom?'

'Carmen besloot om alles precies zo te laten als het was toen Quimet nog leefde. Kijk maar eens naar de flessen op de planken.'

'Die zitten onder het vuil.'

'De muren zijn nooit meer geschilderd, de muziek is dezelfde gebleven van toen en als je bij Carmen, die achter de bar stond in haar sneeuwwitte gesteven schort, iets anders bestelde dan pastis, trok ze een chagrijnig gezicht en mompelde ze iets binnensmonds. Als je binnenkwam begroette ze je meteen met een glimlach, terwijl ze met een doek over de bar stond te wrijven en vroeg: "Wat zal het zijn? Een kleintje pastis?" alsof dat een verplicht eerbetoon was ter herinnering aan haar heilige. Alleen omdat ik een kind was kreeg ik frisdrank.

In het begin werd de schilder erg gemist en een van zijn vrienden van *la nova cançó* droeg zelfs een lied aan hem op, dat op plaat is opgenomen: "Quimet van bar Pastis, jou zullen we nooit meer zien..." en het ging verder met: "Maar er is iets geks aan de hand: er komen steeds meer mensen."

De legende van bar Pastis als monument van de liefde van Carmen voor Quimet had het verhaal van de schilder met de kapotgezopen lever overvleugeld. En hoewel Carmen uit liefde heel wat had verdragen, was ze een dame die voor geen kleintje vervaard was; ze zorgde altijd voor een goede sfeer, maar ongewenste gasten werden zonder pardon de deur uit gegooid. Toen zij er begin jaren tachtig zelf mee ophield, bleef de Pastis populair omdat haar opvolgers dezelfde goede ambiance wisten te creëren.'

Oriol nam nog een slok van zijn pastis en keek me weer aan. Er speelde een lichte glimlach om zijn mond. 'Zou jij zoveel van iemand kunnen houden, Cristina?'

Ik dacht even na voordat ik zei: 'Ik geloof in de liefde.'

'Houd jij op die manier van je verloofde? Zoals Carmen van Quimet?'

Ik voelde me ongemakkelijk omdat mijn vriend erin betrokken werd. En als ik eerlijk tegen mezelf was, moest ik bekennen dat het antwoord nee was.

'Ik weet het niet, dat is wat overdreven,' mompelde ik.

'Ik heb Quimet niet gekend, maar als je Carmen naar Quimet vroeg, zei ze altijd dat hij een artiest was; ze kreeg dan zo'n in zichzelf gekeerde blik, er kwam een glimlach om haar mond en er klonk bewondering in haar stem. Zou jij een man zo bewonderen? Voor hem de kost willen verdienen, hem verzorgen als hij ziek was en je ook nog door hem laten mishandelen?'

'Nee, alsjeblieft!' reageerde ik geschokt.

Oriol lachte en leek voldaan.

'Zie je wel?' zei hij triomfantelijk. 'Er zijn allerlei manieren van leven. Er zijn ook allerlei manieren om van iemand te houden. Er zijn mensen die offers kunnen brengen voor hun geliefde en er zijn er die hun leven voor hem overhebben.'

Ik dacht na. Wat wilde Oriol me duidelijk maken? Had hij het over zijn eigen vader? Had hij het over zichzelf? Over allebei?

Toen we de bar uit kwamen liepen we in de richting van de Ramblas. Mijn linkerhand hing losjes naast me, vlak naast die van hem, misschien in de vage hoop dat ze elkaar even aan zouden raken of dat ze elkaar vast zouden pakken zoals we toen we klein waren soms deden als we op het strand liepen.

Ik had de jonge vrouw die achter ons aan kwam en Oriol staande hield door zijn arm vast te pakken, niet opgemerkt.

'Hallo, schat!' zei ze met een vreemde stem.

Oriol draaide zich om waardoor ik zijn gezichtsuitdrukking niet kon zien. 'Hallo, Susi!' antwoordde hij.

Susi had een kort rood leren rokje aan en zwarte kousen. Het was een lang, knap meisje met te veel make-up op en overdreven hoge naaldhakken.

'Wat heb ik jou lang niet gezien, schat.'

Die stem, dacht ik.

'Ja, dat is waar,' antwoordde hij. 'Mag ik je Cristina voorstellen, een vriendin uit mijn kindertijd die in New York woont en hier op bezoek is.'

'Leuk je te ontmoeten,' zei ze en zonder de arm van Oriol los te laten gaf ze me twee van die smakzoenen die je wang niet eens raken. Hoewel ik het een beetje vreemd vond, liet ik dat niet merken. Ze had een sterk, zoetgeurend parfum op.

'Prettig kennis te maken,' zei ik, ook al vond ik dat niet. Ik was verbaasd dat hij zo vertrouwelijk deed tegen het meisje. Het was een ordinair type.

'Is zij een vriendin, een heel goede vriendin?' vroeg Susi, die zich weer tot Oriol wendde. Ze had wat je noemt een weelderige boezem.

'Ze is een vriendin van wie ik veel houd,' zei hij met een ondeugende glimlach op zijn gezicht.

'Aha!' riep ze lachend uit. Haar dikke sensuele lippen lieten een rij tanden zien die geel waren van de tabak, en ze keek me aan. 'Dan kunnen we er een triootje van maken.'

Even stond ik perplex; toen begon ik, helemaal ondersteboven, te begrijpen wat ik eerst niet begrepen had. Susi was een prostituee die haar koopwaar stond aan te prijzen door te vertellen hoe leuk het zou zijn om het met zijn drieën te doen en somde daarbij, zonder enig gevoel van schaamte, allerlei mogelijkheden op met de meest scabreuze details.

Ik keek naar Oriol en hij keek lachend naar mij, leek mijn beslissing af te wachten. Ik geneerde me toen ik voelde dat ik bloosde, wat me al in geen jaren meer was overkomen. Terwijl ik me er altijd op laat voorstaan dat ik zo zelfverzekerd ben en me in alle situaties kan redden. Maar ik moet bekennen dat die briljante advocaat met haar snelle en intelligente antwoorden hier niet op voorbereid was; deze situatie had ik niet in de hand. Zie je het voor je?

Maar het ergste moest nog komen toen ik, bekomen van mijn verbazing, een paar van de scènes die Susi beschreef begon te begrijpen. Er ging me een licht op. 'Jij bent geen vrouw!' ontsnapte me onwillekeurig. 'Je bent een man!'

'Wat het eerste betreft heb je een beetje gelijk, schat,' antwoordde Susi, nog steeds met een glimlach. Ik zag nu de uitstekende adamsappel. 'Ik ben het nog niet helemaal. Maar op het tweede punt vergis je je, ik ben ook geen man. Met deze tieten?' Ze tilde ze op met haar handen. Zoals ik al had opgemerkt waren die volumineus.

'Kom op, Oriol, laten we er een triootje van maken,' drong ze aan. 'Maar vijftig euro, vijfentwintig elk. En ík lever het bed.'

Het was ongelooflijk, alsof het iemand anders overkwam, alsof het ergens anders gebeurde. Dit was zo onwerkelijk. Toen, terwijl ik Oriol hoorde praten, voelde ik mijn wereld instorten.

'Wat vind je van het programma, Cristina?' Zijn blauwe amandelvormige ogen, waar ik zo van hield, keken me breed lachend aan. 'Zullen we?'

'Ja, laten we het doen!' riep Susi uit en pakte ons allebei bij ons middel. 'Kom op, meisje; ik kan mannen én vrouwen aan hun trekken laten komen... Je zult vast nooit meer zoiets meemaken; samen met een jongen en met mij.'

Een ogenblikje stelde ik me voor dat ik tussen hen in lag, en heel eventjes maar voelde ik een soort morbide opwinding; daarna kwam de afschuw...

32

Die avond, terwijl ik vanuit mijn kamer naar de stad keek, belde ik Mike. Ik had hem al in geen twee dagen gesproken en dat nam hij me kwalijk. Ik werd er niet boos om; ik had behoefte aan zijn liefde, zijn toewijding, zijn genegenheid.

'Ik hou van je, ik verlang naar je,' zei hij na zijn verwijtende opmerking. 'Hou toch op met die idiote zoektocht naar de schat en kom terug.'

'Ik hou ook van jou.' Dat meende ik oprecht. 'Ik zou er wat voor geven als je nu bij me was. Maar ik wil dit hier per se afmaken.'

Dat gesprek, weten dat Mike nog steeds van me hield, was balsem op mijn wonden. Want dat was het: ik voelde me gewond. Heel erg zelfs. Had Oriol echt een nummertje met die travestiet willen maken? Als hij in zulke verdorven kringen verkeerde en op zoiets uit was, zou hij mij, als hij ook maar een beetje kans op succes wilde hebben, toch het gevoel moeten geven dat er een relatie uit voort zou kunnen komen. Zijn voorstel was in alle opzichten beledigend.

Nee, dát was niet zijn bedoeling geweest.

'Ik kwam Susi onverwacht tegen en zei zomaar wat. Het was gewoon een grapje,' zei hij. Ik was bijna rennend overgestoken, naar de Ramblas, zonder te reageren op zijn perverse aanbod. Hij nam afscheid van Susi en haalde me midden op de boulevard in.

'Dat vond ik niet leuk,' antwoordde ik.

'Toe nou, niet boos worden, ik liet hem maar kletsen om te zien hoe je zou reageren... Dat leek me grappig.'

Zijn uitleg overtuigde me niet. Ik voelde me erg gekwetst en toen ik me in mijn kamer had opgesloten, kwamen de tranen. Oriol had me teleurgesteld.

Waar was die verlegen jongen gebleven op wie ik als meisje verliefd was geweest?

Toen ik 's avonds voor het raam stond en naar de verlichte stad keek, nog niet over mijn teleurstelling heen, bleef ik maar piekeren over die twee voorvallen. Eerst dat in die bar. Oriol had me geconfronteerd met een manier van leven, van denken die haaks stond op die van mij. Die toewijding van de vrouw voor de man, die vrijwillige onderwerping. Wat wilde hij daarmee insinueren? En daarna die ontmoeting met Susi. Had híj die gearrangeerd? Loog hij toen hij zei dat het toeval was? Ik wist zeker dat Oriol van tevoren had geweten dat ik niet op zijn voorstel in zou gaan; je kon moeilijk een slechtere situatie bedenken om een vrouw te vragen of ze seks wilde. Waarom deed hij het dan? Zocht hij mijn weigering als alibi voor zijn homoseksualiteit? En Susi. Die medeplichtigheid, die vertrouwelijkheid; ze kenden elkaar vast al een hele tijd. Wat voor relatie hadden ze? Misschien was het dat. Misschien hadden ze dezelfde seksuele geaardheid. Misschien gingen ze met elkaar naar bed.

Toen ik in bed lag kon ik de slaap niet vatten. De psychometrische beelden die ik op de scheepswerf had moeten verdragen, kwamen terug toen ik mijn ogen sloot. De rookslierten van de aangestoken olie kwamen ons tegemoet, de afschuwelijke lucht van etterende zweren die maandenlang in lichamen voortwoekerden, de stank van verschroeid vlees, het gebrul van degenen die waren verbrand of door messteken verwond. Ik voelde me misselijk. Ik stond op om wat water te drinken en zag de bloedrode schittering van die kwaadaardige ring aan mijn vinger. Ik deed hem af en legde hem op het nachtkastje. Ik zou gaan slapen met de zuivere, transparante ring met de diamant van mijn verloofde. Die nacht zou ik niet nog meer van die vreselijke beelden uit het verleden kunnen verdragen.

Het duurde uren voordat ik in slaap viel, en toen dat eindelijk gebeurde, sliep ik slecht. Ditmaal kon ik de schuld niet aan de ring met de robijn geven, maar toch droomde ik weer. Het begon als een erotische droom, lekker dwaas, zoals je die zo vaak 's nachts hebt, maar omdat ik me niet prettig voelde, maakte de afloop ervan me nog onrustiger.

Eerst was het fijn. Oriol kwam naar mij toe om me te kussen, en ik deed mijn lippen van elkaar en sloot mijn ogen om te genieten van zijn speeksel en het zout, net zoals ik dat jaren geleden had gedaan, toen we als pubers elkaar de eerste kus gaven.

Toen ik zijn hand onder mijn rok voelde, werd ik door hartstocht overvallen, maar toen ik mijn ogen half opendeed, schrok ik toen ik zag dat ik door een andere man werd gestreeld. Ik wilde protesteren, hield op met Oriol te kussen en op dat moment zag ik dat hij die tweede man, die me bleef liefkozen, kuste en dat zijn passie door hem werd beantwoord.

Ik kon niet ontsnappen uit die vreemde omarming van drie waarin ik, terwijl ik de liefde bij Oriol zocht, seks vond bij iemand die de minnaar van mijn vriend bleek te zijn. Nee, die man was geen travestiet zoals Susi, maar ze hadden wel dezelfde parfum op.

Toen ik wakker werd haalde ik gejaagd adem en voelde ik iets tussen opwinding en angst in. Hoe zou de droom verder zijn gegaan? Daar wilde ik niet aan denken. Ik ervoer een mengeling van afschuw en wellust.

En daarachter lag mijn angst: was Oriol homoseksueel? Of hield hij misschien net zoveel van mannen als van vrouwen?

Die vraag maakte me overstuur. Bovendien moest ik bekennen dat ik nog steeds iets, misschien wel veel, voor hem voelde. Zou zich bij mij de geschiedenis van mijn moeder herhalen?

Ik geloof dat ik die ochtend zelfs gedeprimeerd begon te raken. Ik zat in bed en keek angstig naar de ring met de robijn, die op mijn nachtkastje lag. En ik dacht vertwijfeld aan Oriol. Ik heb het gehad met die schat en die oude, pijnlijke geschiedenissen, dacht ik, ik zal naar mama en Mike luisteren. Ik wilde weer warmte en liefde om me heen, ik vond het zelfs niet erg om me verwend te voelen en ik begon na te denken over mijn terugreis.

Maar toen ging de telefoon. Het was Artur, die me uitnodigde voor de lunch. Ik zei meteen ja: hij was tenminste galant, in veel opzichten aantrekkelijker dan Oriol.

'Ik begrijp het niet. Waarom hebben jullie de diefstal van de panelen niet bij de politie aangegeven?' vroeg ik hem.

'Hoe weet je dat we dat niet hebben gedaan?' Artur keek me glimlachend aan. Ja, zei ik bij mezelf, hij is veel aantrekkelijker dan Oriol.

'Ik heb zo mijn bronnen.'

Hij keek me heel geïnteresseerd aan. 'Was dat Alicia?'

'Met haar heb ik het daarover niet gehad. Ik heb er met commissaris Castillo over gesproken. Hij had de leiding van het onderzoek in deze zaak. Er is geen enkele aangifte van diefstal gedaan. En de vraag is of het dat eigenlijk wel was.'

'Natuurlijk wel.'

'Hoe dachten jullie dan zonder aanklacht jullie bezit terug te krijgen?'

'Daar hebben wij onze methodes voor.'

'Dezelfde die jullie hebben gebruikt bij de vriend van mijn peetoom?'

'Hoor eens, Cristina. Wij hebben onze eigen werkwijze en willen niet dat de politie haar neus in onze zaken steekt.'

'Jullie zijn gangsters, is het niet?'

Geërgerd schudde Artur zijn hoofd. Daarna woog hij zijn woorden en verscheen er, nu enigszins geforceerd, weer een glimlach op zijn gezicht. 'Dat van die gangsters is een belediging, liefje.' Hij pauzeerde even. 'We zijn gewoon handelaren en hebben onze eigen regels.'

'En daaronder valt moord...'

'Alleen als het onvermijdelijk is...'

Ik bleef naar zijn knappe gezicht kijken en overwoog of ik nu maar niet meteen zou opstappen. Ik merkte dat ik mijn lippen op elkaar klemde, en dat was een teken dat ik kwaad was. Deze man was echt gevaarlijk. Maar voor gevaar was ik niet bang, alleen vroeg ik me af of het zin had om het daar nu weer over te hebben: zijn arrogantie, zijn boven de wet staan, wekte mijn verontwaardiging op. Ik denk dat het mijn advocatenhart is.

Hij leek mijn gedachten te raden en haastte zich eraan toe te voegen: 'Denk maar niet dat zij beter zijn...'

'Wie?'

'Oriol, Alicia en de anderen...'

'Wat is er met hen?'

'Ze zijn lid van een sekte.'

'Wat zeg je?'

'Ja, van een sekte,' zei hij vol overtuiging. 'Ik ben tenminste eerlijk en zeg recht in iemands gezicht wat ik van plan ben. Maar zij houden hun bedoelingen voor je verborgen.'

Ik zweeg om dat te verwerken en zei ten slotte: 'Zeg nu maar meteen wat je me te zeggen hebt.'

Hij vertelde me dat, gedreven door de romantiek aan het eind van de negentiende eeuw, toen alles wat middeleeuws was in de Catalaanse kunst – van dichtkunst tot architectuur, werd verheerlijkt, grootvader Bonaplata, die regelmatig in kringen van vrijmetselaars en Rozenkruisers verkeerde, zijn eigen geheime groepering had opgericht en daarmee een geheel eigen versie van de Tempelorde nieuw leven inblies. Tot deze groepering behoorden de Colls, mijn familie, en ook de familie Boix. Maar een paar generaties later, toen Enric tot meester van de orde werd benoemd, begonnen de vader van Artur en zijn oom zich er steeds minder op hun gemak te voelen, doordat de groepering geleidelijk een meer esoterisch en ritueel karakter kreeg. Wat de zaak er niet beter op maakte was dat Enric het voor elkaar kreeg om de statuten te veranderen, waardoor vrouwen toegelaten konden worden. De eerste vrouwelijke tempelier was Alicia, een vrouw met een sterke persoonlijkheid die van pseudo-hekserij hield en van occulte legendes over de ridders van de tempel van Salomo, en die er bovendien een genoegen in schepte haar mening aan je op te dringen.

'En toen verscheen Arnau d'Estopinyá.'

'Arnau d'Estopinyá?' vroeg ik verwonderd.

'Ja,' antwoordde hij in alle oprechtheid, 'Arnau d'Estopinyá, de tempelier.'

'Hoezo Arnau d'Estopinyá?' riep ik uit. 'Hoezo verscheen hij?' Ik was helemaal onthutst. Voor mij was Artur niet het type dat in spoken geloofd, maar hij keek heel overtuigd. 'Aan wie verscheen hij?'

'Aan je peetoom.' Ik had het gevoel dat de antiquair mijn verwarring wel grappig vond.

'Arnau d'Estopinyá verscheen dus aan Enric?' Mijn hersens werkten op volle toeren. Zou dit iets te maken hebben met de visioenen die Alicia aan mijn ring toeschreef?

'Ja. Op een dag stelde die man zich voor aan je peetoom en zei dat hij ook een tempelier was en dat hij wilde worden toegelaten tot ons genootschap...'

'Wacht even,' onderbrak ik hem. 'Arnau d'Estopinyá is wel in de veertiende eeuw gestorven!'

'Geloof je dat?'

'Natuurlijk!'

'Dan moet het iemand anders zijn geweest,' antwoordde hij raadselachtig.

Ik knikte instemmend, maar kon mijn verbazing niet verbergen. De grap begon me te irriteren, ik dacht dat de antiquair me misschien voor dom versleet.

'Toch niet,' zei Artur plotseling. 'Het blijkt dezelfde Arnau d'Estopinyá te zijn van zevenhonderd jaar geleden.'

Ik zei niets, in de hoop dat hij verder zou gaan: zoiets kon natuurlijk niet. Artur hield me voor de gek en ik wilde weleens zien hoever hij kwam met dat absurde verhaal.

'Eigenlijk is hijzelf niet die man; maar hij denkt wel dat hij Arnau is, de oude tempelier,' voegde hij er met een plagerig lachje aan toe. 'Ook al kan dat natuurlijk niet, hè?'

'Hij moet wel gek zijn!'

'Dat is hij ook. Maar op dat moment besloot Enric hem uit te nodigen voor een gesprek bij de orde en zijn kandidatuur goed te keuren. Mijn vader zat ook in de commissie die naar zijn verhaal luisterde, en hoewel hij twijfels had, stemde hij voor.'

'Maar waarom werd hij toegelaten als hij gek was?'

'Vanwege de schat.'

'De schat!'

'Ja. Hij was een echte monnik, maar wegens geweld uit zijn orde gezet. Hij had vaak last van stemmingswisselingen en was zelfs een keer een andere monnik met een mes te lijf gegaan bij een ruzie over welke tv-zender er op moest. Maar hij stelde zich voor als een schakel in een lange reeks van monniken die het geheim van de schat van de tempeliers onder de kronen van Aragón, Mallorca en Valencia bewaakten. Hij droeg een ring die ik nog nooit heb gezien, maar waarvan ik wel geloof dat hij bestaat, want uit de verhalen die me zijn verteld, lijkt hij veel op de ring die jij om hebt.'

Ik keek naar het juweel dát flauw glansde, alsof het in het licht van het restaurant in slaap was gevallen.

'Denk jij dat het die ring is?' vroeg hij me.

'Ja.'

'Nou, hij is heel belangrijk voor hen.'

'Voor hen?'

'Ja. Voor die sekte van de Nieuwe Tempeliers, die van Oriol en Alicia; die ring belichaamt het gezag binnen de orde. Volgens Arnau d'Estopinyá komt het zegel van de grootmeester van de orde zelf, van Guillaume de Beaujeu, die stierf in de strijd om Akko. Zijn ring, het symbool van het gezag van de tempeliers, die lijkt op een ring van een paus, werd meegenomen door een van de tempelridders die zwaargewond aan boord van het schip van Arnau wist te komen en die hem ten slotte aan Arnau d'Estopinyá zelf toevertrouwde toen de Aragonese en Catalaanse tempeliers door de koning gevangen werden genomen.'

Toen ik dat verhaal hoorde, dat precies klopte met de documenten in de bundel papieren, schrok ik. Artur ging door met zijn relaas zonder mijn verwarring te merken. 'Toen die tempelier stierf, dat was in Poblet, gingen de ring, het paneel en de legende van de schat van de ene monnik over op de andere in een wonderlijke opeenvolging van uitverkorenen, tot op de dag van vandaag.'

'Maar jouw vader en Enric dachten dat het meer was dan een legende.'

'Inderdaad, en alle twee stortten ze zich op het zoeken van de panelen in de buurt van de cisterciënzer kloosters in Poblet en Santes Creus. Maar jouw peetoom sloeg zijn grote slag.'

'Welke?'

'Omdat hij de meester van de orde van de Nieuwe Tempeliers was, kostte het hem niet veel moeite de gekke broeder ervan te overtuigen dat die sekte de rechtstreekse erfgenaam was van de Tempelorde. Dus verwelkomde hij Arnau als lid en hij gaf hem voor de rest van zijn leven een pensioen, dat hij uit eigen zak betaalde. De broeder was verrukt, zwoer eeuwige trouw aan Enric en gaf hem de ring, waarvan hij dacht dat je peetoom er als meester van de orde recht op had. Die man had het juweel blijkbaar nooit als zijn eigendom beschouwd, hij was alleen de bewaarder ervan.'

'En wat deed hij toen Enric dood was?'

'Mijn vader en mijn oom hadden de sekte al maanden voordat je peetoom hen vermoordde, verlaten, naar aanleiding van de ruzie met Enric over de panelen en onenigheid over de toenemende invloed van Alicia. Toen Enric stierf, nam Alicia, tegen iedere traditie van de tempeliers wat vrouwen betreft in, en dankzij een stelletje simpele zielen dat onder haar invloed stond, de taak van meester op zich. Ze hield zich aan de belofte van haar man en betaalde Arnau stipt zijn pensioen. Hij, gek maar niet dom, zwoer ook haar trouw. Met tegenzin aanvaardden enkelen, maar ten slotte allemaal, het leiderschap van die vrouw, die ik niet ken maar die een bijzondere uitstraling schijnt te hebben en die heel goed de link heeft weten te leggen tussen de occulte traditie die de mythe van de tempeliers omhult en haar eigen listige gedrag, zodat ze gerespecteerd en bewonderd werd door de overige broeders van de orde.'

'Vertel eens wat dat occultisme bij de tempeliers inhoudt.'

'Er waren allerlei verhalen over in omloop: het tragische einde van de orde, de beschuldigingen van ketterij, hun grote rijkdommen – dit alles sprak bij duizenden mensen tot de verbeelding. Als je daaraan het verhaal toevoegt van de dagvaarding van de Franse koning en de paus voor de Opperrechter, door Jacques de Moláy, de laatste grootmeester van de orde, toen hij op de brandstapel stond, en de dood van die twee voordat het jaar om was, heb je een mysterieus en verontrustend beeld. Anderen zeggen dat ze de Heilige Graal of de stenen tafelen die God aan Mozes gaf in hun bezit hadden, of dat ze de eigenaars waren van de *veracruces*, de kruisen met splinters van het echte kruis van Christus, relikwieën die ongelooflijke wonderen verrichtten...'

'En wat is daar allemaal van waar?'

'Wil je mijn eerlijke mening?'

'Natuurlijk.'

'Niets! Het is allemaal verzonnen.'

'Maar je gelooft wel in de schat.'

'Dat is wat anders. In brieven aan koning Jaime II, die nog steeds worden bewaard, staat dat toen de tempeliers Miravet, hun laatste vesting in Catalonië en het hoofdkwartier in de koninkrijken Aragón, Valencia en Mallorca, overgaven, de dienaren van de koning niet het fortuin vonden dat ze hadden verwacht. Alleen de boeken die ze vonden, een luxeartikel in die tijd, konden de vorst behagen. Maar het fabelachtige fortuin waarvan men dacht dat het in het kasteel werd bewaard, was verdwenen. En voor zover bekend is het nooit tevoorschijn gekomen.'

Daarmee hield het verhaal plotseling op en alsof er niets meer over te vertellen viel, begon Artur te informeren naar mijn leven in New York en avonturen te vertellen die hij in The Big Apple had beleefd. Even later zaten we gezellig te lachen.

Artur is een slimme vent en ik denk dat hij tijdens die ontmoeting alleen een zaadje wilde planten: dat hij twijfel in mij wilde zaaien over mijn gastheer en gastvrouw, de Bonaplata's. En daar had hij vast en zeker alle redenen toe; het waren raadselachtige mensen. Wat hielden ze nog meer voor me verborgen?

En ik zei tegen mezelf dat, of zijn verhalen nu wel of niet waar waren, Artur erin was geslaagd om mijn zelfvertrouwen op te vijzelen, dat door Oriol een behoorlijke deuk had opgelopen. Glimlachend keek hij me aan en hij ging maar door met complimentjes maken over mijn intelligentie en uiterlijk.

In de regel zou ik aan zo'n slijmerd weinig aandacht hebben besteed, maar mijn gevoel van eigenwaarde had dat net even nodig. Het leek of hij met me zat te flirten.

'Stel je niet zo aan,' bekritiseerde ik hem, heimelijk tevreden. En ik gaf hem een kus op beide wangen.

Even later belde ik mijn moeder op.

'Ja, dat is zo,' beaamde ze. 'Je grootvader en de vader van Enric waren allebei lid van een soort religieuze groepering. Ik herinner me dat ze zichzelf tempeliers noemden en Oriol, als stamhouder, moest die traditie dan voortzetten.'

Die avond lag ik weer te piekeren in bed. Artur kon best weleens gelijk hebben en ik zag in het duister plotseling zijn glimlach voor me. Wat een toestand!

❀

33

Heel vroeg in de ochtend werd ik wakker – het was een van de kortste nachten van het jaar – en ik wist niet waar die kreet vandaan was gekomen. Tot ik besefte dat ik het zelf was die had geschreeuwd. Het was zo'n glashelder moment waarop je je nog alles herinnert wat je hebt gedroomd en dat droombeeld was zo echt geweest, zo indrukwekkend, dat ik niet bang was het te vergeten. Ik deed het licht aan om zeker te weten dat ik wakker was. Ik voelde de ring aan mijn vinger branden en zag de steen schitteren als een bloedrood oog. Ik móest hem gewoon afdoen en liep naar het raam om wat frisse lucht in te ademen. De lichten van de stad, die nog in duisternis gehuld was, bevestigden me dat ik wakker was. Goed, ik was wakker – als alles wat ik de laatste tijd had meegemaakt tenminste niet een nog grotere droom was, een hallucinatie van iemand die al jarenlang dood was en die, net als toen wij nog klein waren, zijn verlangen om schatten te zoeken in werkelijkheid omzette – ook al was het maar tijdelijk, voor ons, voor die drie kleine snotneuzen.

Ik zag geen gezicht. Alleen een deur waar ik aanbelde met een koffer in mijn hand. Ik wist dat achter die deur mijn einde wachtte, mijn aankomst in de haven, de dood. Kans om te overleven was er niet; het was zelfmoord. Maar ik zou doen wat ik moest doen; de belofte nakomen die me tot voorbij dit leven met mijn geliefde verbond. Zoals de oude tempeliers, zoals de jonge Thebaanse edelen van Epaminondas. Je kameraad laat je niet in de steek, en als hij wordt gedood moet je hem wreken. Dat had ik gezworen en dat zou ik doen. Dat was wat hij de Thebanen van die tijd had laten zweren, kort en flitsend als een vallende ster, de machtigste Grieken, de grootste helden van de geschiedenis. Zo waren ook de tempeliers voordat hun orde in verval raakte.

Ook ik behoorde tot die ridderlijke soort, en dit was het eindtoernooi. Mijn hart kromp ineen als ik dacht aan mijn vermoorde vriend en de zoon die ik nooit meer zou zien, terwijl de bewakingscamera me geduldig zag wachten. Ik voelde een brok in mijn keel, mijn ogen vulden zich met tranen en ik begon een gebed voor hen te prevelen.

Toen de deur openging werd ik opgewacht door twee onbekende figuren gekleed in een pak met stropdas. Een van hen bleef op afstand, terwijl de andere, die de deur had opengedaan, me daar zonder een woord te zeggen met mijn rug tegenaan duwde en me dwong mijn koffer los te laten. Hij fouilleerde me. Een, twee, drie keer. Hij controleerde mijn portefeuille, mijn vulpen en mijn sleutels. Toen ze zich ervan verzekerd hadden dat ik geen wapens bij me had, keken ze de koffer na.

'Alles in orde, u kunt doorlopen,' zei de oudste man. Hij nam de koffer op en ging me voor.

'Een ogenblikje,' zei ik, hem vastpakkend. 'Die is van mij en dat blijft hij zolang de transactie nog niet is gesloten.'

De man keek me aan en moest in mijn vastbesloten blik hebben gezien dat ik niet zou toegeven.

'Mij best,' zei hij schouderophalend tegen de ander, die al dreigend in mijn richting kwam. 'Laat hem die rotkoffer maar. Het kan geen kwaad.'

Het was een grote ruimte, versierd met kostbare en smaakvolle stukken. Jaime Boix, de jongste broer, zat op een mooie chippendalebank te wachten en Arturo zat achter een indrukwekkend bureau in empirestijl.

Ze stonden allebei op toen ze mij zagen binnenkomen en Jaime, glimlachend onder zijn grijze snorretje, stak zijn hand uit en zei: 'Welkom, Enric.'

Ik nam zijn hand niet aan, maar zei: 'Laten we dit zo snel mogelijk afhandelen.'

De glimlach van Jaime verdween, terwijl zijn broer me ernstig een stoel aanwees. 'Ga zitten, alsjeblieft.' Ondanks de beleefde toon was het geen uitnodiging.

Ik ging zitten en zette de koffer naast me neer. Jaime ging op de bank rechts van mij zitten en de oudste achter zijn napoleontische bureau. Achter hem aan de muur zag ik de twee andere stukken van het drieluik hangen; de panelen van Sint-Johannes de Doper en Sint-Joris. Mijn blik bleef er een paar tellen op rusten. Ik was er zeker van, dat waren ze. De twee andere mannen bleven staan; ik bekeek ze verbitterd en nieuwsgierig tegelijk: dat waren dus de moordenaars van mijn lieve Manuel. Een van hen ging links van mij staan en de ander tegenover me waardoor ik geen uitweg meer had.

'Weet je zeker dat hij geen microfoon bij zich heeft?' vroeg Arturo aan de schurk bij de deur.

'Geen microfoons, geen wapens. Absoluut zeker.' En vervolgens zei hij met een scheef lachje: 'Ik heb zelfs zijn ballen gecontroleerd.'

'Voordat we deze transactie afsluiten, willen we je iets zeggen,' zei Arturo, die een snelle blik met zijn broer wisselde. 'We hebben het niet met opzet gedaan. We betreuren het dat je vriend is gedood; hij werd hysterisch, verzette zich en wat er toen gebeurde was een ongeluk. We zijn blij dat jij veel verstandiger bent en dat je bereid bent tot een ridderlijke overeenkomst. Eén van een ridder van de tempeliers,' voegde hij er een beetje smalend aan toe.

'Je hebt mijn familie bedreigd.' Ik voelde het bloed naar mijn hoofd stijgen. Ik haatte, ik verafschuwde dat individu uit de grond van mijn hart. 'Dat heeft niets met ridderlijkheid te maken: het is laag, onwaardig.'

'Ik wil dat je weet dat we niets tegen jullie hebben, tegen jou of je familie. En we hadden ook niets tegen die jongen.' Hij pauzeerde even. 'Je was alleen niet redelijk; wat er is gebeurd is je eigen schuld. We hebben je de ene kans na de andere gegeven. Wij zijn zakenmensen en dit is onze handel. We konden dit niet laten lopen door jouw koppigheid. Het spijt me.'

Hij stopte even om een la te openen en haalde er meerdere stapels blauwe biljetten uit.

'Mijn broer en ik hebben besloten er nog een half miljoen peseta bovenop te doen. De prijs die we waren overeengekomen was al het dubbele van de waarde van een gotisch paneel uit het begin van de veertiende eeuw. We hoeven dat niet te doen, maar het is onze manier om te zeggen dat het ons spijt van je vriend en om de rekening te vereffenen.'

De rekening vereffenen, dacht ik, en ik werd misselijk van woede. Een half miljoen peseta en daarmee denken ze van me af te zijn. Mijn handen trilden en ik moest ze stevig samenknijpen.

'Nou, dan is dit het moment om de handel te laten zien,' zei Jaime. 'We zijn erg benieuwd naar die beroemde Maagd.'

Ik deed de koffer open en haalde het paneel eruit, dat ik voorzichtig op mijn knieën zette. Alle ogen richtten zich op de afbeelding, maar ik gaf ze geen tijd om te ontdekken dat het een vervalsing was; ik scheurde het karton aan de achterkant eraf en haalde het pistool eruit dat ik in die holte verborgen had. Mijn hand beefde toen ik het vasthield en terwijl ik opstond viel het schilderij op de grond.

Ik was van plan eerst Arturo dood te schieten en daarna Jaime. Ik had berekend dat ik daar net genoeg tijd voor zou hebben, voordat de twee lijfwachten mij zouden liquideren. Maar op het laatste moment veranderde ik van plan, misschien uit angst, misschien uit een soort overlevingsinstinct; of was het beide?

Het eerste schot was gericht op de buik van de huurmoordenaar rechts van mij. Vreemd genoeg kreeg ik door die knal mijn kalmte terug en kon ik de tweede houwdegen, die voor me stond, koelbloedig aankijken toen ik hem midden in zijn gezicht raakte. De man had zijn revolver al in de hand. Mijn vader had me als klein kind meegenomen om me olympisch schieten te leren en dit was een olympisch schot, dwars door zijn kop. Ik had nog vijf kogels. Meer dan genoeg om mijn werk af te maken. Ik richtte op Arturo, die de geldbiljetten op tafel had gegooid in een overhaaste poging om een wapen te pakken, dat hij net uit een la had gehaald. Ik vuurde een paar kogels af op zijn borst.

En daar stond Jaime, met open mond. Hij had op zijn chippendale-bank geplast. Wat een sukkel!

'Alsjeblieft, Enric,' smeekte hij stotterend.

'Wilde jij de Maagd niet zien?' Ik wachtte even.

'Alsjeblieft...' stamelde hij.

'Heb je haar gezien?'

Zijn ogen stonden verwilderd. Hij zag zijn dood in die van mij en bewoog zijn mond zonder een woord uit te kunnen brengen.

'Nou, dan zul je nu Satan zien,' vonniste ik.

Toen ik vuurde, voelde ik me beter dan ooit tevoren. Maar binnen een paar seconden voelde ik me slechter dan ooit tevoren. Ik kon niet geloven dat ik nog leefde; ik zakte in elkaar op de bank en begon te huilen.

34

Ik heb al eerder gezegd dat ik helemaal niet bang ben uitgevallen. Mijn moeder vindt me zelfs eerder roekeloos. Af en toe raak ik namelijk verzeild in hachelijke of, liever gezegd, gevaarlijke situaties. En dan besef ik dat ik me op het verkeerde moment op de verkeerde plek bevind. Ik moest toegeven dat ik me nu in het hol van de leeuw had gewaagd. Mijn hart bonkte me in de keel en op een gegeven moment ben ik zelfs gaan bidden om een uitweg.

Ik had Artur Boix nog een paar keer gezien. Hij was onderhoudend, aantrekkelijk en kwam telkens weer met nieuwe details over de Bonaplata's en hun geheimzinnige bezigheden.

Hij bekende dat hij achter de overval zat die keer dat we uit de boekwinkel kwamen, en dat hij Oriols weigering te onderhandelen over de verdeling van de schat niet accepteerde. Hij bezwoer me dat zijn vechtersbazen me op geen enkele manier kwaad hadden willen doen, dat hij zelfs woedend was geweest op dat stelletje amateurs omdat ze op de vlucht waren geslagen. Overigens nam hij maar een deel van de schuld op zich, omdat hij niet had kunnen weten dat die vent die me volgde zo zou reageren.

Daarom waren de Nieuwe Tempeliers volgens hem ook een gevaarlijke sekte, een stel fanatici, ontspoorde blaaskaken. Hoewel ik niet eens wist hoe de orde in elkaar zat, meende ik, alleen uit sympathie voor Enric en Oriol, dat hij uit eigenbelang overdreef en hen daarom zwart maakte.

Dat ik de tempeliers zo verdedigde scheen hem te irriteren, en hij vertelde me dat ze geheime ceremonies hadden waarvan alleen de ingewijden op de hoogte waren. Het duidelijke bewijs was dat ze mij erbuiten hadden gehouden, ondanks het feit dat ik belanghebbende was, bij hen woonde en al helemaal vanwege de gezaghebbende ring die ik droeg, eigenlijk tot de hogere regionen van de orde diende te worden toegelaten. Hij bleef dat volhouden. Wat geïrriteerd door de mogelijkheid dat niet zozeer Alicia, maar vooral Oriol me daar expres niets over had verteld, begon ik zijn verhaal belachelijk te maken.

De charmante glimlach verdween van Arturs gezicht en hij begon te kijken als een mokkend kind. Nu hij zijn lippen stijf op elkaar hield, veranderde hij van heel aantrekkelijk in alleen maar knap. Even later zei hij: 'Je durft je vast niet te vertonen bij een van hun geheime kapittels.'

Ik zei dat het van een slechte opvoeding getuigde om ongevraagd ergens naartoe te gaan. En hij antwoordde dat ik hen zou kunnen observeren zonder zelf gezien te worden, waarop ik zei dat dat onfatsoenlijk was, en hij mij een bangerik noemde. En hij voegde eraan toe dat hij wist hoe je er onopgemerkt in en uit kon komen en dat het alleen een kwestie was van over de juiste informatie beschikken.

Ik vroeg of hij het lef had om mee te gaan en hij zei ja, maar alleen tot de deur. Want ik moest goed begrijpen dat als we ontdekt werden, ik een vriendin was die de ring droeg met het hoogste gezag van de tempeliers, waardoor ik veilig was, terwijl hij in dat geval kon rekenen op een agressieve behandeling door die mensen. 'Ook al ontken je het nog zo hard, het is gewoon zo dat je mij gelooft en hen niet vertrouwt,' voegde hij eraan toe.

Ik weet niet of dit de derde of vierde keer was dat hij me provoceerde. Zijn ironische glimlach maakte hem nog aantrekkelijker; dat sarcastische toontje was als het zuur in een citroensorbet. Het maakte hem appetijtelijker. En toen zei ik: 'Natuurlijk durf ik!' Ik wachtte even en keek hem uitdagend aan. 'Ook al gaat jouw moed niet verder dan het openen van de deur waardoor ik naar binnen kan, ik durf het aan.'

Ik wist dat hij me manipuleerde. Waarom wilde hij zo graag dat ik om twaalf uur 's nachts naar die kerk toe ging? Ongetwijfeld zou ik die zogenaamde rituelen van de tempeliers zien, waardoor hij geloofwaardiger en Alicia en Oriol minder geloofwaardig zouden worden. Ik vroeg het hem op de man af. Hij zei dat hij wilde dat ik zijn kant koos in de zaak van de schat. En als ze me zouden ontdekken, dan mochten ze best weten dat hij me meegenomen had daar naartoe, dan zouden ze meteen weten dat hij op de loer lag en dat het nu tijd werd om te onderhandelen. Rechtens kwam hem een groot deel van dat fortuin toe en het beste voor iedereen was om tot een overeenkomst te komen. Nou goed, dacht ik, dat vind jij.

Het was de avond van Sint-Jan, die van de kortste nacht van de zomerzonnewende, de nacht waarop de heksen bij elkaar komen, nacht van de magische duisternis, van de lichtende schaduwen. Sint-Jan, de Heilige Johannes de Doper, de onthoofde patroonheilige van de tempeliers – volgens Artur zou de sekte die avond bijeenkomen in een oude gotische kerk in de buurt van de Plaza de Cataluña. Hij vertelde me dat de katholieke liturgie altijd de sterfdag van haar heiligen viert, en maar van één heilige de geboortedag: die van Johannes de Doper, en dat die op de kalender precies tegenover Kerstmis staat, de viering van de geboortedag van Jezus op de winterzonnewende. Die dagen waren niet toevallig gekozen, maar vielen samen met de volksfeesten van de zonnewendes die in hun kielzog de heidense en esoterische riten uit de tijd van voor Christus met zich meebrachten. En de ridders van de Tempelorde van Jeruzalem hadden daar volop aan deelgenomen.

Ik voelde dat de stad bruiste van leven. Het was de avond van het openluchtfeest en niemand maakte zich druk om de dag van morgen; die zou komen zoals hij kwam, als een feestdag. In de lucht barstte het vuurwerk los en groepjes lachende en rennende jongens staken voetzoekers af in de straten, die net zo druk waren als overdag. Het was de avond van het vuur, van de Cava-champagne en van dat harde geglazuurde gebak bedekt met gekonfijt fruit en pijnboompitten dat *coca* wordt genoemd.

Artur gaf me een plattegrond van de tempel en legde me uit hoe hij er vanbinnen uitzag. De gelovigen komen de Santa Anna-kerk binnen door wat tegenwoordig de hoofdingang is, helemaal rechts van het dwarsschip. Het portaal wordt gevormd door vijf gotische bogen die ieder op een zuiltje rusten, en boven de ingang, die uitkomt op de Plaza Ramón Amadeu, staat een beeld van de Maagd. Een tweede ingang bevindt zich aan de voet van het Latijnse kruis, de grondvorm van de oorspronkelijke kerk, dat je er tegenwoordig nog nauwelijks in herkent doordat er aan de zijkant kapellen zijn aangebouwd. Die ingang staat in verbinding met de kloostergang, een prachtig bouwwerk van twee verdiepingen met gotische bogen die een gang overkappen rondom een vierkante tuin. De kloostergang is ook bereikbaar vanaf het plein, hoewel die ingang afgesloten is met een ijzeren toegangshek en alleen bij bepaalde gelegenheden opengesteld is voor het publiek.

Hoge moderne gebouwen omgeven de kerk en het plein. Ze omsluiten ze in een tijdloos, verborgen en nostalgisch gebied uit een veel gelukkiger

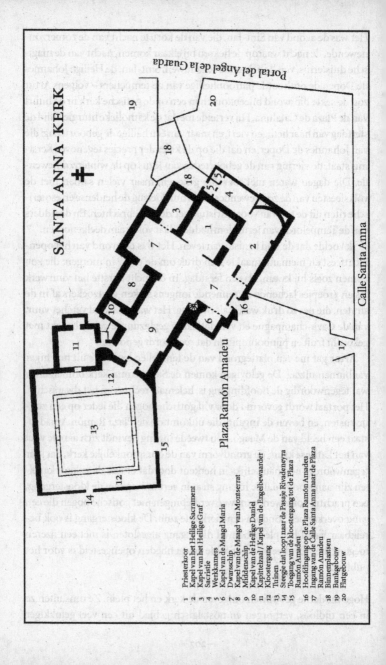

SANTA ANNA–KERK

Portal del Àngel de la Guarda

Calle Santa Anna

Plaza Ramón Amadeu

1 Priesterkoor
2 Kapel van het Heilige Sacrament
3 Kapel van het Heilige Graf
4 Sacristie
5 Werkkamers
6 Kapel van de Maagd Maria
7 Dwarsschip
8 Kapel van de Maagd van Montserrat
9 Middenschip
10 Kapel van de Heilige Daniel
11 Kapittelzaal / Kapel van de Engelbewaarder
12 Kloostergang
13 Tuinen
14 Steegje dat loopt naar de Pasaje Rivadeneyra
15 Toegang van de kloostergang tot de Plaza
16 Hoofdingang op de Plaza Ramón Amadeu
17 Ramón Amadeu
18 Ingang van de Calle Santa Anna naar de Plaza
19 Binnenplaatsen
20 Bankgebouw
21 Flatgebouw

verleden. Ook de Plaza Ramón Amadeu wordt 's avonds met twee ijzeren hekken afgesloten. Een ervan is in de hal van een oud flatgebouw van enkele eeuwen geleden en wordt van binnenuit geopend en gesloten; deze doorgang komt uit op de Calle de Santa Anna. Een ander, veel moderner hek, geeft toegang tot de Pasaje Rivadeneyra, die op zijn beurt in verbinding staat met de Plaza de Cataluña.

Het is een verborgen plekje, dat ogenschijnlijk overdreven wordt beschermd, maar wie eenmaal de financiële en gewelddadige wederwaardigheden kent waaronder dat eerbiedwaardige gebouw heeft geleden, dat eerst een klooster van de Orde van het Heilige Graf was, daarna een collegiale kerk en ten slotte parochiekerk, zal het begrijpen. Alle grond waarop de huizen rond het plein staan, was vroeger eigendom van het klooster. In de loop van de tijd werd er telkens wat van verkocht als dat financieel noodzakelijk was. Later zouden de immense bezittingen in Catalonië, Mallorca en Valencia hetzelfde lot ondergaan. De kerk werd tijdens de napoleontische invasie door de Fransen gesloten en is daarvoor en daarna ettelijke keren overvallen. Maar weinigen weten dat er op een deel van wat nu het plein is, aan het begin van de twintigste eeuw een stijlvolle neogotische kerk met hoge siertorentjes werd gebouwd, een uitbreiding van de huidige kerk, die maar tweeëntwintig jaar heeft bestaan voor ze tijdens de Tweede Republiek in brand gestoken en opgeblazen werd.

Ook het oude gebouw ontkwam niet aan het vuur, maar hoewel er enkele daken instortten, ontsnapte het aan het dynamiet, vast en zeker omdat het een nationaal monument was. Minder geluk hadden de pastoor en verschillende mensen die bij de kerk betrokken waren en die in die veelbewogen tijd werden vermoord.

De kerk heeft nog een derde toegang, die alleen door het kerkpersoneel wordt gebruikt. Hij begint in de Pasaje Rivadeneyra en loopt langs de daar gelegen pastorie, waar hij een scheiding vormt met het flatgebouw ernaast en uitkomt in de kloostergang. De toegang is met hekken afgesloten en dient als parkeerplaats van de pastoor; een deur aan het eind van de kloostergang, ook met tralies, vormt de begrenzing ervan.

In de kapittelzaal, die vroeger de Kapel van de Engelbewaarder werd genoemd, komen de Nieuwe Tempeliers altijd bijeen om hun ceremonies te houden; de zaal staat zowel in verbinding met het schip van de kerk als met de kloostergang. Dat was mijn bestemming.

Maar er is een vierde toegang, die bijna niemand kent. Naast het hoofdaltaar heb je aan de korte arm van het kruis twee kapellen, waarvan de rechter, die van het Heilige Sacrament, uitkomt in de sacristie. En daar achterin zitten twee werkkamers. Een ervan heeft een glazen deur, die aan de achterkant uitkomt op een binnenplaats, die wordt omsloten door de muren van de kerk en door een knots van een bankgebouw en een flat van een paar verdiepingen, die het middeleeuwse bouwwerk aan die kant aan het gezicht onttrekken. De binnenplaats wordt in tweeën gedeeld door een muur, die aangeeft welk gedeelte van de kerk en welk van de bank is. In de tussenmuur zit een oude deur die nooit wordt gebruikt. Als je eenmaal in het gedeelte van de bank bent, kun je naar buiten via een stevige metalen deur, die in verbinding staat met een steegje dat langs het bankgebouw en de flat loopt en uitkomt op de ruime voetgangerszone van de Portal del Ángel. Daar moest ik naar binnen.

De taxi zette ons aan die kant van de Plaza de Cataluña af en we liepen de luttele meters die ons scheidden van die mysterieuze ingang.

Onderweg nam Artur nogmaals de inrichting van de kerk met me door en hij gaf me de sleutels van de grote deur die de patio scheidde van de achteringang van de sacristie. Hij zei dat hij in de steeg op mij zou wachten. Op dat moment was ik er niet erg gerust op en alleen uit angst voor gezichtsverlies krabbelde ik niet terug. Wat als ik werd opgesloten in dat oude gebouw? Een van de fraaie details die de antiquair me over die plek had verteld, was dat van een oude begraafplaats. Ik bedankte hem voor het edelmoedige gebaar om buiten op me te wachten, maar ik eiste van hem wel de sleutel van de metalen deur die op straat uitkwam.

Hij keek me aan met zijn vileine glimlach en vroeg: 'Ben je bang?'

'Voorzichtig,' antwoordde ik, hoewel het in een dergelijke situatie moeilijk was het ene van het andere te onderscheiden.

'Ik wens je geluk,' ging hij glimlachend verder en toen hij mijn wang streelde, kwamen zijn lippen dicht bij de mijne en kuste hij me op de mond, met zijn tong erbij. Ik had die tederheid niet verwacht, maar ik verzette me niet. Om de waarheid te zeggen besteedde ik er niet al te veel aandacht aan, omdat ik op dat moment wel wat anders aan mijn hoofd had.

'Geniet van de ervaring, liefje,' voegde hij eraan toe. En ik vroeg me af of die verwaande kwast doelde op het avontuur dat me te wachten stond of op zijn kus.

35

Toen de deur achter me dichtviel, was het of ik in een andere wereld en in een andere tijd terecht was gekomen. Ik zou het me wel verbeelden, maar ik voelde een vreemde trilling in mijn ring met de robijn. Doordat het een heldere avond was, kon ik zonder mijn zaklamp te gebruiken de deur vinden tussen de binnenplaats van het bankgebouw en die van de kerk. Het tussenmuurtje was laag, zodat de muren van de kerk zichtbaar waren, en daar op de stenen steunbeer meende ik in de schaduw een gebeeldhouwd reliëf te zien waar ik van schrok. Heel even liet ik er het licht van mijn zaklamp op schijnen; het was een kruisbeeld. Het was verweerd in de loop van de tijd en had een dubbele dwarsbalk – het was hetzelfde kruis dat ik had gezien op de staf van de verrezen Christus die opstond uit het Heilige Graf op het paneel van Luis... Maar toen ik de zaklamp had uitgedaan keek ik omhoog, God weet waarom, en ik ontwaarde, afgetekend tegen de sterrenhemel, een ander stenen kruis dat de bekroning vormde van een dak. En dat was hetzelfde kruis als dat van mijn ring; ik keek er naar en zag hoe die met een rode gloed op het licht van de zaklamp reageerde. Het leek wel een stoplicht dat wees op gevaar. Ik huiverde en bedacht dat het allemaal wel erg toevallig was, en merkte toen dat er iets bewoog op de binnenplaats. Daar was iemand! Met bonzend hart drukte ik me tegen de muur, waarbij mijn hand de zaklamp omklemde. Even scheen ik met mijn lamp in die richting: een paar ogen als koplampen schitterden me tegemoet.

Een kat, zei ik bij mezelf, een stomme kat die me bijna een doodschrik bezorgt.

Ik ben niet bijgelovig of bangelijk, maar ik zou gezworen hebben dat het een zwarte kat was en ik herinnerde me de verhalen van heksen die in zwarte katers veranderden. Wat deed ik hier verdorie in deze heksennacht, op het punt om een kerk met kerkhof binnen te gaan, vol gekken die dachten dat ze tempeliers waren en die zich met occulte praktijken bezighielden? Ik legde mijn hand op mijn borst om mijn op hol geslagen hart tot bedaren te brengen. Ik haalde diep adem en toen ik voelde dat ik mezelf weer wat in de hand had, stak ik de sleutel, een stuk ijzer zo groot als een hamer, in het slot. Het was nog een hele klus om hem om te draaien en ook om de zware deur open te krijgen. Het geknars van de scharnieren gaf me weer een schok vanjewelste. Het maakte een vreselijke herrie, wat erop wees dat die toegang niet meer werd gebruikt.

Verdorie! verweet ik mezelf. Ik ben nog niet eens binnen en ik ben nu al op van de zenuwen.

Ik overwoog om terug te gaan naar de straat, maar wist dat ik de cynische glimlach van de knappe Artur moeilijker te trotseren vond dan al die tempeliers bij elkaar in hun gewaden en kappen à la de Ku Klux Klan, zoals ik me hen toen voorstelde, die vermoedelijk in dat gebouw zaten. Bovendien was mijn nieuwsgierigheid nu zodanig geprikkeld dat ik het mezelf nooit had vergeven als ik was gevlucht. Er bleef dus maar één weg over.

Waar zou Artur de sleutels vandaan hebben? Ik herinnerde me wat hij had gezegd over hoe hij mensen omkocht.

Ik besloot de deur op een kier te laten staan. Een beetje om niet nog meer lawaai te maken, maar ook omdat ik nergens door gehinderd wilde worden als ik er razendsnel vandoor moest. Ik kwam op een smalle binnenplaats met stapels gebeeldhouwde brokken steen, misschien restanten van een of ander oud gebouw. Er was weer een deur, waarvan de bovenste helft van glas was met tralies ervoor. Deze was veel moderner dan de vorige en ging gemakkelijk open met een kleine sleutel. Daar was de werkkamer die op de plattegrond stond en dus liep ik verder, door een grote ruimte waar kasten tegen de muren stonden. Daarin werden vermoedelijk de attributen voor de eredienst bewaard. Dit was de sacristie. Nog een deur verder stond ik al in de kapel die volgens mijn plattegrond die van het Heilige Sacrament moest zijn. Langzaam, mijn zaklamp maar een paar seconden gebruikend om me te oriënteren, liep ik door tot wat een van de zijbeuken van het dwarsschip moest zijn; links bevond zich een houten constructie, die volgens mijn kaart de toegangshal was vanaf de Plaza Ramón Amadeu, en als ik naar rechts ging kwam ik in het dwarsschip. Daar bleef ik even staan om het interieur van de kerk in me op te nemen. Het was er aardedonker op een klein vlammetje na dat de plaats van het hoofdaltaar aangaf, rechts van mij op het priesterkoor. Het was niet moeilijk me te oriënteren. Daartegenover, links van mij, bevond zich de grote ruimte van de kerk, het middenschip, en daar achterin, aan het uiteinde van het kruis – de vorm waarin de kerk is gebouwd – was de uitgang naar de kloostergang. Aan de rechterkant bevond zich vermoedelijk de kapel waar de tempeliers bij elkaar kwamen. Ik meende daar ergens een vaag lichtschijnsel te onderscheiden en wat gemompel te horen. Er was geen twijfel aan: er was iemand.

Ik liet mijn zaklamp even door het middenschip schijnen om te zien waar de banken stonden en om te weten hoe ik moest lopen. Daarna liep ik verder in het donker, voorzichtig om niet te struikelen, en aan het eind zag ik waar het licht vandaan kwam. Rechts van mij, achter in een kort gangetje, was een houten deur die vanboven was afgerond tot een boog met eronder een kruisvorm. Tussen de armen van het kruis en de rand van de deur zaten vier matglazen ruitjes, waar licht doorheen viel en die beschermd waren door een stel kunstig bewerkte ijzeren spiralen. Daar kwamen de stemmen vandaan: het was de kapittelzaal. Er werd een mis opgedragen, maar ik kon niet verstaan wat er werd gezegd. Ik drukte mijn oor tegen de deur om iets op te vangen. Er werd geen Catalaans en ook geen Castiliaans gesproken, dus moest het Latijn zijn, dacht ik. Ik wilde ze bespieden, maar als ik deze deur opendeed zou ik waarschijnlijk ergens aan de zijkant van de kapel in de buurt van het altaar uitkomen en dan zou het hele gezelschap me meteen zien. Dat leek me geen goed idee, dus besloot ik dat ik hen ongezien zou gaan bespioneren via de toegang vanuit de kloostergang, waar zij volgens mij met hun rug naartoe zaten. Ik ging terug naar het middenschip van de kerk en liep naar de kleine houten toegangshal tussen de kerk en de kloostergang. Geen van de deuren zat op slot en ik liep ongehinderd door naar de binnenplaats. Boven de tuin in het midden van de kloostergalerij zag ik de lucht die verlicht werd door de lichtjes van de stad en het silhouet van een palmboom en een sinaasappelboom, dat zich aftekende tegen het schijnsel van een vuurpijl. Ik herinnerde me welke avond het was. Zelfs zonder zaklamp kon je de donkerste schaduwen onderscheiden op de ranke zuiltjes die de gotische bogen rond de kloostergang ondersteunden. Rechts van mij zag ik de deur naar de kapittelzaal, die op een kier stond, met aan weerszijden twee spitsboogramen; er zat glas in dat een zacht veelkleurig licht doorliet. Ik liep naar die deur toen ik plotseling achter me in het donker iets hoorde bewegen. Instinctmatig drukte ik me weer tegen de muur. Mijn hart sloeg opnieuw op hol. Nog een kat? Ik scheen even met mijn zaklamp die kant op, maar zag niets. Ik sloop zachtjes naar de zuilen rond de kloostergang en bescheen de rechtergang maar ook daar zag ik niets. Ik draaide me om om de andere kant op te kijken, toen ik vanuit mijn ooghoeken door de beplanting heen een schaduw meende te zien bewegen achter de zuilen aan de overkant van de binnenplaats. Daar was iemand! Mijn hart klopte in mijn keel en ik realiseerde me dat ik doodsbang was. Wat deed ik verdomme ook rond middernacht in die kerk met zijn kerkhof op de avond van Sint-Jan? Ik verwenste mijn stomme trots die me op dat moment op die plaats had gebracht. Ik besloot mijn zaklamp niet aan te doen om onopgemerkt te blijven voor wie dat spook ook mocht zijn, en in de schaduw van de zuilen te blijven. De schaduw bewoog gelijk met mij op. Wie had me hierheen gestuurd?

Ik schoof een paar zuilen naar voren en 'dat' bewoog met me mee. Ik stond op het punt om weg te rennen en zou het zeker gedaan hebben als ik had geweten waarheen. Ik bleef dus doodstil staan en keek onderzoekend in het duister in de richting waar ik de laatste beweging had opgemerkt. Met het hart in de keel probeerde ik diep adem te halen om te kalmeren. Ik had er alles voor overgehad om op dat moment ergens anders te zijn, en ik was zo bang dat ik besloot de kapel binnen te gaan. Wat deed het ertoe of ze me ontdekten? Dat was toch eigenlijk wat ik meteen vanaf het begin had moeten doen: eerlijk zijn en aan Alicia en Oriol vragen of wat er verteld werd over hun orde van de Nieuwe Tempeliers waar was.

Ik liep voorzichtig naar de deur die op een kier stond, en deed hem een paar centimeter verder open om naar binnen te kijken. Een groep mensen met wit met grijze kappen op stond met de rug naar mij toe met hun blik op het altaar gericht. Verder had ik geen tijd om nog maar iets te zien. Iemand greep me vanachter vast en ik voelde het koude staal van een mes op mijn keel. Ik hoorde de klap van mijn zaklamp die op de grond viel, en in een vreselijke stilte wrong ik mijn hoofd opzij om te zien wie mijn belager was.

Mijn god! Ik stierf bijna van angst. Die waanzinnige uitdrukking van woede! Dat dunne witte baardje! Het was de man van het vliegveld! De vent die me achtervolgde!

Het is niets voor mij om te schreeuwen, maar nu gilde ik van angst, keihard, snerpend, schaamteloos... Ik herinner me niet dat ik ooit in mijn leven zo hard heb geschreeuwd.

Iedereen draaide zich geschrokken om en die man, met zijn dolk op mijn keel, duwde me de kapel binnen. Ik had geen spectaculairdere manier kunnen bedenken om mijn entree te maken, maar om eerlijk te zijn had ik op dat moment wel andere zorgen en kon het me niets schelen dat ik voor gek stond. Even stonden we zo naar elkaar te kijken, als in een bevroren filmbeeld, ik naar hen en zij naar mij.

Ten slotte hoorde ik, vanaf de andere kant van de kapel, de stem van Alicia, die een witte cape om had met hetzelfde dubbelarmige kruis in het rood erop dat ik in steen uitgehouwen buiten had gezien. 'Welkom, Cristina,' zei ze glimlachend. 'We verwachtten je al.' Toen richtte ze zich tot de man: 'Bedankt voor wat u hebt gedaan, broeder Arnau. U kunt haar nu wel loslaten.'

Ze kwam naar me toe en kuste me op beide wangen.

'Broeders en zusters,' zei ze, zich tot zo'n vijftig personen richtend die in de ruimte aanwezig waren, 'ik stel u voor aan Cristina Wilson, draagster van de ring van de grootmeester en volwaardig lid van onze orde.'

Sommigen knikten me toe ter begroeting. Het viel me op dat ze allemaal het rode kruis met de dubbele dwarsbalk op de rechterschouder droegen. Ik zag Oriol, die net als de andere mannen onder zijn witte cape een pak met stropdas aanhad. Hij lachte, alsof hij het leuk vond. Ik herkende ook de oude bullebak van de boekhandel Del Grial, die me fronsend en onvriendelijk aankeek, en Marimón, de meelevende notaris, vaderlijk glimlachend.

'Goed,' voegde Alicia eraan toe. 'Ze zal in deze gemeenschap worden toegelaten als zij dat graag wil en als ze onze inwijdingsrituelen volgt.'

'Prettig kennis te maken. Het spijt me dat ik u heb onderbroken,' stotterde ik als een student die zich in de collegezaal heeft vergist. 'Gaat u alstublieft door.'

Alicia nam me onder haar hoede en bracht me naar de voorste bank, waar zijzelf zat en gaf een teken aan de priester, die doorging met de misviering in het Latijn. Arnau, zat ik te denken, Arnau d'Estopinyá. Sinds Artur me het verhaal had verteld had ik het al verwacht, maar nu wist ik het zeker. De man van het vliegveld en de ex-monnik die dacht dat hij Arnau d'Estopinyá was, waren een en dezelfde gek.

36

Hij wilde niet, maar ik drong er net zo lang bij hem op aan tot hij ten slotte ja zei. Ik had al twee uitnodigingen voor een feest die avond, maar nog geen van hem. Een was van Luis, die me voorstelde naar een feest in de buurt van Cadaqués te gaan in een spectaculair landhuis op de rotsen boven zee. Het kostte me niet veel moeite daar vriendelijk voor te bedanken. Bij Artur was het moeilijker. Zijn feest werd gehouden in een villa in Sarriá; smoking of donkere kleding voor de heren en de dames in het lang. Ik moet bekennen dat ik me aangetrokken voelde tot die vent, ook al wist ik dat hij een schoft was. Nou ja, een witteboordencrimineel, en misschien was dat het wel wat hem zo aantrekkelijk maakte.

Maar de uitnodiging waar ik eigenlijk op zat te wachten kwam maar niet, dus zei ik tegen Artur dat we tegen die tijd wel zouden zien, dat het afhing van de stemming waarin ik uit het hol van de tempeliers tevoorschijn zou komen. En hij was zo vriendelijk, of zo geïnteresseerd in mij of in zijn handel, dat hij over mijn vaagheid niet moeilijk deed. Eigenlijk had ik nog de heimelijke hoop dat ik met Oriol naar een feest zou gaan.

Aan het eind van de mis sloot Alicia de viering af met een paar korte woorden. Ik denk dat alle occulte of esoterische zaken daarvoor al aan de orde waren geweest. De aanwezigen vouwden hun cape zorgvuldig op en verlieten de kerk door de deur die op de Calle Santa Anna uitkwam. Broeder Arnau eiste de sleutels op die ik had gebruikt om binnen te komen en Alicia zei glimlachend: 'Nu vergrendelen we de deur aan de binnenkant.'

Toen ik buiten kwam, zag ik dat Artur op een afstandje stond te kijken en ik gebaarde naar hem dat alles in orde was. Maar ik bleef bij Oriol staan en vroeg hem wat hij van plan was die avond te gaan doen. Hij zei dat hij eerst met zijn moeder naar huis ging om andere kleren aan te trekken en daarna een feest had met een paar vrienden. Omdat hij niet van plan leek me uit te nodigen, besloot ik zelf het initiatief te nemen en vroeg ik hem of ik mee mocht. Hij leek niet erg enthousiast, maar Alicia, die geen woord had gemist van wat er was gezegd, greep in door op te merken dat dat wel het minste was dat je aan gastvrijheid van de Bonaplata's mocht verwachten. Toen zat hij klem, maar ik wist dat ik niet hoefde te verwachten dat hij beleefd het portier van de auto voor me openhield.

Op de terugweg was Oriol stil en Alicia vriendelijk. Ik voelde me enigszins opgelaten door de scène in de kerk waarin ik de hoofdpersoon was geweest, maar Alicia deed of er niets aan de hand was.

'De man die jou in de kloostergang ontdekte is Arnau d'Estopinyá,' zei ze.

'Ja, alles past in het verhaal dat Artur me vertelde. Die man heeft me gevolgd vanaf het moment dat ik in Barcelona aankwam.'

'Ja, liefje,' antwoordde Alicia. 'Hij heeft je gevolgd en beschermd. Denk maar aan die keer dat je uit boekhandel Del Grial kwam. Hij heeft jullie bevrijd van die boeven van je vriend Artur.'

'In de kerk zei je dat je me verwachtte...'

'Het zat er dik in dat je zou doen wat die man je zou vragen. We wisten dat jullie elkaar ontmoetten en ik vermoedde dat hij de sleutels van de steeg had.'

'Maar waarom hebben jullie er dan geen ander slot in laten zetten?'

'Ik dacht dat je vriend misschien belangstelling had voor een van de antieke voorwerpen in de kerk,' zei Alicia glimlachend. 'Als hij voor die verleiding was bezweken zou hij nu in de gevangenis zitten.'

Nadenkend zweeg ik. Die vrouw leek alles onder controle te hebben. Ze had haar vijand in de val willen lokken. Ik was blij dat Artur daar te slim voor was.

Toen we eindelijk met ons tweeën in de auto op weg waren naar het feest, bood ik Oriol mijn excuses aan voor mijn ongelegen verschijning in de kerk; lachend zei hij dat het hem helemaal niet had verbaasd, dat dat echt iets voor mij was. Hij zei dat zijn moeder het blijkbaar had verwacht, omdat ze van mijn contact met Artur op de hoogte was. In de hoop dat hij zijn kaarten op tafel zou leggen, zou ze de bijeenkomsten van de tempeliers voor mij geheim hebben gehouden.

Ik voelde me gekwetst. Het leek wel of iedereen me manipuleerde. Dus om een tegenaanval te doen, maakte ik zijn pak, zijn das en zijn cape belachelijk.

'Dat is traditie,' verzekerde hij me zonder dat de glimlach van zijn gezicht verdween. 'Zo wilden onze grootvaders dat.'

'Hoe komt het dat een zo vrijgevochten iemand als jij zich leent voor dat spelletje?'

Na een korte stilte zei hij: 'Ik doe het voor mijn vader.'

En we zwegen allebei; dat was een afdoend argument. Het was druk op de weg en ik wist niet waar hij me mee naartoe nam, maar ik was bij hem en dat was genoeg.

'Ik wil dat je weet dat ik niets met Artur heb.' Ik weet niet waarom ik dat zo nodig moest zeggen. 'Hij blijft maar zeggen dat hij in geval van een schat beter dan wie ook de kostbaarheden kan verkopen, dat hij er net zo veel recht op heeft als wij en dat hij tot een overeenkomst wil komen...'

'Het is de schat van mijn vader,' viel Oriol me scherp in de rede. 'Als hij geen overeenkomst wilde, dan ik ook niet.'

Ik was verbaasd over zijn stelligheid, waarmee hij wilde zeggen: Je bent vóór of tegen me. Ik begon een duidelijker beeld van de situatie te krijgen en ik dacht aan wat Artur had gezegd over de bloedschuld die er bestond. Met een zucht bedacht ik dat die zaak van de schat weleens heel slecht kon aflopen. Ik hoopte alleen dat het drama de families Bonaplata en Boix niet zo zou treffen zoals dat jaren geleden was gebeurd.

37

Een dicht pijnboombos liep door tot aan het strand en de bodem was bedekt met heel fijn zand waar op sommige plaatsen een tapijt van dennennaalden overheen lag. Toen we aankwamen brandde er een kampvuur op het zand, vlak bij de zee, op enkele meters van de begroeiing. Er stonden een paar klaptafeltjes met coca – het Sint-Jansgebak met gekonfijte vruchten en pijnboompitten – plastic bekertjes en drank, maar er waren geen stoelen en iedereen zat op de grond. Er zullen zo'n zestig mensen geweest zijn. Oriol was hier populair, zo te zien, want iedereen begroette hem. Er werd gelachen en gedronken en Oriol begon een gesprek met een groepje rastatypes over de activiteiten in een leegstaand pand dat zij blijkbaar met geweld hadden bezet; 'kraken' noemden ze die bezettingsacties. Hij had het hoogste woord en leek de leiding te hebben. Het was bijna niet te geloven dat dit dezelfde persoon was die een paar uur geleden nog in een pak met stropdas en een witte cape met het rode patriarchale kruis van de tempeliers gekleed was. Omdat ik niemand kende en niets anders te doen had, luisterde ik naar de discussie, hoewel het onderwerp me nauwelijks interesseerde en ik er niet over mee kon praten. Behalve als de advocaat in mij naar boven zou komen, die vond dat ze moesten weten dat kraken een strafbaar feit is. Alsof ze dat zelf niet wisten! Wat zou dat een klap zijn, dacht ik. Maar als dit het idee is dat Oriol heeft van een openluchtfeest, heb ik wel pech gehad.

Op dat moment kreeg ik van een meisje dat naast me naar het gesprek zat te luisteren, een sigaret die al een lange weg had afgelegd. Met de hand gedraaid, met aan de ene kant een askegel en de andere zonder filter, zag hij er vies en afgelebberd uit. Ik deed mijn best om te glimlachen en zei: 'Nee, dank je.'

Ik keek eens naar het meisje. Ze zou beslist niet door de veiligheidscontrole van een fatsoenlijke luchthaven komen. In haar ene oor had ze een heleboel spits toelopende oorhangers, verder piercings in haar wenkbrauwen, neus en kin, en ik vermoedde dat er verspreid over haar verborgen plekjes nog het een en ander aan metalen ringetjes zou zijn aangebracht. Nou ja, zelfs als ze door de detectiepoortjes zou worden gescand zoals haar moeder haar op de wereld had gezet, dan nog zouden alle alarmbellen gaan rinkelen. Maar zij keek ook naar mij. Ze bekeek me van onder tot boven, met haar handen in haar zij en trekjes nemend van haar joint, die in een bewonderenswaardig evenwicht op het randje van haar lip bleef hangen. Toen ze was uitgekeken wist ik dat ze me had getaxeerd, en zonder te reageren op mijn beleefde glimlach snauwde ze me toe: 'En jij, troela, wat kom jij hier doen?'

Oriol had niet de moeite genomen me te vertellen wat voor soort mensen er zouden komen, of wat ik aan moest doen; hij had helemaal niks verteld en ik realiseerde me dat als er hier iemand uit de toon viel, ik dat was, en niet mijn onverwachte tegenstandster. Zij moest mij zien zoals ik haar zou hebben bekeken als ze zo op mijn verjaardagsfeestje op Manhattan was gekomen in mijn appartement met uitzicht, weliswaar vanuit de verte, op Central Park.

Intussen had mijn 'vriend' zijn belangstelling voor dat interessante gesprek verloren en zat hij nu naar ons te kijken. Dat deed hij met een onverholen glimlach: volgens mij vond hij het leuk dat ik mijn verdiende loon kreeg, omdat ik me die avond zo aan hem had opgedrongen. Maar ik moest toegeven dat, ook al had ik het geweten en mijn koffers binnenstebuiten gekeerd, ik me in die omgeving niet had kunnen camoufleren.

'Nou, ik...' antwoordde ik ongemakkelijk. 'Ik ben op bezoek in Barcelona.'

'Een toerist!' riep ze uit, terwijl Oriol de joint uit haar hand nam om er zelf een trekje van te nemen. 'Wat moet zo'n stomme toerist nou hier?'

Als het moet of als ik uitgedaagd word kan ik behoorlijk agressief zijn, maar op dat moment voelde ik me geïntimideerd en ik keek naar Oriol, hoewel ik wist dat hij me niet zou helpen. Ik had het liefst door de grond willen zakken. Maar toen begon vanaf de overkant van het vuur het tromgeroffel van een paar bongo's. Al gauw werden dat er meer, en nog meer, tot mijn rivaal haar interesse in mij verloor, en nadat ze de joint weer uit Oriols hand had gepakt vond ze het welletjes en ging ze zich met wat anders bezighouden. Ook dat zo interessante gesprek over de taak van de overheid op het gebied van welzijnswerk in dat gekraakte pand dat vroeger leegstond en nu overvol was, bloedde dood omdat de deelnemers aan het gesprek hun nieuwste utopie niet konden overbrengen op de rest van de toehoorders. De mensen gingen zitten en tot mijn verbazing kwamen er nog meer slagwerkinstrumenten tevoorschijn. Bijna iedereen had er een, en het ritme werd steeds verder opgevoerd tot het een uitzinnige cadans bereikte.

Het geklots van de golven ging verloren in dat hevige lawaai, en de vlammen van het vuur reikten steeds hoger, waardoor er een kroon van vonkjes boven zweefde die even wilden spelen dat ze sterren waren. Vluchtige sterren, leeghoofdig vuur van pijnboomhars. Het was mooi – ik voelde me in een andere beschaving, in een andere wereld. Een meisje met een heleboel vlechtjes in haar haar, een T-shirt en een strakke lange rok stond op en begon als in trance haar armen en heupen te bewegen op de dol makende maat die de menigte eensgezind aangaf. Haar silhouet stak af tegen de vlammen achter haar, als een priesteres in een heidense eredienst, een dansende sirene die de zeevaarders 's nachts naar het vuur lokte. Ze deed me denken aan mijn vriendin Jennifer op onze feestjes in New York. Dit meisje zorgde net als zij dat het feest op het ritme van haar achterste zijn hoogtepunt bereikte. Hier gebeurt hetzelfde als in New York, zei ik verbaasd bij mezelf, alleen gaat het hier toe als bij de holbewoners, zonder elektrisch licht. Wie niet speelde, danste; het werd een avond van voodooriten. Ik merkte dat die massale gekte mij ook in haar greep kreeg en dat mijn lichaam ging meebewegen. Toen opeens trilde de lucht door een hoog geluid dat tot in je binnenste doordrong, je diep raakte. En als het ritme van het slagwerk de voeten in beweging bracht, dan bewoog dit de ziel.

'Dat is een *gralla*,' zei Oriol, voor ik hem meetrok om te gaan dansen.

Het kon me niet schelen of dat instrument een gralla was of iets anders – het was aanstekelijk, opwindend; ik smeet mijn schoenen een eind weg, ik voelde me een holbewoner en danste enthousiast mee.

Ik weet niet hoe lang we dansten. Mijn blote voeten zakten weg in het fijne zand, dat koel aanvoelde en dat ze tegelijkertijd afremde en masseerde. Gezichten schitterden in het licht en de warmte van het vuur en van de sterrenhemel, hier en daar omkranst door de veelkleurige lichtjes van vuurwerk in de verte, dat welwillend en feestelijk over ons heen viel.

Oriol was geen trouwe danspartner maar bewoog overal tussendoor; hij danste evengoed met mannen als met vrouwen, met iemand afzonderlijk of met een hele groep. Het was een manier van contact maken. Ik hield hem goed in de gaten: het was duidelijk dat hij geen vaste partner had, of dat nu een man of een vrouw was, of tenminste niet hier in deze groep, hoewel ik mijn vriend ervan verdacht zich in meerdere gezelschappen te bewegen en met heel veel verschillende mensen om te gaan. De vlammen van het vuur waren lager geworden, het tromgeroffel werd zwakker en op dat moment zag ik hoe Oriol een jongen bij de hand pakte en hem iets in zijn oor fluisterde. De jongen lachte en ik voelde een steek in mijn hart. Ondanks de Cava-champagne in plastic bekertjes en de ritmische euforie ontging me geen enkel detail van wat er gebeurde, en had ik opgemerkt dat verscheidene paartjes, sommige van dezelfde en andere van verschillende sekse, in het bos verdwenen met badlakens die ongetwijfeld dienstdeden als lakens op een echtelijk bed van zand en pijnboomnaalden.

Wat is er met jou aan de hand? Stom mens! floot ik mezelf half hardop terug. Je bent verloofd met Mike, je houdt van hem. Wat doet het ertoe of Oriol gelukkig is met een man?

Maar ik kon er niets aan doen dat ik een brok in mijn keel voelde en tranen in mijn ogen kreeg toen ik ze hand in hand in het bos zag verdwijnen. Daar gingen mijn dierbaarste herinneringen: de zee, de storm, de eerste kus, de zoute en zoete smaak van zijn mond...

'Mijn moeder had dus toch gelijk,' mompelde ik. 'Ze heeft het vanaf het begin goed aangevoeld.'

Maar toen draaiden ze zich om en begonnen, nog steeds hand in hand, naar het vuur te rennen en sprongen eroverheen. Ze kwamen neer op het randje, bijna erbuiten, waardoor de vonkjes hoog opdwarrelden. Daarna, op wat meer afstand van de vlammen, sloegen ze lachend met hun handpalmen tegen elkaar uit plezier om hun eigen capriolen. Na hen volgden andere paren. Oriol sprong nog een paar keer zowel met mannen als met vrouwen. Ze deden het steeds in dezelfde richting, van het bos naar het strand. Dat was ook logisch, want het vuur brandde nog en als er twee stellen ieder een andere kant op sprongen en boven het vuur tegen elkaar op botsten, zouden ze niet alleen een klap oplopen, maar ook het risico lopen van ernstige brandwonden. Bovendien was het duidelijk dat je bij een eventuele brandwond naar zee moest rennen.

Toen kwam Oriol, die me bijna de hele avond aan mijn lot had overgelaten, naar me toe. 'Het vuur betekent reiniging, vernieuwing, het oude verbranden om iets nieuws te beginnen. Het gaat erom alle shit van je af te gooien,' zei hij lachend. 'Als je in deze magische nacht van Sint-Jan samen met iemand over het vuur springt, sluit je vrede met die persoon, dan maak je een einde aan oud zeer en probeer je je vriendschap, of je liefde, te vervolmaken. Soms gooien mensen ook dingen in het vuur; dat zijn dan dingen waar je je van los wilt maken, die overbodig zijn in je leven.'

'Wil je met mij springen?' vroeg ik.

'Ik weet het niet zeker,' zei hij met een knipoog. 'Alles wat je elkaar vergeeft, alles wat je vraagt als je over het vuur springt in de nacht van Sint-Jan, wordt door de heksen in een groot boek opgetekend. Het is een verplichting voor altijd.'

'Ben je bang je met mij tot iets te verplichten? Of is er misschien iets dat ik je moet vergeven?'

'Dat moet je nooit van tevoren zeggen, want dan geldt het niet.'

Ik zocht mijn schoenen en vroeg me af hoe die eruit zouden zien na dat vuur, maar gelukkig als ik was zei ik tegen mezelf dat het risico in elk geval de moeite waard was.

We pakten elkaar bij de hand en liepen in de richting van het naaldbos, waar een hele rij paren stond. Nog maar een paar bongo's waren aan het trommelen, nu zachter en gedempt. Ik ademde diep in en terwijl ik in de warme hand van Oriol kneep, voelde ik dat dit een hoogtepunt was in mijn leven, dat ik iets heel bijzonders beleefde. Dronken van geluk merkte ik het krachtige kloppen van mijn hart op: mijn zintuigen waren tot het uiterste geprikkeld door de geur van rook en verbrande hars, de heldere sterrennacht, de muziek. Ik herinner me die sprong met bijna dezelfde emotie als de eerste kus. Oriol heeft grote handen, en die van hem omvatte de mijne in een zachte maar stevige greep.

We vlogen over de vlammen heen. Ik landde een klein stukje achter hem, in de as, maar dat duurde nog geen halve seconde, zowel door de vaart van het rennen als doordat hij me met een ruk wegtrok.

Ik had hem graag willen vragen wat zijn wens was geweest en hem willen kussen, zoals sommigen na die sprong deden. Maar hij draaide zich om om met iemand anders te praten.

Het springen over het vuur was nog steeds aan de gang toen een meisje naar het vuur liep en er een bundel papieren in gooide. Vervolgens gooide een jongen er iets in wat op een houten kistje leek. Daarna trok de harem-vrouw die met dansen was begonnen, haar T-shirt uit en gooide het in het vuur, waardoor een paar welgevormde, volle borsten zichtbaar werd. Ik weet niet of dat gebruikelijk was in deze groep of dat het spontaan bij haar opkwam, maar het gebaar sloeg aan en meerdere vrouwen volgden haar voorbeeld om hun naakte bovenlijf te laten zien, hoewel niet een met zo'n spectaculair resultaat. Ook enkele jongens verbrandden hun T-shirts en ik zag dat Oriol hetzelfde deed met een paar papieren. Natuurlijk was ik nieuwsgierig.

Toen het verbranden van al die als negatief ervaren dingen afgelopen was, versnelden de bongo's het ritme weer en iedereen die zichzelf een muzikant vond deed zijn best om zo veel mogelijk kabaal te maken om weer in datzelfde ritme te komen. Er werd weer gedanst en het meisje dat in het begin zo opviel, deed dat weer, ditmaal door met haar borsten te schudden. Ze had een grote tatoeage op haar schouder en een deel van haar rug. Oriol, die op een afstand van het feestgedruis in het zand zat, keek naar de vlammen en naar de silhouetten van de dansenden, die zich in het tegenlicht aftekenden.

Ik ging naast hem in het zand zitten.

'Wat heb je verbrand?'

Hij keek me verbaasd aan, alsof híj mijn aanwezigheid vergeten was, alsof hij zich niet eens bewust was van zijn eigen aanwezigheid daar. In de schittering van zijn ogen, waarin de vlammen weerkaatsten, kon ik tranen zien.

'Dat moet geheim blijven,' lachte hij verlegen.

'Dat hoeft niet.' Ik nam een van die grote handen in de mijne. 'Vóór het springen mocht je niets zeggen, nu wel. Gedeelde smart is halve smart. Herinner je je nog dat wij elkaar als kinderen alles vertelden?'

'Het was een brief,' bekende hij na een stilte.

'Welke brief?' Ik vermoedde al wat het antwoord was.

'De brief van mijn vader, die van de erfenis.'

'Maar hoe heb je die nou kunnen verbranden?' vroeg ik bezorgd. 'De laatste brief van je vader! Daar ga je spijt van krijgen.'

'Ik heb er nu al spijt van.'

'Maar waarom?'

'Omdat ik wilde vergeten. Of tenminste niet zo vaak aan hem denken, met zo veel verdriet. Hij was het drama van mijn kindertijd. Ik vind het zo erg dat hij me in de steek heeft gelaten.'

Ik herinnerde me het beeld van toen we klein waren, als zijn vader naar het dorp kwam. Oriol rende dan naar de weg om hem een kus te geven en trok aan zijn hand alsof die zijn eigendom was om hem van de ene plek naar de andere te trekken. Hij keek met een gelukzalige glimlach naar hem op, zo van 'dat is mijn papa'. Hij bewonderde hem.

'Hij zal er zijn redenen voor hebben gehad,' troostte ik hem. 'Je weet dat hij van niemand zoveel hield als van jou. Hij wilde je niet in de steek laten.'

Oriol antwoordde niet maar stak een marihuanasigaret tussen zijn lippen. Ik bleef stil naast hem zitten en pakte zijn sigaret af om er een trekje van te nemen.

'Weet je?' vroeg ik na een tijdje. Hij zei niets.

'Herinner jij je die brieven?' drong ik even later aan.

'Welke brieven?' antwoordde hij verstrooid.

'Die van ons.' Ik begon me een beetje te ergeren. Hoezo, welke brieven? Welke brieven kunnen er belangrijker in de wereld zijn dan die? 'Nou, die ik jou geschreven heb en die jij mij geschreven hebt.'

'Ja?'

'Ik weet nu waarom we ze nooit hebben gekregen.'

Hij zweeg opnieuw. Maar ik niet. Ik vertelde hem van de liefde van mijn moeder voor zijn vader, dat mijn moeder bang was geweest om de herinnering aan die tijd weer op te roepen, bang ook dat wat haar overkomen was zich bij mij zou herhalen, en dat ze daarom wilde voorkomen dat wij van elkaar zouden gaan houden. Daarom had ze de post onderschept en achtergehouden, waardoor wij die nooit hadden gekregen. Ik repte er niet van dat María del Mar dacht dat hij ook homoseksueel was.

'Wat jammer,' zei Oriol op het laatst. 'Ik heb veel over mijn gevoelens geschreven. In die brieven aan jou kon ik een heleboel kwijt, vooral toen mijn vader overleed. Dat herinner ik me nog heel goed. Ik was erg alleen en daar had ik het in mijn brieven steeds maar weer over, ook al kreeg ik geen antwoord. Maar ik had tenminste nog de illusie dat jij ze las, ik moest het er met jou over hebben. Wat had ik er graag met je over gepraat. Maar ik had niet eens je telefoonnummer.'

Ik kroop nog dichter naar hem toe en zei: 'Misschien kunnen we elkaar alles wat we toen hebben geschreven en wat verloren is gegaan, nog eens opnieuw vertellen.'

Op dat moment kwam de mooie danseres, nu helemaal bezweet, naar ons toe en ging aan de andere kant naast Oriol zitten. Ze nam een trekje van dezelfde sigaret, waarvan nog maar een peukje over was, en begon hem iets in zijn oor te fluisteren. Het leek of ze in zijn oor zat te bijten. Ze zat te giechelen en hij lachte af en toe mee. Ten slotte stond ze op en nam Oriol bij de hand. Ik schrok. Dat rotmens wilde dat hij met haar meeging naar het bos. Ze waren wat aan het stoeien en grapjes aan het maken en toen trok ze hem zonder hem los te laten met zich mee.

Je kunt je mijn ergernis voorstellen. Een paar minuten daarvoor was ik nog wanhopig omdat ik dacht dat hij homoseksueel was, en nu was ik dat omdat hij er met die beeldschone meid vandoor ging. Ik zou blij moeten zijn, dacht ik. Hij is geen homo. Maar wat kan mij dat eigenlijk schelen? Het moet me geen barst kunnen schelen. Ik ben verloofd en zodra ik terug ben in de Verenigde Staten, ga ik met Mike trouwen, die met kop en schouders uitsteekt boven iedereen hier.

Maar toen ik hem een paar tellen later met een gitaar zag terugkomen, zo snel dat er niets gebeurd kon zijn, sloeg mijn hart over van blijdschap. Net goed dat dat vervelende mens haar zin niet had gekregen. Ik zei bij mezelf dat die nymfomane feeks daar in het donkere bos vast wel een of andere slang zou vinden die haar wilde bevredigen. Soms ben ik ook een kreng.

Oriol ging weer in het zand zitten op een meter van me vandaan en begon zachtjes een paar akkoorden aan te slaan. Toen kwam plotseling weer die vraag bij me op: zou hij homoseksueel zijn? Natuurlijk, dat moest wel, hoe kon je anders verklaren dat een man zo'n type als zij kon weerstaan? En toen vroeg ik me weer af: ben ik een idioot?

Er klonken nog steeds een paar trommels aan de overkant van het vuur, maar er werd niet meer gedanst en na het verbranden van de voorwerpen was het enthousiasme geleidelijk aan ingezakt. Het slagwerk klonk zacht, gedempt, intiem. Toen begon Oriol op zijn gitaar te tokkelen. Hij speelde eerst een klassiek stuk dat ik niet herkende, en daarna het heel gevoelige en melancholieke *Cant dels ocells*. Toen begon hij te zingen, alsof het alleen voor ons beiden was, waarbij hij zichzelf op de gitaar begeleidde.

'*Cuan surts per fer el viatge cap a Itaca...*' Ik zag tranen in zijn ogen en begreep dat het niet zomaar een lied was. Was dat niet een van de liederen waar Enric naar had geluisterd vlak voor zijn dood? Ik luisterde aandachtig.

Hij zong zachtjes, intiem, eenzaam, maar de een na de ander kwam dichterbij en ze vormden een kring om hem heen. Er was respect bij de toehoorders en ik kon voelen dat er mensen bij waren met wie hij geheimen deelde die ik niet kende.

Toen het lied uit was, werd er geklapt en om meer gevraagd, maar hij wilde niet doorgaan en ik had het idee dat hij het jammer vond dat het publiek de intimiteit doorbroken had. Maar hij stond erop zijn gitaar aan iemand anders te geven: hij stond stil bij het meisje dat mij aan het begin van de avond had zitten jennen. Omdat ze handen tekortkwam gaf ze haar afgelebberde marihuanasigaret aan iemand anders en ze neuriede het begin van een veel vrijmoediger liedje, over het huis van een zekere Inés die iedereen vroeg om met haar te doen wat ze maar wilden of zoiets. Een jongen begeleidde haar op de bongo's. Ik herkende in de zangeres de hoofdpersoon van het lied. Hetzelfde slag.

Omdat Oriol niet meer het middelpunt van het feest was greep ik mijn kans om in zijn oor te fluisteren: 'Je dacht aan Enric bij het zingen.'

'Mijn vader was gek op dat lied. Hij luisterde ernaar vlak voordat hij stierf.'

'Hoe weet je dat?'

'Het lag op zijn platenspeler toen ze hem vonden. Hij moet hem hebben gedraaid. Weet je waar het over gaat?'

'Ja natuurlijk. Het gaat over Odysseus en zijn terugreis uit Troje. Hij was jaren onderweg naar zijn eiland, Ithaca.'

'Klopt. De tekst is gebaseerd op het gedicht van de Griekse dichter Konstantínos Kaváfis,' en langzaam, alsof het hem geleidelijk aan weer voor de geest kwam, begon hij het voor te dragen: 'Als je vertrekt naar Ithaca, vraag dan of de reis lang mag zijn, haast je niet onderweg, laat het jaren duren en als je, oud en verstandig door wat je onderweg hebt geleerd, aanlegt op Ithaca, verwacht dan niet dat het je rijk zal maken. Ithaca heeft je de reis gegeven en ook al vind je het daar maar armzalig, het heeft je niet misleid, en zo zul je, eenmaal wijs geworden, de zin van de Ithaca's begrijpen.'

Hij keek me niet aan, hij had zijn blik gericht op de rode gloed van de gloeiende houtskool en nam de tijd voor hij vervolgde: 'We leven in de verwachting iets te bereiken, we streven dromen na in de hoop dat we gelukkig zullen zijn als ze in vervulling gaan. Maar dat is niet zo. Het bestaan is de weg, niet het einde. Het doet er niet toe hoe mooi, belangrijk, spiritueel datgene is wat we nastreven. De laatste halte is altijd de dood. Als we onderweg niet weten hoe we gelukkig moeten zijn, betere mensen moeten worden, hoe we moeten zijn die we willen zijn, dan zullen we daar ook aan het eind van de reis niet achter komen. Dat is de reden waarom we van het moment moeten genieten. Het leven is vol schatten die de mensen najagen, het zijn dingen waarvan we denken gelukkig te worden, maar het zijn meestal maar luchtspiegelingen en soms, als mensen dat felbegeerde doel hebben bereikt, blijven ze met lege handen achter.'

'Bedoel je dat je vader ons misleidt met die schat? Dat hij ons hetzelfde spel laat spelen dat we als kinderen speelden, maar nu als volwassenen?'

'Ik weet het niet,' zei hij met een zucht. 'Maar ik weet wel dat in zijn filosofie de weg de echte schat was, de emotie van het zoeken, de spanning als je iets wenst in plaats van de ontspanning van de verzadiging. Hij geloofde in het genieten van het moment, in het Latijnse *"carpe diem"*. Ik herinner me dat we, wanneer wij die schatten zochten, op het einde alleen maar een paar snoepjes vonden. Het ging om de emotie, om wat je meemaakte onderweg.'

Mijn oogleden werden zwaar, mijn spraak traag en mijn gedachten wazig; ik zat bijna te slapen. Het was een avond boordevol emoties geweest en nu kreeg ik plotseling een inzinking. Mijn binnensluipen in de kerk van Santa Anna, het gepakt worden door Arnau d'Estopinyá, mijn entree bij de tempeliers, het feest van de holbewoners, het springen over het vuur en mijn ongerustheid over met wie Oriol het naaldbos inging. Het was te veel voor een enkele avond. Was dat *carpe diem*? Misschien was het *carpe nacht*.

Oriol was opgehouden met praten en keek naar de zangeres. En terwijl ik op het zand zat met een van de badlakens om me heen die hij uit de auto had gehaald, probeerde ik warm te blijven en niet in slaap te vallen. Ik zag de wijzertjes van mijn horloge niet meer, maar het zal zo rond zes uur zijn geweest. Iemand wees naar de horizon boven de zee. Een blauwgrijze streep tekende zich af tussen het zwart en marineblauw. Verschillende trommelaars kwamen weer op gang en begonnen opnieuw hun trommels ervan langs te geven in een poging er een ritmisch geheel van te maken. En toen de hemel openbrak in heldere tinten en in die eindeloze ogenblikken waarin de intensiteit van het licht eerder lijkt af dan toe te nemen, alsof het door de zee wordt opgeslokt om zijn eigen kleuren te versterken, was iedereen die maar iets had waarmee hij herrie kon maken daarop aan het slaan in een indrukwekkend kabaal van opgewonden enthousiasme. Toen schitterde er een gouden puntje op de lijn van een slapende zee en een wolkeloze hemel. De massale herrie werd gedurende een ogenblik nog groter toen iedereen tegelijk ging staan om de zon te begroeten. Ook ik deed dat. Zij waren holbewoners die hun god aanbaden, en ik was een van hen. En heel langzaam verscheen daar boven de kalme golven aan de horizon, in een streep goudachtig licht die steeds breder werd, de zon, die onze slape-rige ogen nu al verblindde en omhoogklom totdat ze zich losmaakte van de zee. Op dat moment renden een jongen en een meisje, allebei naakt, schreeuwend het water in. En anderen volgden hen en daarna nog meer. Ik zag dat Oriol zijn kleren uitdeed, en opeens weer klaarwakker bedacht ik dat mijn vriend helemaal niet slecht bedeeld was.

'Kom je mee?' vroeg hij.

Ik had me nog nooit naakt in het openbaar vertoond, en maar zelden topless, maar ik wachtte niet op een tweede uitnodiging. Ik gooide het badlaken van me af, smeet mijn kleren er nonchalant boven op en met al-leen mijn twee ringen aan rende ik aan de hand van Oriol naar de zee.

Het water voelde lekker aan, in tegenstelling tot de luchttemperatuur die nacht, en je kon meters en meters lopen zonder dat je, afgezien van een onverwachte kuil, kopje-onder ging. Iedereen dook er spiernaakt in, spet-terend en lachend.

Na het zwemmen bleven er een heleboel slapen op het strand, maar wij besloten terug te gaan naar Barcelona.

Toen ik me ging aankleden kon ik nergens mijn schoenen vinden. Ik was ze aan het zoeken tot ik achter me hoorde: 'En jij, blondje, wat heb jij in het vuur gegooid?'

Ik draaide me om en zag dat het die Inés was van die metalen versiersels. Ze was zich met een handdoek aan het droogwrijven en ik zag in één oog-opslag dat mijn vermoedens van het begin van de avond klopten. Ze had ringetjes in haar tepels en navel en ze had er vast en zeker nog meer ver-stopt.

Met die trut heb ik het helemaal gehad, zei ik bij mezelf, in dubio of ik haar wel of niet zou antwoorden. Ik was moe van die nacht en had nergens meer zin in, maar ik wilde niet onaardig zijn en antwoordde: 'Niets.'

'Je vergist je,' zei ze glimlachend. 'Je hebt een paar dure schoenen ver-brand.'

'Wat?' Ik dacht dat ze een grapje maakte.

'Jouw les deze nacht is dat je zonder schoenen van tweehonderd euro door de wereld kunt.' Het stomme mens deed zo triomfantelijk. 'Ik heb ze in het vuur gegooid toen jij ging zwemmen.'

'Je houdt me voor de gek.'

'Nee, blondje. Je zult zien dat je op blote voeten beter loopt.' Ik was er zeker van dat ze me voor de gek hield, maar ik ging toch bij het nog smeulende vuur kijken. Aan de kant waar ik mijn kleren had achtergelaten zag ik mijn schoenen tussen de gloeiende houtskool: eentje een beetje verschroeid, de andere helemaal zwartgeblakerd, ruikend naar verbrand leer. Zelfs toen ik ze zag, kon ik het nog niet geloven.

Dat kreng stond te lachen en zou het waarschijnlijk wel met haar groepje vrienden over deze heldendaad gaan hebben. Eigenlijk moet ik toegeven dat ze gelijk had. Je kunt zonder schoenen lopen. En ook rennen. Ik kan het me niet meer precies herinneren, maar ik werd zo woedend dat ik al mijn fatsoen, vermoeidheid en voorzichtigheid op slag verloor. Dat had ze niet verwacht van dat blondje. Ze stond met haar rug naar me toe met haar vrienden te praten, die nog niet aangekleed waren, en ik trok zo hard aan haar vlechten dat ze met een smak op de grond viel. Ik rukte hard aan haar haar, noemde haar een hoer en sleepte haar, terwijl ze uit alle macht tegenspartelde, over het zand. Ik weet niet wat er daarna gebeurd zou zijn als Oriol en een paar anderen me niet hadden vastgegrepen. Ik had haar graag in het vuur gegooid, naast mijn schoenen. Of op zijn minst had ik die ringetjes met een ruk uit haar tepels willen trekken, maar toen mijn eerste drift wat gezakt was liet ik me door Oriol uit die heksenketel weghalen. De metalen meid had zich weer hersteld en slingerde scheldwoorden naar mijn hoofd, terwijl ze naar me keek alsof ze met het grootste plezier mijn gezicht wilde openkrabben, maar gelukkig werd ze in bedwang gehouden.

Oriol zat de hele weg naar huis in de auto te lachen. Ik tikte met mijn tenen op de rubbermat en overdacht mijn situatie. Holbewoonster. Ik had me nog erger dan dat gedragen.

'Ga je het de rest van je leven zonder schoenen van tweehonderd euro doen?' vroeg hij lachend.

Ik lachte mee. Het avontuur was veel meer waard. Carpe diem.

38

Ik werd wakker door de beltoon van mijn mobieltje. Ik moet er een ander melodietje op zetten, zei ik bij mezelf. Het stond me al een tijdje tegen en op dat moment helemaal. Wie zou er zo laat nog bellen? Konden ze niet wachten tot ik wakker was?

Het was Artur Boix, om me te vragen hoe het me die nacht was vergaan. Nacht? Maar voor mij is het nog steeds nacht. Natuurlijk was ik laat naar bed gegaan! Zo laat zelfs dat het vroeg was. Nee, de tempeliers hadden me goed behandeld. Een lunchafspraak? Nee, natuurlijk niet. Is het al één uur? Het spijt me, maar ik wil slapen, bel me maar als ik wakker ben. Ik deed onaardig, ik herinnerde me dat ik naar een feest was geweest zonder mijn mobieltje en dat Artur me moest hebben gebeld om te weten of alles goed met me was. Het aanbreken van de dag, het gespetter in zee en de naakte Oriol kwamen weer bij me boven. En ik viel weer in slaap. Maar het duurde niet lang voordat die rottelefoon weer ging. Waarom had ik er niet aan gedacht hem uit te zetten? Ditmaal was het Luis. Hij deed opgewonden.

'Ik heb het!' schreeuwde hij.

'Wat?'

'De sleutel, de sleutel om door te gaan.'

'Doorgaan met wat?'

'Vannacht kreeg ik plotseling een idee!' riep hij enthousiast. 'Opeens zag ik het voor me. Het staat in de brief van Enric.'

Ik zweeg en probeerde het tot me door te laten dringen, maar Luis gunde me niet de tijd om bij zinnen te komen.

'Ik ben in Cadaqués en ga meteen naar Oriol toe. Ben je daar?'

'Ja.'

'Nou, zeg het hem maar vast, en tot zo.'

Ik deed het rolgordijn omhoog en zag dat Barcelona al baadde in de middagzon en slaperiger leek dan op een gewone feestdag. Misschien zag ik mijn eigen toestand erin weerspiegeld. Ik nam een douche en toen ik naar beneden ging was het al over drieën. Als Luis me niet had gebeld, lag ik nu nog lekker te slapen, zei ik bij mezelf, en ik was hem niet dankbaar dat hij me had gewekt.

Beste Luis,
Weet je nog dat we met Oriol en Cristina 'zoek de schat' speelden en dat ik aanwijzingen verstopte in de tuin van het huis aan de Avenida Tibidabo? Het is hetzelfde spel. Maar nu echt.
Wees gelukkig samen met Cristina en Oriol.
Je oom
Enric

Dat was alles. In de brief van Luis stond alleen maar dat. Hij las hem hardop voor en gaf hem toen aan ons, zodat we met eigen ogen konden zien wat erin stond. En toen moesten we hem, eerst ik, en daarna Oriol, nauwkeurig en zachtjes lezen. Dat was alles wat hij geschreven had. We zaten aan de tuintafel, misschien met de bedoeling om Alicia te ontlopen, misschien omdat toen we klein waren de tuin ons territorium was, en keken zwijgend naar Luis, die ons aankeek met het glunderende gezicht van iemand die meer weet of denkt te weten.

'Is het niet duidelijk?' vroeg hij.

Ik vond het helemaal niet duidelijk en Oriol zo te zien ook niet; we keken elkaar zwijgend aan en haalden onze schouders op.

'Aanwijzingen, hij had aanwijzingen voor ons verstopt in de tuin,' legde hij ten slotte uit. 'En wat was zijn favoriete plek?'

'De stenen putrand,' riepen we tegelijkertijd uit.

Op slechts een paar meter van ons vandaan was een open plek zonder bomen met in het midden een put die aan het eind van de negentiende eeuw nog in gebruik was geweest, toen daar in de buurt geen stromend water was. Wij hadden hem altijd alleen als decoratie gezien, maar hij had wel iets magisch: een van de stenen in die mooie rand, een kleine vlak boven de grond, lag los en de holte erachter speelde vaak een hoofdrol in onze spelletjes van 'zoek de schat', en daarvan was slechts één volwassene op de hoogte: Enric.

'Denk je dat hij daar een aanwijzing heeft verstopt?' Terwijl ik het zei wist ik al dat het een overbodige vraag was.

'Natuurlijk! Dat staat toch in die brief?'

Daar kon ik niets tegen inbrengen; dat stond er als je het zo wilde lezen.

'Zullen we?' stelde Oriol voor, en alleen al bij het horen van die woorden, kreeg ik kriebels in mijn buik. Net als toen we klein waren.

We sprongen alledrie op en renden als een stel kleine kinderen naar de put. We wilden altijd allemaal tegelijk de steen opzijschuiven en Luis, die daar natuurlijk aan dacht, maakte ons duidelijk dat ditmaal hem die eer te beurt viel. Dat stond buiten kijf en voorzichtig begon hij de steen naar buiten te duwen door het gat dat daar altijd al had gezeten. Mijn hart ging als een gek te keer; na een ogenblik waaraan door zijn irritante getreuzel geen eind leek te komen, haalde hij de steen eruit. Hij stak zijn hand in het gat en keek ons lachend aan, eerst de een, toen de ander. Ik kon hem wel vermoorden; er zijn van die mensen die nooit veranderen en hij was nog steeds dat dikke onuitstaanbare ventje dat ervan genoot om in het middelpunt van de belangstelling te staan.

'Hier heb ik iets,' zei hij eindelijk.

En hij haalde er een in plastic gewikkeld pakje uit. Hij maakte het voorzichtig open en er kwam een pistool tevoorschijn. Er zat ook een briefje bij: 'Ditmaal is het geen spel. Gebruik het als het nodig is.'

Ik kreeg er kippenvel van en een naar voorgevoel dat ik niet wilde delen. Dit moest wel het wapen zijn waarnaar commissaris Castillo op zoek was. Met die revolver waren vier mensen gedood, het was die uit mijn droom. En Enric deed alsof er nog meer doden door konden vallen.

Maar het wapen bevatte geen enkel spoor over de schat.

'Is er nog iets?' vroeg ik ongeduldig.

Er werd weer dezelfde zoekceremonie opgevoerd, en eindelijk zei Luis met zijn hand in de opening: 'Hebbes.'

'Haal het er dan verdorie meteen uit,' barstte ik los.

Luis keek me boos aan, maar deed wat ik vroeg. Het was een ander, veel kleiner pakje. Er zat een stuk papier in waarop stond:

TU QUI LEGIS ORA PRO ME

'Dat is Latijn,' legde Oriol uit. 'Er staat: "Wie dit leest, bid voor mij".'

'Hoe is dit te rijmen met een beschaafde ridder van de tempeliers?' mompelde ik.

We keken elkaar aan. Ik zag op de gezichten van mijn vrienden verbazing en verdriet. Enric vroeg of wij voor hem wilden bidden. En dat deden we, ik met tranen in mijn ogen. Ik zag hem voor me terwijl hij het pistool verborg, wellicht met wroeging, in de wetenschap dat hij zou gaan sterven en dat hij, naar zijn gevoel, zo veel zonden had gepleegd dat hij onze gebeden nodig had. Wat moest hij hebben gevoeld toen hij die postume smeekbede voor ons achterliet? Misschien een grenzeloze eenzaamheid en angst; om wat hij had gedaan, voor wat hij zou gaan doen en voor wat daarna zou komen. Maar waarom? Wat had hem ertoe gebracht zelfmoord te plegen?

'Ik stel voor om naar de mis te gaan,' zei Oriol, mijn sombere speculaties onderbrekend.

Toen we de Santa Anna-kerk binnen gingen scheen de zon nog, hoewel die door de gebouwen eromheen niet naar binnen kon dringen.

Zonder in de stemming te zijn voor contemplatie keek ik bij daglicht naar de plek waar ik de vorige avond nog was geweest. Het was rustig op het pleintje. Er stond een vervallen kruis tegenover de ingang die toegang gaf tot het plein met de kloostergang. Daarvan was alleen nog een hoge stenen paal over; verondersteld wordt dat het bovenste stuk verloren is gegaan tijdens een van die veelvoorkomende antiklerikale strooptochten in het Barcelona van eind negentiende en begin twintigste eeuw, of misschien door vandalisme. Jammer. Ik had die dwarsbalken graag willen zien. Het kruis met een papier erop dat het misrooster aangaf was vierarmig net als de bewerkte stenen kruisen verspreid over de kerk. Het waren net zulke als die de Nieuwe Tempeliers op hun mantels droegen.

'De Arme Ridders van Christus hadden twee soorten kruisen,' vertelde Oriol toen ik hem ernaar vroeg. 'Het vierarmige kruis wordt het patriarchale kruis genoemd, naar de patriarch van Jeruzalem, maar ook naar die van Lorena, van Calatrava, en zo zijn er waarschijnlijk nog veel meer namen. Daarnaast gebruikten de tempeliers ook het zegelformaat, dat vierkant en breedarmig was. Zoals dat in jouw ring.'

'En hoe komt het dat er in deze kerk kruisen van de tempeliers te vinden zijn?'

'Omdat het patriarchale kruis erg gewild was. Het werd zowel door de ridders van de Orde van het Heilige Graf als door de tempeliers gedragen, een korte periode door de Hospitaalridders en natuurlijk door de ridders van Calatrava. En de kerk van Santa Anna in Barcelona blijkt de zetel te zijn geweest van de ridders van het Heilige Graf. Tegenwoordig gebruikt die orde als onderscheidingsteken een rood kruis met daaromheen vier kleinere kruisen, ter herinnering aan de vijf wonden van Christus. En deze kerk is officieel nog steeds haar hoofdkwartier in Catalonië.'

'En onofficieel?'

'Dat weet je al,' antwoordde Oriol met een samenzweerderige knipoog.

Het was lang geleden dat ik met zo veel overgave een kerkdienst had bijgewoond. De smeekbede in het briefje van Enric had mijn hart geraakt. En het pistool had me een verdrietig, akelig gevoel gegeven: pijnlijke herinneringen kwamen bij me boven aan de moord op de gebroeders Boix. Hoe kon iemand als Enric, die zo hartstochtelijk van het leven hield, moorden en zelfmoord plegen? Hij moet wel erg wanhopig zijn geweest. Heel erg alleen. En hoe had hij Oriol in de steek kunnen laten? Een groot deel van de mis huilde ik in stilte terwijl ik bad voor zijn ziel. Af en toe keek ik naar mijn vrienden. Oriol leek net zo geconcentreerd als ik en Luis zat een beetje om zich heen te kijken, maar probeerde vast ook af en toe zijn gebeden op te zeggen. Nou ja, als hij ze nog kende.

Mij deed de kerkdienst goed. Na afloop voelde ik me een stuk beter; nog een paar diepe zuchten en een laatste snik welden in me op, maar ik voelde me ontspannen, bijna gelukkig. We hadden aan de smeekbede van Enric voldaan en ik beloofde mezelf het regelmatig te blijven doen. Ik hoopte dat het voor zijn ziel net zo'n steun was geweest als de ceremonie en het gebed voor mijn geest.

Oriol gebaarde naar ons om mee te gaan naar de deur die uitkwam op de kloostergang. Rechts was de gang die van de ingang van de kerk naar de kapittelzaal liep, waar de vieringen van de tempeliers werden gehouden, en toen ik aan mijn avontuur dacht en aan de ontmoeting met Arnau d'-Estopinyá, huiverde ik weer.

'Het briefje van mijn vader was niet alleen een smeekbede voor zijn ziel,' zei Oriol zachtjes. 'Ik denk dat onze gebeden hem heel goed hebben gedaan, maar ik denk dat het briefje een aanwijzing was.'

'Een aanwijzing?' riep Luis op bijna verbaasde toon uit.

Ik probeerde heel snel na te denken. 'En hoe weet je dat?'

'Kijk maar naar links.'

En dat deden we. Tegen de muur zagen we een graftombe staan met een liggend beeld erop. Het was van een zekere Miguel de Borea, admiraal-generaal van de Spaanse galeien, die al eeuwenlang dood was. Ik herinnerde me wat Artur had gezegd: de kerk was ook een begraafplaats. We kwamen dichterbij. Oriol wees op een steen op de grond met de inscriptie:

TU QUI LEGIS ORA PRO ME

Luis en ik waren stomverbaasd.

'Sinds wanneer wist je dat?' vroeg Luis even later.

'Onmiddellijk.' Hij lachte kwajongensachtig. 'Ik kom al van kleins af aan in deze kerk. Ik ken ieder detail.'

Ik zei niets. Dat berichtje had me tot tranen toe geroerd, en nu bleek het alleen maar een volgende schakel te zijn in het spel. En dat mispunt van een Oriol had zich verkneuterd over mijn verdriet. Daarna zei ik tegen mezelf dat het geen kwaad kon om te bidden en bedacht ik dat Oriol dat ook had gedaan. Maar ik kreeg hem nog wel.

'En wat gaan we nu doen?' vroeg Luis.

'Laten we nu maar de kloostergang uit gaan. Als de pastoor in de gaten krijgt dat ik in zijn kerk sta te smoezen, wordt hij net zo kwaad als toen ik klein was.'

We gingen naar buiten om in een granja in de Calle Santa Anna de volgende stap te bespreken.

Luis en ik besloten dat de grafsteen moest worden gelicht om te kijken wat erin zat. Een dode, antwoordde Oriol. Nou én, zeiden wij tweeën, dan moet je kijken wat er nog meer in zit. Oriol zei dat het grafschennis was en dat voor het openen van graven een ethische, legale, religieuze procedure bestond. Luis antwoordde dat aangezien hij andermans bezittingen kraakte, hij er vast niet mee zou zitten een dergelijke ruimte binnen te dringen; de eigenaar zou geen aanklacht indienen. En Oriol zei: niet de eigenaar maar wel de pastoor.

'Dan doen we het 's nachts, als hij er niet is,' hield Luis aan.

En Oriol weer: dat hij de pastoor niet kon bedriegen, dat hij een van hen was. Maar als het er een van jullie is, laat hem dan helpen, zeiden wij. En daar houden we je aan.

Toen we hem gingen opzoeken, riep de priester die op zijn achterste benen ging staan: 'Willen jullie het graf van de admiraal openen? Geen denken aan!' Hij zei tegen Oriol: 'Dat wilde je vader ook al en dat heb ik hem belet. Trouwens, onder het beeld zit niks, het heeft jarenlang in het Museo Marítimo gestaan.'

'Wilde mijn vader die graftombe openmaken?' vroeg Oriol.

'Dat zei ik toch; hij wilde er iets in leggen. Maar dat heb ik niet toegestaan.'

'En wat heeft hij gedaan?'

'Hij heeft het aan mij gegeven voor het geval jullie het graf ook wilden openen.'

Binnen enkele minuten hadden we eenzelfde bundel papieren in onze handen en met dezelfde zegellak als die uit boekhandel Del Grial.

We keken elkaar glunderend aan. Het ontbrekende stuk!

39

We werden weer kinderen. Als ik aan die dagen terugdenk, besef ik dat we voortdurend terugkeerden naar onze kindertijd.

Luis reed ons naar zijn appartement terwijl we allemaal opgewonden door elkaar zaten te praten. Daar aangekomen verbraken we net als bij de eerste bundel de lakzegels en zagen toen hetzelfde handschrift en hetzelfde soort papier. Oriol drong erop aan dat we bij de laatste regels van het eerste document zouden beginnen, en dat deed Luis, met de woorden van de oude Arnau d'Estopinyá:

Door de broeders Jimeno en Ramón was mij een heel bijzondere eer toebedacht. Ze wilden de kostbaarheden van iedere commanderij beschermen. Als alles in Miravet verzameld was, zou ik, mocht de situatie nog verder verslechteren, naar Peñíscola vertrekken om de schat naar de *Na Santa Coloma* te brengen, die door geen enkele koninklijke galei kon worden ingehaald, en hem op een veilige plaats verstoppen zolang de onzekere tijden zouden voortduren. Ik zwoer bij mijn eigen zielenheil dat die juwelen nooit in het bezit mochten komen van iemand die geen goede tempelier was. En Ramón Saguardia gaf me zijn ring, die met het breedarmige kruis in de robijn, ter herinnering aan mijn belofte en mijn missie. Ik was ontroerd door het vertrouwen dat die hoge monniken in mij stelden en ik bracht de dagen, in afwachting van het bijeenbrengen van de schat, door met vasten en bidden tot de Heer om een zo grote taak waardig te zijn.

Ik zou mijn leven geven, ik zou alles geven, om mijn opdracht toch vooral tot een goed einde te brengen.

Luis stopte even en ging toen door met het eerste blad van de tweede bundel:

Op 5 november had broeder Jimeno de Lenda een onderhoud met onze koning om zijn steun te vragen. Deze verzekerde hem dat hij geloofde in onze onschuld, hoewel hij pas zou beslissen of hij ons zou helpen nadat hij met zijn raad had overlegd. Maar Jaime II verweet onze meester wel dat wij onze kastelen aan het bevoorraden waren; hij liet ons dus in de gaten houden.

De ontmoeting met de koning stelde broeder Jimeno niet gerust en hij vroeg zijn luitenant en vriend, broeder Saguardia, zijn terugkeer naar de commanderij van Masdeu in Rousillon uit te stellen en bij hem in het hoofdkwartier van Miravet te blijven. De meester bleef er bij de koning op aandringen op te komen voor de Tempelorde en had op 19 november opnieuw een gesprek met hem in Teruel. In Miravet maakten wij ons intussen ongerust; broeder Saguardia hoorde geruchten dat de koning de dominicaan Juan de Lotger, de grootinquisiteur, bij zich had ontboden, en dat die ons wilde laten opsluiten. Hij zond onmiddellijk een boodschap naar zijn superieur: 'Wij denken dat u, heer, en alle broeders die zich aan het hof bevinden, in groot gevaar verkeren.' Maar broeder Jimeno hechtte geen belang aan zijn eigen veiligheid, alleen het redden van onze orde baarde hem zorgen, en hij besloot de waarschuwing te negeren en bij de koning te blijven.

De volgende dag vertrok ik met de zegen van broeder Saguardia na de eerste mis met een talrijk escorte naar Peñíscola; we reisden zo snel als de karren vooruit konden komen en ik voelde me niet veilig voordat ik de stevige planken van mijn galei onder mijn voeten had en de hele schat aan boord was gebracht. Ik vroeg de commandeur van Peñíscola, Pere de Sant Just, om extra bewaking voor die nacht, en de volgende ochtend vertrokken we bij het krieken van de dag. Dagen later kwam ik zeilend terug. Ik was tevreden dat ik de opdracht van de meester naar behoren had uitgevoerd, maar bedroefd omdat ik mijn Saraceense galeislaven, die me hadden geholpen bij het verbergen van de schat, had moeten opofferen. Sommige Moren waren al jarenlang slaaf bij ons en het deed ons veel verdriet hun de keel te moeten afsnijden.

'Wacht even!' vroeg ik aan Luis.

Dit had ik al eens eerder meegemaakt. Ik sloot me op in het toilet en ging op de bril zitten. Mijn god! Het gebeurde opnieuw. De droom van de slachting. Het strand, de woelige zee, de voortjagende wolken in de lucht en de monniken die die geketende stakkers de keel afsneden. Wat verschrikkelijk! En Arnau d'Estopinyá vertelde dat zomaar of het heel gewoon was. Ik ademde diep om mijn geest weer tot rust te brengen. Het lukte me maar niet om eraan te wennen. Ik keek naar de ring, die grote boosdoener, die flauw en onverstoorbaar glansde. Het verbaasde me niet dat Arnau d'-Estopinyá totaal de kluts was kwijtgeraakt, en dan heb ik het niet over degene uit de veertiende eeuw die het verhaal had opgetekend, maar over de huidige, de gek die dacht dat hij die ander was. Maar hij was blijkbaar goed genoeg bij zijn hoofd geweest om zich van de ring te ontdoen door hem aan Enric te geven in ruil voor een pensioen. En Enric? Had die vermaledijde ring hem tot moord en zelfmoord aangezet? Ik bekeek hem opnieuw. Daar was hij, onverschrokken, en hij zag er zo onschuldig uit, hij was zelfs mooi met die achtpuntige ster die er binnenin schitterde. Toen herinnerde ik me wat Alicia erover had gezegd en ik moest toegeven dat zij gelijk had: Mars, geweld en bloed overheersten in die mannelijke robijn.

Toen ik terugkwam was Luis aan het koffiezetten en praatte hij met Oriol over Arnau, die zichzelf, volgens hem, vast wel barmhartig moest hebben gevonden dat hij de roeiers alleen maar de keel had afgesneden, want in de islam heerste de algemene overtuiging dat onthoofden geen toegang hadden tot het paradijs. Hij dacht waarschijnlijk dat hij geestig was, want onmiddellijk daarna maakte hij op die typisch onbehouwen manier van hem een lollige opmerking over mijn veelvuldige toiletbezoek.

Oriol lachte naar me, zijn amandelvormige ogen samengeknepen alsof hij de draak wilde steken met de grappen van zijn neef. 'Doet je vinger nog pijn?' vroeg hij terwijl hij naar mijn hand wees. En ik begreep dat hij met zijn glimlach niet Luis, maar mij een hart onder de riem wilde steken; hij wist van de ring en voelde intuïtief mijn pijn.

Luis begon weer te lezen en door de eeuwen heen hoorden we weer de stem van Arnau d'Estopinyá:

Bij mijn terugkeer hoorde ik dat onze meester, in weerwil van het gevaar, had besloten de koning naar Valencia te volgen om te blijven bemiddelen voor de orde. Maar daar liet de koning hem op 5 december opsluiten in ons klooster in de hoofdstad, ondanks al zijn mooie woorden. En daar liet don Jaime het niet bij: twee dagen later werden alle broeders uit Burriana gevangengezet, daarna nam hij het kasteel van Chirivet in, dat geen tegenstand bood, en ging hij verder naar het noorden in de richting van de vesting in Peñíscola. Het verraad van de Aragonese vorst, net als dat van die doortrapte koning van Frankrijk, overviel veel broeders als een complete verrassing, zodat ze niet in staat waren zich te verdedigen. Toen ik hoorde dat ze in aantocht waren stond ik net op het punt om weer met mijn schip naar het zuiden te varen. Het was niet het goede jaargetijde en we hadden te weinig roeiers, maar de *Na Santa Coloma*, trouw aan haar naam, kon prima alleen op de zeilen varen en mijn bemanning was me trouw.

Maar die vlucht zou betekenen dat ik in geen enkele Cataalanse of Valenciaanse haven meer kon aanleggen, noch in die van het koninkrijk Mallorca. Misschien wel nergens meer op christelijk grondgebied. Ik zou moeten overleven als zeerover door schepen te kapen van het koninkrijk Granada, Tremercén of Tunis, wat ik nooit gedaan zou hebben in opdracht van de Moren. En zo zou ik moeten wachten totdat de Tempelorde zijn vrijheid en eer weer terug zou krijgen. Maar stel dat de geruchten waar waren, dat paus Clemens v de actie van de koningen steunde, dan zou hij mij, als ik in opstand kwam, straffen met excommunicatie en dan zou mij en mijn bemanning niets anders overblijven dan Saraceense schepen aan te vallen tot we de dood vonden in de strijd, onthoofd door Moorse handen, of erger nog, opgehangen aan een christelijke strop. Maar eigenlijk hoefde ik daar niet bang voor te zijn, want een piraat op een galeischip als het mijne en met mijn kennis zou grote rijkdommen kunnen vergaren en weinigen zouden het hebben gewaagd hem aan te vallen. Ik realiseerde me dat ik hoe dan ook mijn broeders in deze moeilijke periode nooit in de steek kon laten. Wat kan ik u verder vertellen? Ik sprak met broeder Pere de Sant Just, commandeur van Peñíscola, die tegen me zei dat hij al erg oud was en besloten had de vesting over te leveren aan de koning. Toen vroeg ik hem toestemming om samen met degenen die mij wilden volgen naar de vesting van Miravet te mogen reizen, waar broeder Saguardia zeker in verzet zou komen tegen deze verraderlijke koning. Met zijn zegen vertrokken we in allerijl, drie sergeanten, een ridder en zeven niet-kloosterlingen, onder wie zeelui en soldaten. Hoewel we wisten dat ko-

ning Jaime drie dagen eerder het bevel had uitgevaardigd tot gevangen-
neming van ons allemaal en inbeslagname van de goederen van de orde, droegen wij trots ons habijt met daarop het rode kruis van de Tempelorde en evenmin verborgen we onze wapens. Niemand, niet de soldaten maar ook niet de lokale milities, durfde ons bij de wegcontroles
aan te houden.

Twee dagen later, op 12 december 1307, was Peñíscola zonder enige
tegenstand ingenomen; alle forten en commanderijen in de omgeving,
alle bezittingen van onze orde in het koninkrijk Valencia waren in beslag genomen en alle broeders gevangengezet.

Zoals ik had verwacht had broeder Saguardia geweigerd gehoor te geven aan het koninklijk bevel om het kasteel van Miravet over te geven,
en toen wij aankwamen was het beleg al begonnen. Ook de milities van
Tortosa en de dorpen in de buurt, die op koninklijk bevel voorbereidin-
gen troffen voor het beleg, durfden ons niet aan te houden.

Broeder Saguardia was erg blij ons weer te kunnen begroeten, hij omhelsde me en was opgelucht dat mijn missie was geslaagd. Hij wilde dat
ik de ring zou houden en zei dat niemand mocht weten waarom ik hem
droeg. Ook al had ik mijn geliefde schip voor altijd verloren, toch was ik
op dat moment gelukkig en wist ik dat ik op de plek was waar ik hoorde
te zijn. Strijdend, samen met mijn broeders. Ook de commandeurs van
Zaragoza, Grañena en Gebut waren daarheen gevlucht en we bereidden
ons allemaal voor op een lang beleg.

Aan het eind van het jaar kwam het bericht dat Masdeu, de commanderij van broeder Ramón Saguardia, samen met de overige bezittingen
van de tempeliers in Rousillon, Cerdaña, Montpellier en Mallorca in
beslag was genomen door koning Jaime II van Mallorca, oom van onze
koning Jaime II. Er was geen weerstand geboden en hoewel alle broeders werden gearresteerd, genoten ze nog een betrekkelijke vrijheid.

Aan het begin van het jaar 1308 waren er in Catalonië nog maar twee
kastelen die weerstand boden, Miravet en Asco; in Aragón hielden de
vesting van Monzón en nog een paar kastelen stand. Een daarvan, Li-
bros, hield de belegering op heldhaftige wijze zes maanden vol met
maar één tempelier, broeder Pere Rovira, geholpen door een groep
trouwe leken.

De koning zond op 20 januari een brief waarin hij ons sommeerde de
bevelen van de paus uit te voeren. Broeder Saguardia vroeg om onder-

handelingen, maar de koning reageerde niet. Toen dreigde Jaime II met de galg, inbeslagneming van goederen en vergeldingsmaatregelen tegen de families van soldaten die ons verdedigden. Broeder Berenguer de Sant Just, commandeur van Miravet, stelde voor de soldaten ontheffing uit hun dienst te verlenen en uit te betalen wat ze hun tot die dag schuldig waren. Saguardia ging akkoord en onderhandelde met de afgezanten van de koning over een vrije aftocht van deze troepen zonder schade of krenking van personen of goederen. We wilden niet dat deze onschuldige mensen en hun familie zouden lijden vanwege hun trouw aan onze orde. En verdrietig nam ik afscheid van mijn laatste zeelieden.

Toen vroeg broeder Saguardia aan de koning of hij boodschappers naar Rome wilde sturen om onze zaak te bepleiten bij de paus. Jaime II reageerde door opdracht te geven tot de bouw van belegeringsmachines en door ons kasteel met stenen te laten bekogelen. Hij liet versterkingen aanrukken uit Barcelona en vroeg hulp aan zijn oom, de koning van Mallorca.

En zo verliep het beleg met vruchteloze pogingen tot onderhandeling, met verraad, terwijl de levensmiddelenvoorraad slonk en de koninklijke druk op ons van dag tot dag toenam. Het hielp niets of wij de koning herinnerden aan de diensten die wij hem en zijn voorouders hadden bewezen bij de herovering van hun koninkrijken, dat wij zijn vader trouw waren gebleven toen de paus hem in de ban had gedaan en een kruistocht tegen hem had ingezet. In oktober slaagden we erin de belegeraars zover te krijgen dat ze een respectabele aftocht zonder schade accepteerden voor de jonge ridders en andere novicen die nog niet hun kerkelijke geloftes hadden afgelegd. Zij waren vrij om naar hun familie terug te keren.

Broeder Saguardia wantrouwde de koning, maar hij geloofde nog wel in de paus. Onze kloostergemeenschap zou net zo lang blijven bidden tot de paus zou inzien dat we onschuldig waren en ons weer in zijn gunst zou aannemen. Die dappere tempelier geloofde nog in de mogelijkheid om, met steun van Clemens V, de koning van Aragón te verslaan. Maar broeder Sant Just en de overige commandeurs dachten dat het kwaad van de paus zelf afkomstig was en dat we de voorwaarden die uit de onderhandelingen met de koning waren voortgekomen moesten accepteren.

Ten slotte gaf het standpunt van de meerderheid de doorslag, en geheel tegen zijn zin moest luitenant Saguardia op 12 december, na meer dan een jaar van verzet, Miravet en Ascó overgeven. Monzón en Chalamera hielden het nog een paar maanden langer vol.

In het begin was onze gevangenschap licht te dragen. Ik werd vastgehouden in Peñíscola met vier andere broeders: een ridder, een kapelaan en twee sergeanten. Ik had gevraagd of ik daarheen mocht omdat ik van daaruit de zee kon zien. *Na Santa Coloma* lag er al lang niet meer, die hadden ze overgebracht naar Barcelona.

Twee maanden later was het mijn beurt om ondervraagd te worden door de Inquisitie. Ze hadden een lijst met vragen, zoals of ik naar hun kruis had gespuugd, of ik Christus Onze Heer had verloochend, of ik mijn medebroeders in het kruis of op andere edele delen had gekust, of ik onkuise handelingen had verricht met medebroeders of soortgelijke onzedelijkheden.

Wat zal ik u verder zeggen? Hoewel ik over die vragen had gehoord kon ik mijn verontwaardiging niet verbergen. Ik, die medebroeders had zien sterven bij het enteren van Saraceense schepen, die erbij was geweest toen de Egyptenaren de muren van Akko neerhaalden; ik, die honderden tempelbroeders kende die gestorven waren omdat ze het ware geloof verdedigden en die zelf op mijn lichaam de littekens droeg als bewijs van het vergoten bloed voor Onze Heer Jezus Christus; ik moest antwoorden op de smerige vragen van die dominicanen, die klerken die hun eigen bloed nog nooit hadden gezien behalve als ze zich per ongeluk verwondden aan de werktuigen waarmee ze andere christenen martelden.

De broeders die zich met ons hadden verzet tegen de koning, hadden met hem onderhandeld over het respecteren van onze persoon. Maar goed, die verrader brak weer zijn woord: we werden niet alleen zwaarder bewaakt dan degenen die zich vrijwillig overgegeven hadden, maar de zomer daarop liet hij ons ook nog eens allemaal ketenen.

Wat zal ik u verder vertellen? Als je het niet zelf hebt meegemaakt weet je niet wat het betekent om maanden en maanden met zware kettingen vast te zitten en je niet te kunnen bewegen, met een huid die kapot is door het ijzer en met opgezwollen ledematen. Je moet het doorstaan. De bisschoppen kwamen in Tarragona bijeen en vroegen de koning om ons van de voetboeien te bevrijden, maar de dominicaner inquisiteurs eisten daarentegen een nog zwaardere behandeling voor ons.

We werden naar Tarragona gebracht, waar de bisschoppen de koning opnieuw vroegen ons minder hard aan te pakken, maar kort daarop kwam er een brief van de paus met het verzoek marteling toe te passen. We werden naar Lleida gebracht en op een ochtend in november toen er een dikke mist hing werd ik op de pijnbank gelegd.

Deze keer onderbrak ik het voorlezen van Luis niet. Sinds de vorige keer was ik er zeker van dat in het verhaal van Arnau de marteling die hij ondergaan had zou voorkomen. Ik deed alleen mijn ogen dicht, haalde diep adem en terwijl ik mijn ontzetting wist te onderdrukken, luisterde ik aandachtig.

We wisten dat we ons moesten verzetten en niet mochten toegeven aan de pijn, zoals sommigen van onze Franse broeders hadden gedaan.

Luis ging door met zijn verhaal zonder mijn beklemming op te merken.

Het waren eindeloze uren, waarin de beulen twee rustpauzes per dag inlasten zodat elke broeder drie martelsessies per dag moest doorstaan. De inquisiteurs vroegen me steeds dezelfde obsceniteiten van de eerste keer, alleen stonden er nu ook de afgezanten van de koning bij, die wilden weten waar we de schat verborgen hadden die ze niet konden vinden. Leugenaar van een koning, dief en moordenaar! Geen van ons bekende de regel te hebben verzaakt, Christus Onze Heer te hebben verloochend, Baphomet te hebben aanbeden of ontucht te hebben gepleegd met onze broeders. Evenmin bekenden we een schat te hebben verborgen. Ik was liever gestorven dan dat die onwaardige koning, die laffe en wrede paus en die verachtelijke inquisiteurs zich van onze eigendommen meester konden maken.
Geen van de monniken, Catalaans, Aragonees of Valenciaans gaf toe onder zijn marteling en allemaal hielden we vol dat we onschuldig waren. Sommigen stierven door die folteringen, anderen raakten verlamd en Jaime II, die schijnheilige vorst, zond artsen en medicijnen om in de gunst te komen bij degenen die ons steunden. De huichelaar.
Bijna een jaar later werden we weer allemaal bij elkaar gebracht in Barcelona en verklaarde het concilie van Tarragona ons onschuldig.
Maar de Tempelorde bestond niet meer. Maanden daarvoor had Cle-

mens v de bul *Vox in excelso* uitgevaardigd, waarin onze orde, die het christendom zoveel roem had gebracht, definitief werd opgeheven. Bovendien werd op straffe van excommunicatie verboden je voor tempelier uit te geven. Wij mochten ons zelfs geen tempelier meer noemen! De koning gaf ons een pensioen naargelang onze positie; ik, als sergeant, had recht op veertien zilveren denariën. We kregen onderdak in huizen die werden beheerd door geestelijken die geen tempeliers waren geweest, en moesten onze geloften van zuiverheid, armoede en gehoorzaamheid naleven. We mochten afzien van de vierde gelofte, die van de strijd tegen de ongelovigen. En daar hadden we natuurlijk ook de middelen niet meer voor.

Het was vijf jaar geleden sinds ik voor het laatst voet aan boord van de *Na Santa Coloma* had gezet. Gedurende al die vreselijke jaren van boetedoening had ik de opbollende zeilen van mijn schip met het rode kruis in het midden voor me gezien, dat in het licht van de ochtendzon onderweg was naar Almería, Granada, Tunis of Tremencén om Saraceense schepen te enteren of tot zinken te brengen.

Dat beeld overviel me tijdens het bidden van de metten, het eten, het wandelen, op ieder willekeurig moment. Toen we onze vrijheid terugkregen spookte de gedachte door mijn hoofd om met een paar broeders te vluchten, een galei te bemachtigen en weer tegen de ongelovigen te gaan vechten; ik droomde ervan en bracht mijn tijd door met het smeden van plannen samen met andere broeders. Er waren erbij die nog nooit gevaren hadden, maar we wilden ons weer nuttig maken, onze waardigheid herwinnen. Het was de vrijheid. Maar het kwam er niet van. Het waren hersenschimmen van oude mannen. Ik was al boven de vijfenveertig en mijn lichaam had geleden onder de martelingen en de gevangenschap. Ik voelde me laf en de gedachte om biddend het einde van mijn dagen af te wachten werd steeds aantrekkelijker. Een monnik leerde me de beginselen van de schilderkunst en mijn pensioen was net voldoende om hout, pleisterkalk, lijm en verf te kopen. Ik dacht dat ik zo met mijn nederige en onbeholpen werk de Heer beter kon dienen, door zijn heiligen te schilderen waar het volk bij kan bidden.

Intussen bereikten ons berichten dat de paus en koning Jaime II als aasgieren om de buit van ons erfgoed vochten. De koning had het voor elkaar gekregen dat er in de bul *Ad providam Christi* van dat jaar, waarin de paus de goederen van onze orde aan de Hospitaalbroeders toekende,

uitdrukkelijk een uitzondering werd gemaakt voor de Spaanse koninkrijken. En daarna kreeg hij van de paus toestemming voor de oprichting
van de Orde van Montesa, die hem trouw zou zijn en die de bezittingen
van de Tempeliers in het koninkrijk Valencia erfde. Uiteindelijk ging de
koning akkoord met de overdracht van de rest van de goederen in Catalonië en Aragón aan de Hospitaalridders, maar hij hield zo veel mogelijk voor zichzelf, met als excuus dat wij hem erg veel hadden gekost. Hij
eigende zich zo veel geld en juwelen toe dat er in sommige kerken zelfs
geen mis meer kon worden gelezen omdat alle liturgische attributen
verdwenen waren. Ook de rente op onze eigendommen die hij in de tien
jaar durende strijd met de paus had beheerd, verviel aan de kroon en
daarnaast nog een aantal strategisch gelegen kastelen. Ten slotte zorgde
hij ervoor dat de broeders van de Hospitaalorde tot onze dood onze
pensioenen moesten betalen.

We konden de naam van de Tempelorde niet meer in het openbaar gebruiken, maar het kwam bij niemand van ons op zich bij een andere orde aan te sluiten.

Bijna twee jaar na onze vrijlating kwam er bericht uit Frankrijk. Die ellendige koning Filips, de Schone genaamd, had de grootmeester van de
Tempeliers, Jacques de Molay, en twee van zijn hoogwaardigheidsbekleders in allerijl naar de brandstapel gestuurd. De oude man herwon op
het laatst zijn waardigheid, die door gevangenis en martelingen verloren was gegaan, en verkondigde de zuiverheid en onkreukbaarheid van
de orde, waarbij hij de koning en de paus beschuldigde. Terwijl hij stierf
in de vlammen hield hij schreeuwend zijn eigen onschuld en die van
ons vol. Er wordt gezegd dat hij daar in die martelgang de Franse koning en de paus dagvaardde voor het tribunaal van God. En vreemd genoeg kwamen ze allebei nog datzelfde jaar om.

Koning Jaime leefde veel langer en stierf vorig jaar in het klooster van
Santes Creus, vlak bij dat van Poblet. Het verhaal gaat dat hij zijn ziel
overgaf bij het vallen van de avond toen de olielampen werden aangestoken. In het overlijdensregister staat *Circa horam pulsacionis cimbali
latronis*. Ik kan niet zo goed Latijn lezen, maar dat uur is het uur van het
schemerdonker, ook wel het uur van de dief genoemd.

En zo eindigt mijn verhaal met de laatste gerechtigheid, de gerechtigheid van God. Ook ik verwacht binnen niet al te lange tijd voor Hem te
verschijnen en bid om genade. Ik smeek hem ook om de Tempelorde in

de toekomst op een of andere manier terug te laten keren om te strijden voor het licht, voor het goede.

En wat zal ik u verder vertellen? Aan het einde van mijn weg, vol trots, hoogmoed, overwinningen en nederlagen, lijden en hartstocht, heb ik ontdekt dat het geheim dat ik heb bewaard bij God ligt. Het ligt verborgen in de aarde waarop heiligen liepen en in de goddelijkheid van de Maagd. Moge God me mijn zonden vergeven en medelijden hebben met mijn ziel.

40

We keken elkaar zwijgend aan. Ik was ontroerd door het verhaal. Ten slotte begon Oriol te praten als de historicus die hij was. 'Het lijkt een authentiek verhaal dat overkomt als de getuigenis van een echte tempelbroeder, maar dan in modern taalgebruik. Zelfs de manier waarop hij zich rechtstreeks tot de lezer richt, is zoals gebruikelijk was bij Ramón Muntaner, de Catalaanse leider en kroniekschrijver van het epos van de soldaten die in Turkije en Griekenland op strooptocht gingen, die een tijdgenoot was van Arnau. Zoals: "Wat kan ik u verder vertellen?"

Misschien is de tekst een kopie van oudere vertaalde geschriften, of misschien heeft iemand een mondelinge traditie opgetekend. Ik denk het eerste: er zijn te veel exacte details. Ik ben goed op de hoogte van de geschiedenis van die tijd en alles is precies zo gebeurd als Arnau het vertelt. En ook al schildert hij Jaime II af als een rotzak, vaststaat dat hij een bekwame koning was. In plaats van de confrontatie met de paus aan te gaan, zoals zijn vader en overgrootvader hadden gedaan, maakte hij heel handig gebruik van hem, waardoor hij Corsica en Sardinië kreeg toegewezen. Hij deed alsof hij op verzoek van Clemens V zijn broer de oorlog verklaarde, maar toen die won, trok hij zich terug en mocht zijn broer over Sicilië blijven regeren, waar Jaime II overigens zelf eerder koning was geweest. Zo bleef het eiland in handen van de familie en ver van de Franse kroon. Met hem werd de macht van het Huis van Barcelona en Aragón aan de Middellandse Zee definitief gevestigd. De paus mocht geen enkele bezitting van de tempeliers in Aragón en Valencia houden; Jaime II is er daarentegen wel bij gevaren. Een logische zet tegenover zijn Franse rivaal die dankzij de tempeliers een fortuin verwierf. Want geld was, en is nog steeds, een fundamenteel strategisch element, onontbeerlijk om legers uit te rusten.

Ondanks het feit dat Arnau zijn medebroeders beschrijft als helden die bestand waren tegen martelingen, was het alom bekend dat hun in Aragón de hand boven het hoofd werd gehouden en dat er alleen maar werd gemarteld om de paus een plezier te doen, die doorlopend zat te klagen dat de beulen hier niet tot het uiterste gingen. Maar toch, het bleef marteling – we moeten ons niks laten wijsmaken; sommige kwellingen kun je nu eenmaal verdragen, andere niet. Koning Jaime II was ervan overtuigd dat alles één grote leugen was van Filips de Schone, die macht had over de paus, maar wilde toch op goede voet blijven staan met de paus. In Frankrijk daarentegen kwamen de ergste vormen van marteling voor, zodat velen alles bekenden wat de koning wilde. "Als ze wensen dat ik beken Christus te hebben gedood, zal ik dat doen," zei een Franse tempelier, "want ik kan niet meer verdragen."'

'Het is wel een heel mooi verhaal,' viel Luis Oriol in de rede, 'maar het levert geen enkel spoor op.'

'Misschien toch wel,' antwoordde Oriol nadenkend.

'In de op een na laatste zin?' vroeg ik.

Luis pakte de documenten weer op en zocht naar de laatste bladzij. 'Het geheim dat ik heb bewaard ligt bij God. Het ligt verborgen in de aarde waarop heiligen liepen en in de goddelijkheid van de Maagd,' las hij. 'De aarde waarop de heiligen liepen!' riep hij uit. 'Onder de voeten van de heiligen en van de Maagd hebben we die geheime inscripties gevonden.'

'Ja, dat klopt,' zei zijn neef.

'Oriol,' onderbrak ik hem, 'ik heb een idee. We hebben nog niet van de hele panelen röntgenfoto's laten maken.'

'Natuurlijk wel,' antwoordde hij. 'Je hebt ze toch gezien.'

'Laten we ze nog een keer bekijken.'

Oriol liet ons de röntgenfoto's van de drie panelen zien. De schilderijen waren amper te herkennen en ik vroeg: 'Klopt het dat als de röntgenstralen niet goed doordringen er een witte vlek op het schilderij ontstaat?'

'Ja.'

'En als het beeld helemaal wit is, komt dat dan doordat er een metalen voorwerp in de weg zit?'

Oriol zei glimlachend: 'Ik weet al waar je heen wilt.'

'Wat bedoel je?' vroeg Luis ongeduldig.

'Nogal logisch,' antwoordde ik glunderend. 'In het midden van het paneel zijn de röntgenstralen niet doorgedrongen. Zie je dat hele stuk wit op de foto?'

'De aureool van de Maagd!' riep Luis uit.

'Ja,' onderbrak Oriol. 'In de tekst staat: "de goddelijkheid van de Maagd". Dat moet een aanwijzing zijn. Eigenlijk had er moeten staan "de heiligheid van de Maagd", omdat de Maagd een menselijk en geen goddelijk wezen is. En in de christelijke iconografie wordt heiligheid afgebeeld door een goudkleurige krans om het hoofd, die we aureool noemen. Op de röntgenfoto heb ik er niet op gelet, het leek normaal. Op verschillende schilderijen uit die tijd, vooral op Italiaanse en op enkele Griekse iconen, is de stralenkrans niet van goudpleister maar van metaal; verguld tin waarin eerst bloementekeningen of een inscriptie waren geëtst.'

Oriol ging een gereedschapskist halen terwijl wij de aureool van de Maagd op het paneel aandachtig bekeken. Het kon natuurlijk best een stuk tin zijn.

'Wat een sufferd ben ik,' zei Oriol. 'Als er in plaats van röntgenstralen, zoals mijn vader in zijn testament aangaf, infrarood was gebruikt, hadden we kunnen zien of er ook een tekening of een inscriptie onder het metaal zat. Maar we gaan niet tot morgen wachten om die infraroodopname te laten maken...'

Niemand wilde wachten. We legden het paneel op tafel en met een fijn mesje begon Oriol aan de zijkanten van de aureool te peuteren. Even later lichtte hij een randje ervan op. Het was waar! Hij was gemaakt van een fijn, enigszins flexibel metaal! Heel voorzichtig maakte hij de aureool los, die er in zijn geheel af ging. En daaronder kon je in één oogopslag lezen: *Illa Sanct Pau.*

'Isla San Pablo,' riep ik uit. 'De schat ligt in een grot in zee bij het eiland San Pablo!'

'Isla San Pablo?' vroeg Luis. 'Daar heb ik nog nooit van gehoord.'

'Nee,' bevestigde Oriol. 'Ik ook niet.'

De glimlach bevroor op mijn lippen.

San Pablo. Een onbekend eiland. Het moest wel heel klein zijn of heel ver weg liggen. We gingen ernaar op zoek, ik op allerlei kaarten en in de atlas, en mijn vrienden ook door het te vragen aan iedereen die het zou kunnen weten, van schippers tot geografen. Toen we elkaar 's middags weer zagen, had niemand nog enige aanwijzing waar dat eiland lag.

'Ik heb er de hele dag aan moeten denken,' zei Luis. 'Zou het kunnen dat het een andere naam heeft gekregen? Zouden de tempeliers, vanuit hun religieuze achtergrond, de eilanden niet de namen van heiligen hebben kunnen geven?'

'Dat is heel goed mogelijk,' gaf Oriol toe.

'Op de kaart staan San Pietro en San Antioco op Sardinië,' las ik mijn aantekeningen op. Verderop bij Italië ligt nog een eiland dat San Pietro heet, in een kleine archipel in de Tireense Zee die de Liparische Eilanden wordt genoemd, en in de Golf van Tarento ligt er een dat San Antico heet. Daarna zouden we naar de Adriatische en Ionische Zee moet gaan om andere heiligen te zoeken.'

'Nee, dat is te ver,' zei Oriol.

'Ik heb de namen ook opgezocht in het register van een atlas, zonder ook maar een eiland te vinden met de naam San Pablo, Sant Pau, Sant Pol, Saint Paul, Santo Paolo, zelfs niet zonder "heilige" ervoor,' besloot ik efficiënt.

'Het moet tamelijk dicht bij Peñíscola liggen', zei Oriol.

'Waarom?' wilden wij weten.

'De dateringen in het verhaal geven de aanwijzing aan,' legde onze historicus uit. 'Arnau d'Estopinyá noemt het gesprek van broeder Jimeno de Lenda met koning Jaime II in Teruel op 19 november het moment waarop de beslissing werd genomen de schatten te verbergen. Dat is een erg laat tijdstip voor een galei. Dit soort schepen voer alleen van mei tot oktober. Het waren heel snelle schepen, maar met weinig diepgang en niet geschikt voor een woelige, ruwe zee. Bovendien hadden de bemanningsleden er weinig beschutting; de galeislaven woonden aan dek en waren bijna naakt. Dit was een beslissende factor in de Slag bij Lepanto, bijna driehonderd jaar later. De gezamenlijke christelijke vloot stortte zich op de Turkse galeien in de Golf van Lepanto, waar ze naartoe waren gevlucht om de winter door te brengen. Het was begin oktober en een deel van de Ottomaanse bemanning was al naar huis.

Een ervaren galeikapitein als Arnau zou schip en vracht nooit hebben geriskeerd door in dat jaargetijde ver weg te gaan. Bovendien was Arnau, op 5 december, toen de koning de meester gevangennam, al een tijd terug, dus kan hij in totaal maar zo'n tien dagen op zee zijn geweest. Het lijkt me het beste om in een straal van twee dagen varen van een galei vanaf Peñíscola te zoeken; dit gebied omvat de kusten die Arnau het best kende. Kijk maar...'

Hij liep naar de kaart van de Middellandse Zee die op de tafel lag en pakte een passer waarvan hij de punt op Peñíscola zette en waarbij het andere been bij de Cap d'Agde uitkwam. Hij beschreef een boog waarbinnen de Balearen vielen en kwam in het zuiden uit bij Mojácar.

'Ik geloof niet dat ze dicht bij Cap d'Agde zijn geweest. Een tempeliersschip op Frans grondgebied liep gevaar en het noorden was richting kou en storm. En een ervaren zeeman zoals hij, die zijn schip goed kende, had nooit het risico genomen om in dat jaargetijde naar het gebied van de Tramontana te varen. Ik denk dat hij naar het oosten of het zuiden is gegaan. Daar liggen de Islas Columbretes, heel dicht bij Peñíscola, de Balearen en de hele zuidelijke kust, maar niet verder dan Guardamar, misschien tot bij Cabo de Palos. Vanaf dat punt was het Moors gebied.'

'Er is geen eiland met een heiligennaam op de Columbretes en ook niet op de Balearen of aan de kust van Valencia en Murcia,' zei ik. 'Maar wel op een paar eilandjes voor Cabo de Gata: San Pedro, San Andrés en San Juan.'

'Te ver weg, en daar zit onze heilige niet bij,' merkte Oriol op.

'Er is een dorp aan de Catalaanse kust dat Sant Pol heet, en in Alicante ligt Santa Pola,' bracht Luis in.

'Tegenover Santa Pola ligt een eiland dat in aanmerking komt,' liet ik weten. 'Maar het heeft geen heiligennaam: het staat op de kaart als Nueva Tabarca of Isla Plana.'

'Daar weet ik iets van,' zei Oriol. 'In de achttiende eeuw had Karel III er genoeg van dat het eiland een echt piratennest was en hij liet er een ommuurd dorp bouwen. Hij bevolkte het met uit Algerijnse gevangenschap bevrijde christenen van Genuese afkomst die op Isla Tabarka woonden, een vroegere Spaanse enclave in het noorden van Afrika, waar ze op koraal visten. Vandaar die naam.'

'Dus het eiland was een schuilplaats voor piraten. Saraceense piraten, is het niet?' vroeg ik. 'Wat gebeurde er op het eiland toen er nog geen christenen waren?'

'In de kronieken van de muzelmannen van het koninkrijk Murcia, waartoe dit gebied vóór de Reconquista behoorde, staat dat het onbewoond was, maar dat er wel een goede haven was die door de vijanden van de islam werd gebruikt voor piraterij.'

'Ook door Arnau d'Estopinyá?'

'Vast en zeker,' zei Oriol. 'Halverwege de dertiende eeuw werd de koning van Murcia een vazal van Castilië, totdat Jaime I, de grootvader van Jaime II, vanwege een oproer van de Mudejars moest ingrijpen om de Castilianen te helpen. Het gebied werd voorgoed ingelijfd door de Aragonese kroon dankzij een verdrag met Castilië aan het begin van de veertiende eeuw, een paar jaar voor de val van de tempeliers. We mogen aannemen dat Arnau het eiland goed kende, hetzij om christelijk grondgebied te beschermen of om de muzelmannen aan te vallen en te beroven.'

We spraken af dat Oriol in de geschiedenis van de eilanden nogmaals op zoek zou gaan naar een eiland dat Sant Pau, San Pol of San Pablo kon hebben geheten. Maar onze beste kandidaat was het eiland Nueva Tabarca.

De volgende ochtend belde hij me op mijn mobieltje.

'Schrijf op,' zei hij, maar hij ging verder zonder te wachten totdat ik mijn potlood had gepakt. 'De geschiedschrijvers Mas i Miralles en Llobregat Conesa denken dat de naam Santa Pola dateert van vóór de Arabieren en dat het nog daarvoor Sant Pol moet hebben geheten, omdat de Arabieren plaatsnamen vrouwelijk hebben gemaakt. Het werd geschreven als Shant Bul, waarvan de uitspraak het meeste lijkt op Sant Pol. De naam is afkomstig van de heilige die in het jaar 63 van onze jaartelling in Port Ilicitanus, de Romeinse benaming van Santa Pola, vermoedelijk aan land is gegaan om Spanje tot het evangelie te bekeren. In de omgeving kreeg het eiland de naam San Pablo, en volgens andere geschiedschrijvers stond het bewoonde gebied van Tabarca lange tijd in de parochieboeken vermeld als de nederzetting San Pablo.'

Mijn hart sprong op van vreugde. 'We hebben het,' fluisterde ik.

41

In de late namiddag zagen we het liggen. De zon verlichtte het eiland dat zich, drijvend op het diepblauwe water, bijna parallel aan de wolkeloze horizon uitstrekte. Op het rechterdeel verhief zich, hoog boven de zee, een muur, waarbinnen het dorp lag met als grootste gebouw een kerk die eruitzag als een fort. Het hele bouwwerk, met zijn muren en daken, schitterde in het roodachtige licht van de ondergaande zon, met schaduwrijke contrasten die de huizen in het dorp een kubistisch aanzien gaven; van ons uit gezien leek het zo uit een zeeroversverhaal te zijn geplukt. Het eiland was vele malen langer dan breed en versmalde zich in het midden tot een haventje dat uitkeek op het noorden, in de richting van het vasteland. Links zag het er kaal en grauw uit met een paar torens, waarvan er eentje een vuurtoren bleek te zijn.

We stonden op het hoogste punt van het eiland Santa Pola: Luis had ons meegenomen naar de vuurtoren; het uitzicht was adembenemend en het eiland, nog volop in het licht, contrasteerde met het strand dat in de schaduw lag aan de voet van de steile kliffen, waar de berg aan de zeekant plotseling ophield. Het was duizelingwekkend om daar over de rand naar beneden te kijken.

'Het schateiland,' dacht ik hardop. 'Wat schitterend is het hier!'

Het rook er naar pijnbomen en plotseling steeg, vanaf een lager gelegen deel van de rots, heel stil een gigantische, veelkleurige vlinder met stijve vleugels op, die hoog boven ons door de lucht zweefde. Het was een meisje dat aan een parapentescherm hing. Ze werd gevolgd door een jongen en daarna door nog een. Ze kwamen omhoog uit de schaduwen daar beneden om het volle licht van de namiddagzon op te vangen. Het was prachtig.

Luis legde uit dat de zeewind die tegen de bergwand botste een bijna verticale luchtstroming veroorzaakte, waardoor ze tamelijk hoog boven die steile rots uit konden stijgen. Ik weet niet hoe ik erbij kwam om ons met die drie leerling-engelen te vereenzelvigen. Zij hingen boven het ravijn aan fragiele stoffen vleugels en wijzelf zweefden rond in een avontuur dat bestond uit oude woorden en een verhaal uit een lang vervlogen tijd. Het was eng om hen zo te zien. Voelde ik misschien het gevaar dat op de loer lag in onze eigen hachelijke onderneming? Ik had zin om Oriol te omhelzen, die net als Luis het schouwspel in stilte gadesloeg. Ik stond tussen hen in en sloeg mijn arm om hun middels; ik wilde niet discrimineren. Zij pakten me allebei bij mijn schouders en ik voelde hun warme lijven en die kameraadschap van vroeger, toen we als kinderen zulke goede maatjes waren. Ik herinnerde me de woorden van Kafávis uit 'Itaca' en ik wist dat dit een moment was van intense illusie en hoop; ik wilde de komende dagen van ieder moment genieten. Ik richtte mijn aandacht op de schoonheid van het landschap en op de warme gevoelens voor mijn vrienden, en diep inademend vulde ik mijn longen in een vergeefse poging om dit alles vast te houden, het voor altijd te bewaren: licht, vriendschap, emotie, de kleur van de zee, de schittering van de muren op het eiland... Ik zuchtte. 'Wat zal dit avontuur ons brengen?' zei ik.

De jongens antwoordden niet. Misschien vroegen ze zich hetzelfde af.

We hadden het naderbij zien komen vanaf de voorsteven van het bootje dat ons van Santa Pola naar Nueva Tabarca bracht. Het was een heldere dag, de zee was kalm en de zon, die nog laag stond, weerkaatste zo in het water dat het eiland in een zee van licht leek te liggen. Voor de kust lagen er aan die kant een paar rotsen in zee en daarna zagen we het dorp opdoemen met zijn hoog oprijzende muren en onmiddellijk daarachter de kolos van een kerk die overal bovenuit stak. Zijn vier grote barokke ramen, boven de daken van alle andere gebouwen, deden me denken aan de schietgaten van een brik waar elk ogenblik de kanonnen uit tevoorschijn konden komen. Boven ons hoofd vlogen de meeuwen en in het doorschijnende water zagen we een purperen kwal langs drijven die bijna zo groot was als een voetbal.

Op de boot, waar het op dat uur nog niet zo druk was, reisden dagjesmensen en ter ere daarvan gooiden de zeelui bij aankomst in de haven brood in het water om vissen te lokken die bij honderden tegelijk toeschoten en zich verdrongen rond de maaltijd – mooie, zilverkleurige en vraatzuchtige vissen.

'Laat die vissen maar,' zei Oriol. 'Binnenkort kun je ze gewoon niet meer zien.'

We legden aan en onderweg naar het dorp kwamen we door een open poort in de dikke muur van afgesleten, gelige kalksteen. Ik voelde me zoals toen ik als kind naar de piratenattractie van een van de pretparken in Florida ging. Aan de binnenkant van de poort zaten twee nissen, eentje gewijd aan de Maagd en in de andere stonden nog een paar heiligenbeelden en plastic bloemen. We lieten onze spullen in het hotel achter en gingen er toen op uit om de boel te verkennen. De neven kenden het eiland, omdat ze er vroeger een paar keer met hun familie waren geweest.

Nueva Tabarca doet haar tweede naam van Isla Plana, vlak eiland, eer aan. Het ziet er eigenlijk uit als twee eilanden die zich over zo'n dertienhonderd meter uitstrekken, elk met een centrale vlakte die zich gemiddeld tot zeven of acht meter boven de zeespiegel verheft. Het kleinste, dat in het westen ligt, is het hoogste en daarop ligt omgeven door muren, het dorp. De muren zijn grotendeels gebouwd op de hooggelegen steile rotsen die loodrecht uit zee oprijzen. Op de lager gelegen landengte in het midden is aan de zuidkant een strand en aan de noordkant een haven, die uitziet op het vasteland. Daar hadden zich volgens mijn vrienden veranderingen voorgedaan: een nieuwbouwwijk met op- en afritten en een paar restaurantjes aan het strand. Op het andere en grootste deel van het eiland staat een verdedigingstoren, van hedendaagse makelij maar wel met een Romeinse fundering, een vuurtoren en op de meest afgelegen punt het kerkhof. Ook zijn er nog overblijfselen te zien van een oude boerenhoeve, maar het enige dat momenteel nog een beetje groeit in dat gebied zijn, afgezien van wat dor struikgewas, een paar cactusvijgen. We waren het erover eens dat er, gezien de steile hoogte van het eiland aan de zeekant en de grillige vorm van de rotsen, vanzelfsprekend grotten moesten zijn.

's Middags begonnen we met ons onderzoek vanuit het water. We namen eenvoudige duikbrillen mee, een snorkel en een paar neopreen duiksokken die het zwemmen niet bemoeilijken en waarmee je langs de kust kunt lopen zonder stekels van egels of sneetjes van rotsen onder water in je voeten te krijgen. Allemaal net als vroeger, alleen hadden we toen plastic sandaaltjes. We zagen er net zo uit als al die toeristen die op de fascinerende zeebodem rond het eiland afkomen.

We verlieten het dorp door de poort in de westelijke muur en kwamen bij een pier die bijna doorliep tot een eilandje, La Cantera genaamd, te laag voor grotten, dat we dus besloten niet te onderzoeken. 's Middags, zoals meestal in die tijd van het jaar, stak de *lleberig* op, een zuidwestenwind die de zee vanuit het zuiden woelig maakte. Maar ten noorden van het eiland bleef het water kalm en daar, onder de muur die loodrecht boven ons hoofd oprees, begonnen we te zwemmen.

We waren opgewonden en in een uitstekend humeur; af en toe deden de jongens wie het snelste kon en dan lieten ze mij achter zich. Oriol, die langer en slanker was, won, ook al leek Luis met zijn nog steeds robuuste bouw gespierder dan zijn neef. Alleen toen zij even niet opletten en in bewondering naar een school goudgestreepte zeebrasems keken, waarvan de vinnen zilver- en goudkleurig vonkten in de zon, ging ik er voor één keer als een pijl uit de boog vandoor om hen van een afstandje uit te lachen omdat ze zo langzaam waren. Het was of ik weer een kind was, en alleen aan hun mannenlijven kon ik zien dat de tijd niet had stilgestaan.

We legden zo'n driehonderd meter in oostelijke richting af tot aan de haven en kwamen een paar punten tegen waar op zeeniveau openingen in de muren zaten, misschien oude half ingestorte grotten, die we later nader wilden onderzoeken. Voorbij het bolwerk vonden we een kleine grot die er niet erg veelbelovend uitzag, en toen we die hadden onderzocht waren we in de buurt van de haven en zetten we onze zoektocht voort nadat we voorbij de golfbreker gelopen waren.

Het volgende stuk begon bij een eilandje en een bergachtige kust met rotsplaten die tot in zee doorliepen en een glooiende helling van drie tot vier meter vormden die de kustlijn scheidde van de vlakte erboven. Een stuk verderop vonden we een komvormige afscheiding tussen de riffen, als een groot rotsbad, met warm water en een open verbinding naar de kust. Daar bood het eiland ons een prachtig onderwaterlandschap van rotsen vol levende organismen, rode zeesterren, zee-egels, koralen en groene en gele anemonen die plotseling opengingen bij een val in de blauwe diepte, met uitgestrekte groene zeegrasvelden, op het eiland ook wel verward met algen, die eigenlijk complete planten zijn met wortel, steel, bladeren en vruchten. Ze groeiden op het witte zand dicht onder het oppervlak en daar zwommen ontelbare vissen rustig tussen hun bladeren door. Hele scholen goud- en zilverkleurige zeebrasems, baarzen en veelkleurige slijmvissen, die soms uit pure nieuwsgierigheid helemaal in hun eentje dichterbij kwamen om door het glas van mijn duikbril te kijken. De zee was rustig en de zon kwam gefilterd door het oppervlak, waardoor rood en geel op grotere diepte werden uitgewist, maar dichter bij het oppervlak, waar wij zwommen, bleven de kleuren intact. Het was een heerlijke middag en hoewel we geen spoor van andere grotten hadden gevonden toen we de rots genaamd La Tanda bereikten aan de uiterste westkant van het eiland, besloten we, nog steeds in een opperbeste stemming, het onderzoek voor die dag te staken.

Voor het eten raakten we in een bar in gesprek met een oude visser die op het eiland geboren was en wiens achternaam, Pianelo, een verbastering van vlak, naar de geschiedenis ervan verwees. Hij had het over de 'Cova del llop marí', eigenlijk vlak bij waar wij nu zaten, onder aan de zuidelijke verdedigingswerken van het vestingdorp. Hij vertelde legendes over de grot, waar de laatste monniksrob in het begin van de twintigste eeuw zijn toevlucht had gezocht; verhalen over zeerovers, smokkelaars, vissers en ontvoerde maagden die klaaglijk huilden in lange stormachtige winternachten. De grot, op zeeniveau, was enkele meters diep en Luis stelde voor dat we daar morgenochtend meteen naartoe zouden gaan. Oriol wilde liever eerst ons onderzoek systematisch afmaken, te beginnen bij de rots La Tanda en dan verder langs de zuidkust naar het westen tot we bij het ommuurde deel uitkwamen. Ik mocht beslissen en het voorstel van Oriol won.

Ik denk met veel plezier aan die maaltijd terug. Ik was moe en stijf van de inspanning, maar het eten en drinken waren lekker en we lachten veel, ondanks, of misschien dankzij, de seksueel getinte grappen en insinuaties van Luis aan mijn adres. Hij was opnieuw het haantje van de ren, leuk agressief, en dat Oriol als mogelijke rivaal mij weleens zou kunnen versieren, leek niet eens bij hem op te komen. Hij scheen behoorlijk zeker te zijn van de seksuele geaardheid van zijn neef. Te zeker.

Ik keek naar Oriol en zat te wachten op zijn commentaar, zijn reactie op de flauwekul van zijn neef, op zijn glimlach die voortdurend op zijn gezicht verscheen als hij naar mij keek of naar Luis, op zijn lach, soms luidruchtig, die zijn mooie tanden liet zien. Het was waar dat zijn gebaren soms wat gemaakt leken, maar ik kreeg onherroepelijk een speciaal gevoel in mijn buik als onze blikken elkaar kruisten en eventjes plezierig bleven hangen als we in elkaars ogen keken.

We besloten een wandeling te maken voor we gingen slapen en Luis zei dat hij nog even naar boven naar zijn kamer moest.

Ik liep met Oriol naar de deur en stapte over de drempel. Ik excuseerde mijn slechte geweten over het feit dat we niet op hem wachtten met een: 'Het eiland is zo klein, hij vindt ons wel.'

42

We liepen naar de noordkant van de stadswal door straatjes waarvan de tuinen door muren aan het oog werden onttrokken. De omheiningen waren begroeid met bougainville en geurige jasmijn, die in het licht van de straatlantaarns zacht paars, kaneelkleurig en wit waren tegen de groene ondergrond. De nachtschonen gingen open op het pleintje van de kerk, en het exotische silhouet van een palmboom tekende zich af tegen de sterrenhemel. Het was een warme avond in begin juli en nadat de toeristen met de laatste boot waren vertrokken heerste er een intieme, gemoedelijke en rustige sfeer.

Toen ik Oriol bij de hand pakte zwol mijn hart door mijn eigen moed en door het plezier mijn hand in de zijne te voelen, groot en warm. Zonder wat te zeggen liepen we naar de rondweg op de muur.

Voor ons lag de baai met het zwarte water dat werd doorkliefd door een vissersboot en omlijst door de lichtjes langs de kust. Ertegenover lag Santa Pola, rechts de vuurtoren die de heuveltop bekroonde, en verderop de stad Alicante.

We zaten op de borstwering van de rondweg die boven langs de stadswal loopt; een paar meter onder ons klotsten de zacht ruisende golven onophoudelijk tegen de muur.

En na een paar minuten waarin niets werd gezegd, begon hij plotseling zachtjes te praten. Misschien was het een vervolg op het gesprek dat we hadden in de nacht van Sint-Jan. 'De dood van mijn vader doet me nog steeds pijn, dat hij me in de steek heeft gelaten.'

'Ik weet zeker dat hij je niet in de steek wilde laten. Misschien was het een erezaak.' Oriol keek me vragend aan.

'Misschien had hij een vriend een belofte gedaan.' Ik was niet van plan hem te vertellen over dat visioen waardoor ik wist dat zijn vader had besloten te sterven om zijn minnaar te wreken, tenminste nu nog niet.

'Je weet wel,' ging ik door toen hij bleef zwijgen, 'de eed van de tempeliers, die van het heilige Thebaanse legioen waarover je me hebt verteld...'

Ik dacht aan wat Oriol zelf tegen me had gezegd. 'Is het niet mooi zo veel van iemand te houden dat je er je leven voor geeft?'

'Dat verhaal is nog niet afgelopen,' zei hij even later peinzend. Had hij misschien mijn gedachten gelezen? 'Tussen ons en de Boixs kan nog bloed vloeien.'

Ik huiverde. Het waren dezelfde woorden als die van Artur.

'Kijk eens naar de rust hier, naar de schoonheid van het moment,' ging hij verder. 'Het voelt als de stilte voor de storm. Artur Boix zal niet afzien van de schat. Ik weet niet hoe, maar ik ben ervan overtuigd dat hij ons in de gaten houdt.'

Zijn hand omklemde nog steeds de mijne, en toen hij die woorden sprak, greep hij hem nog steviger vast. Plotseling, toen ik niet reageerde, zei hij: 'Die gelofte van de tempelridders. Zou jij die met mij willen afleggen?'

Ik was stomverbaasd over zijn voorstel, dat me tot nadenken stemde. Historisch gezien was het een overeenkomst tussen personen van dezelfde sekse. Liet Oriol doorschemeren dat dat bij ons het geval was? Ik wist niet of ik zin had hem hierop te antwoorden, tenminste niet in woorden, en ik besloot het erop te wagen hem een zoen te geven – daar verlangde ik naar. Met een luid kloppend hart bewoog ik mijn mond steeds dichter naar de zijne: ik wilde nogmaals de smaak van de zee proeven, die van mijn puberteit.

'Dus jullie zijn hier!'

Van de honderden keren dat ik Luis wel de nek om had kunnen draaien, spande deze wel de kroon. Dat talent van hem om op het meest ongelegen moment op te duiken... Daar stond hij, aan het einde van de rondweg; hij liep ons tegemoet maar was nog te ver weg om te zien wat we in het schemerdonker deden.

De afstand tussen Oriol en mij, die zo-even almaar kleiner werd, werd ogenblikkelijk groter en ik liet zijn hand los. Ik geloofde niet dat Luis ook maar iets had gemerkt, maar ik wilde niet dat hij domme grappen ging maken.

Toen we even later teruggingen naar onze kamers, voelde ik nog de warmte van de hand van Oriol in de mijne en het verlangen naar die mislukte kus. Ik smachtte ernaar, leunend tegen de vensterbank vanwaar ik uitkeek op het zuiden, op de open zee. Net toen ik de verre lichten van een schip ontdekte, werd er discreet op mijn deur geklopt. Mijn hart sprong op.

Ik zei bij mezelf dat het Oriol moest zijn, dat hij hetzelfde voelde als ik, en dat de plotselinge verschijning van zijn neef hem ook had geïrriteerd. Ik rende naar de deur, maar toen ik opendeed stond ik tegenover Luis. Zijn glimlach was half plagerig, half verleidelijk.

'Kan ik je even gezelschap houden?' bood hij aan.

'Rot op, idioot!' snauwde ik, terwijl ik zo hard als ik kon de deur voor zijn neus dichtsmeet. Zou die stommeling zijn eigen grappen echt hebben geloofd?

Verontwaardiging, teleurstelling, hevig verlangen – ik weet niet hoe ik moet uitleggen wat ik op dat moment voelde, maar de woede zakte snel. Ik was in de war en verlangde naar die kus waarvan ik zeker wist dat Oriol hem een paar minuten geleden graag had beantwoord. Iets diep binnenin mij zei me dat. Ik moest wat doen aan die mislukking. Ik keek naar mijn ringen. Die met de diamant glansde onschuldig, zuiver, herinnerde me aan mijn relatie met Mike, en de rode robijn, vol passie, fonkelde ironisch. Ik deed ze allebei af, legde ze op het nachtkastje en verstopte ze woedend onder een kussen. Ik wilde ze niet meer zien.

Ik dacht aan mijn moeder en aan haar probleem met Enric. Zij had tenminste de moed gehad om het te proberen. Het was niet goed afgelopen, maar dat was niet haar schuld. Was ik soms een lafaard?

Ik deed de deur open en liep voorzichtig de gang op. Er was geen spoor van Luis meer te bekennen en ik bleef voor de deur van Oriol staan met opgeheven knokkels om te kloppen. En in die houding bleef ik stokstijf staan. Wat moest ik tegen hem zeggen? Kan ik je even gezelschap houden, net zoals zijn neef mij had voorgesteld? Ik krijg nog een kus van je? Ik realiseerde me dat dat was wat María del Mar de afgelopen veertien jaar had willen voorkomen. Plotseling werd ik bang. Wat zou Oriol wel niet denken? Zou hij echt homo zijn en me afwijzen? Of nog erger, zou hij toegeven, net als Enric had gedaan bij mijn moeder? En Mike?

Ik schaam me te moeten bekennen dat ik de aftocht blies naar mijn kamer. Ik dacht aan mijn moeder. Je had moed voor zoiets nodig! Vooral als je iets voor die ander voelde en bang was alles kapot te maken. Die nacht smoorde ik mijn tranen om mijn lafheid in mijn kussen en ik borg de twee ringen op in de la van het nachtkastje.

De volgende dag kondigde zich schitterend en wolkeloos aan met een rustige zee, en toen ik het raam opendeed, smolt mijn boze bui als sneeuw voor de zon weg. Ik besloot van de dag te genieten en na een goed ontbijt, vol gelach en veelbetekenende blikken, waren wij alledrie in een uitgelaten stemming.

De ochtend was een voortzetting van die onvergetelijke vorige middag. De zon streelde zelfs onder water je huid en verlichtte de vlaktes met het groene zeegras op het witte zand, dat afstak tegen de rotsachtige wanden die bijna loodrecht verdwenen in de onpeilbare diepte, waar honderden vissen zwommen op verschillende hoogtes in verrassend helder water dat steeds donkerder blauw werd. En de smaak van zout op mijn mond deed me denken aan mijn eerste kus. De Middellandse Zee was vriendelijk en warm en voerde me terug naar die mooie zomerdagen van mijn jeugd.

Behalve dat we van de zee genoten, leverde de verkenningstocht vanaf de oostkant van Tabarca tot het strand niets op. Maar in het zuidwestelijke deel, onder een van die kolossale rotsen waarop de muren van het dorp zijn gebouwd, stond ons een verrassing te wachten. Waar we dachten dat de Cova del llop marí lag, vonden we niet één, maar twee grotten, gescheiden door een kreek. Ze leken precies op elkaar, hoewel de ene iets dieper was dan de andere. Je moest er naar binnen zwemmen, omdat de eerste meters onder water stonden, maar daarna kwam de bodem boven de zeespiegel uit en vormde hij een rotsachtige ondergrond waarop hier en daar stenen lagen. Al vrij snel kwam je in beide grotten op een stuk waar grote keien de doorgang achterin afsloten. En hoewel we lantaarns bij ons hadden, wierp de verkenning van de grotten weinig vruchten af.

De twee volgende dagen doorzochten we nauwgezet alle grotten. We spitten zelfs met behulp van gereedschap de bodems van zand en kiezelstenen uit die boven de zeespiegel lagen. Onze stemming zakte naarmate de hoop iets te vinden vervloog, het lachen verstomde, en langzaamaan kwam met de moedeloosheid de vermoeidheid, de teleurstelling. We verzetten ons ertegen, maar ten slotte kwamen we tot de pijnlijke conclusie dat ons avontuur ten einde was.

43

Op de terugweg wilde Oriol in Peñíscola stoppen om de zeebasis van de tempeliers te bekijken van waaruit Arnau d'Estopinyá de strijd tegen de ongelovigen aanging.

'Misschien vinden we hier een of andere aanwijzing,' was zijn argument om ons over te halen.

Maar eigenlijk hadden we helemaal geen zin in toeristische uitstapjes. Onze stemming was tot het nulpunt gedaald. Het verhaal over schatten en piraten was in rook opgegaan bij een laatste rondgang over het eiland waarbij we in geen van de grotten die we eerder hadden opgespoord en nogmaals nauwkeurig hadden onderzocht, iets nieuws hadden gevonden. Geen enkele aanwijzing die ook maar in de verste verte deed vermoeden dat Arnau zijn legendarische schat daar verborgen had. Ook konden we geen enkele nieuwe grot daar in de buurt vinden. We waren uiterst zorgvuldig te werk gegaan, stonden stil bij elke spleet, verwijderden stenen, groeven in het zand. Maar niets. Het was net als toen we als kleine kinderen met van die grote zeepbellen speelden met alle kleuren van de regenboog, die je als ze uit elkaar spatten met een nat en ontgoocheld gezicht lieten zitten.

'Hier zullen we echt niets vinden,' zei Luis teleurgesteld. 'Laten we maar zo snel mogelijk naar Barcelona teruggaan.'

Ik was het met hem eens, maar ik koos weer de kant van Oriol. Had hij altijd gelijk of wilde ik hem een plezier doen? Het antwoord was duidelijk.

We liepen door het oude gedeelte van het dorp met het fort. Oriol was verbazingwekkend energiek en goedgehumeurd, terwijl Luis en ik bijna liepen te sloffen uit pure moedeloosheid. We zagen de burcht van Papa Luna, die een paar honderd jaar na onze Arnau een schisma had veroorzaakt, en van de oude commandeur Pere de Sant Just, die op 12 december 1307 zijn fort, de haven en het dorp had overgeleverd aan de troepen van Jaime II zonder tegenstand te bieden. Sinds de tijd van de tempeliers was er veel gebouwd, maar je kon nog steeds bouwkundige elementen uit de dertiende eeuw herkennen, stenen die Arnau d'Estopinyá, als een dergelijk iemand ooit had bestaan, gezien moest hebben.

Daarna stelde Oriol voor het monumentale bouwwerk vanaf het strand te bekijken en Luis, die de pest in had, en ik, moe, sjokten achter hem aan. Daar, aan de kust met uitzicht op het fort, zei Oriol: 'Ik denk dat we de grot hebben gevonden.'

'Wááát?' riepen wij als uit één mond.

'Dat we hem hebben.' Hij lachte voldaan bij het zien van onze gezichten.

'Maar we hebben helemaal niks gevonden!' riep ik uit.

'Jawel, we hebben wel degelijk iets gevonden.' Zijn lach werd breder. Hij genoot er zichtbaar van.

'Iets gevonden? Wat hebben we dan gevonden?' Uit de agressieve toon van Luis viel duidelijk op te maken wat hij ervan dacht: zijn neef hield ons voor de gek.

'Een aanwijzing. Een belangrijke aanwijzing.'

'En dat is?'

'Stenen.'

'Kom op, Oriol.' Luis wond zich op. 'We hebben er massa's gezien. Ik heb kapotte handen van het verschuiven van al die stenen.'

'Ja, maar die waren niet van graniet of marmer.'

'Wat bedoel je, graniet of marmer?' vroeg ik om meer te weten te komen.

'Afgeslepen stenen. Zoals rolstenen van drie of vier kilo.'

'We hebben hopen afgeslepen stenen gezien,' antwoordde ik.

'Maar ze moeten van graniet of marmer zijn,' herhaalde Oriol nog eens.

'Daar hebben we niet op gelet, hè?' stoof Luis op. 'Waar wil je naartoe?'

'Gepolijste stenen van graniet of marmer op een eiland waar die steensoort niet voorkomt. Zegt jullie dat iets?'

'Dat het niet kan,' zei ik. 'Die horen daar niet.'

'Misschien zijn ze daar door zeestromingen terechtgekomen,' opperde Luis.

'Geloof jij dat stromingen stenen over de zeebodem mee naar beneden kunnen sleuren en dan weer omhoog kunnen duwen?'

'Ja, misschien.'

'Nee, die stenen zijn daar door mensen heen gebracht en sluiten de ingang van een onderwatergrot af.'

Luis en ik keken elkaar verbaasd aan.

'Ja, en ze hebben die afgeronde vorm omdat het projectielen waren,' vervolgde Oriol. 'Projectielen voor een katapult, die ook dienstdeden als ballast voor galeischepen.' En hij bleef ons zwijgend aankijken.

'Nou, vertel het nu maar allemaal in één keer!' viel Luis ongeduldig uit.

'Oké. Luister, ik heb een theorie. Aan de zuidkant van het eiland, op het oostelijk deel, tegenover een steile rots, ligt op ongeveer een halve meter diepte bij laag tij een stapel rolstenen die allemaal erg op elkaar lijken. Ze zijn ongeveer even groot en van een steensoort die mineralen bevat die op Tabarca niet te vinden zijn. In die streek heb je namelijk alleen metamorfe gesteentes, die in de loop van de tijd van structuur en vorm veranderd zijn en die donkergroen of soms okerkleurig zijn; in het verleden zijn er wel gesteentes met die mineralen op het eiland gewonnen. Het viel me bij de eerste ronde al op en ik heb het de keren daarna gecontroleerd. De stenen waar ik het over heb zijn daar door mensen neergelegd. En wie zou daar die stenen van bijna gelijke afmeting, maar met een afwijkende structuur naartoe hebben gebracht? Logisch nadenkend kun je zeggen dat die daar niet zomaar zijn terechtgekomen, maar dat iemand die ze gewoonlijk bij zich had besloot zich er om een bepaalde reden van te ontdoen. Ik kwam tot de conclusie dat ze afkomstig moesten zijn van een galei, waar ze als ballast en als projectiel gebruikt werden.'

'Leg dat van die projectielen eens uit,' zei Luis nieuwsgierig.

'Galeien hadden een uitrusting die was voorgeschreven afhankelijk van hun afmeting. De inventarislijsten uit die tijd zijn heel precies: zoveel riemen, reserveroeren, helmen, borststukken, lansen, kruisbogen, gewone bogen, pijlen, geschutsmachines en... de daarvoor bestemde projectielen. Aan het einde van de dertiende eeuw waren de Venetiaanse galeien al met artillerie uitgerust, maar het meest waarschijnlijk is dat de *Na Santa Coloma* van Arnau d'Estopinyá nog de oude katapulten gebruikte. En die schoten met ronde keien om de vijandelijke schepen te vernielen en met tonnen brandende olie om ze in brand te steken. Maar het doet er niet toe – ook als Arnau al artillerie gebruikte in die tijd, dan nog schoten de kanonnen stenen af. Heel simpel.

Als je een grot wilt verbergen die een opening vlak onder het wateroppervlak heeft in de vorm van een kleine zwanenhals, zoals hier het geval moet zijn, dan moet je er een paar grote rotsblokken voor leggen om te voorkomen dat de kleinere stenen naar de zeebodem afglijden, en dan dek je de rest af met de projectielen uit de vrachtruimte die als ballast dienden. Op die manier onttrek je de grot aan het zicht, maar kun je hem altijd weer openmaken door die hanteerbare stenen voor de ingang weg te schuiven. Wat denken jullie?'

'Ongelooflijk!' riep ik onder de indruk uit. 'De schat kan dus nog steeds bestaan?'

'Ja, dat denk ik wel.'

'En waarom heb je zo lang gewacht om ons dat te vertellen?' Hoewel er een opgewonden toon in zijn stem doorklonk, leek Luis nog steeds nijdig.

'Omdat ik bang ben voor Boix en zijn mannen. Ik heb er tijdens onze tocht voortdurend op gelet en ik heb niemand en niets vreemds gezien, maar ik weet zeker dat ze ons in de gaten houden. Artur Boix geeft zich niet gewonnen, en het leek me beter dat ze zouden denken dat wij teleurgesteld waren vertrokken. Het verbaast me dat we niets hebben gemerkt, maar ik ben ervan overtuigd dat hij van alles wat we doen op de hoogte is. Ik ben zelfs bang dat er microfoons in de auto zitten, daarom wilde ik hier op het strand met jullie praten en stel ik voor het er niet meer over te hebben, niet in de auto en ook niet thuis.'

'Maar vroeg of laat moeten we toch terug naar Tabarca,' merkte ik op.

'Vroeg,' zei Oriol. 'Ik loop al een paar dagen te broeden op de volgende stap. Mijn plan is om morgen ons normale leven weer op te pakken, waardoor het lijkt alsof we doorgaan met onze dagelijkse activiteiten. Overmorgen huur jij, Cristina, een auto en ga je een tochtje langs de Costa Brava maken. En jij, Luis, gaat op zakenreis naar Madrid. We moeten er zeker van zijn dat we iedereen die ons volgt op een dwaalspoor brengen. Jullie moeten zo min mogelijk bagage meenemen, alleen een reistas of zoiets. Ik ga, met een omweg, naar Salou, waar een vriend van mij een boot heeft van veertig voet, die ik mag lenen. Er is een opblaasbare rubberboot aan boord en daar ga ik mee naar Valencia, waar ik Cristina oppik in de jachthaven. Je kunt de huurauto het beste met de sleutels ergens binnenin verstopt achterlaten in de buurt van het station van een van de dorpjes waar je langs komt. Je stapt vervolgens uit in Barcelona, neemt de trein naar het vliegveld en koopt daar een ticket naar Valencia. Je instapkaart moet je pas op het allerlaatste moment gebruiken, zodat niemand weet waar je heen gaat tot het te laat is om je te volgen. Luis haal ik op in de haven van Altea.

Ik stel voor dat jij dezelfde tactiek volgt als Cristina, maar dan twee keer: eerst op je vlucht van Barcelona naar Madrid en nogmaals van Madrid naar Alicante. Als iemand jullie volgt, en alleen in geval van nood, kun je me op mijn mobieltje bellen om onze plannen eventueel aan te passen. Als jullie niet bellen ga ik ervan uit dat alles goed verloopt. Op de boot hebben we voldoende duikuitrusting om onder water te kunnen werken.'

'Overdrijf je niet een beetje met zo veel voorzorgsmaatregelen?' vroeg ik.

Oriol keek me aan met zijn blauwe amandelvormige ogen. Het was een doordringende blik, die me deed huiveren. Hoe was het mogelijk dat die man me alleen met zijn ogen nog steeds zo in verwarring bracht?

'Jij kent hem.' Dat wist hij, en ik antwoordde alleen maar met een nauwelijks zichtbaar hoofdknikje.

'Nee, je kent hem niet,' ging hij door, 'je kent hem niet echt. Hij is slim, hij is wreed, een crimineel die denkt dat wij, de Bonaplata's, bij zijn familie in het krijt staan, en hij eist schadeloosstelling. Hij zal niet opgeven, hij zal zich niet gewonnen geven.'

De woorden van Artur over bloedschuld kwamen weer bij me op, maar ik zweeg.

'Het is een gevaarlijk sujet, heel gevaarlijk, en je kunt niet genoeg doen om hem op een afstand te houden,' vervolgde Oriol.

Artur Boix, die volgens Oriol zo'n gevaarlijke man was, deed alles om mij te versieren. Hij was een heel aantrekkelijke aanbidder. Misschien niet voor mij, die een vriend in New York had, maar vast wel voor bijna alle andere vrouwen. En dat wist hij.

Dat had ik bij eerdere ontmoetingen gemerkt. Hij haalde alles uit de kast, zijn knappe uiterlijk, zijn mondaine gedrag en klasse, om zijn complimentjes kracht bij te zetten. Hij gaf je het gevoel een koningin te zijn.

En zo verliep de eerste helft van de lunch waarvoor hij me had uitgenodigd meteen de dag na onze terugkeer uit Tabarca. Alsof hij me verwachtte. Zonder het aan te roeren dachten we allebei aan die afscheidskus die ik verbaasd had geaccepteerd, voordat ik door de achterdeur de Santa Annakerk binnen was geslopen.

Ik moet bekennen dat ik me, tegen de tijd dat we aan het nagerecht toe waren, alweer tot hem aangetrokken voelde. Hij was een beroepsverleider. Ik mag het eigenlijk niet zeggen en op dat moment had ik beter moeten weten naar wie mijn hart uitging, maar sinds mijn aankomst in Barcelona had ik mij door de gebeurtenissen mee laten slepen en me zo intens in het vreemde leven gestort dat me hier wachtte, dat ik geen tijd had gehad om na te denken.

Ik was officieel verloofd, alleen hadden de omstandigheden me geconfronteerd met mijn eerste liefde die jarenlang, ondanks zijn afwezigheid, de enige ware was geweest. In zijn aanwezigheid raakte ik van mijn stuk. Dat op zich was al ingewikkeld genoeg, maar nu liep die andere charmeur ook nog om me heen te draaien, en hij liet geen middel onbeproefd om me voor zich te winnen.

Daar was ik in gedachten mee bezig toen Artur zijn hand uitstak en de mijne zocht om die te kussen. Dat was het einde van mijn overpeinzingen. Ik sloot mijn ogen, zuchtte en zei tegen mezelf dat als ik de laatste tijd mijn gevoelens zo slecht in de hand had, het ook nog wel een paar dagen langer mocht duren.

'En hoe staat het met de zoektocht naar de schat op Tabarca?' Die plotselinge vraag deed me schrikken. Mijn aanbidder had een financieel belang.

'Hoe weet jij dat ik op Tabarca was?'

'Ik weet het,' antwoordde hij lachend. 'Ik zeil om zakelijke redenen. Een deel van die schat is van mij.'

'Heb je ons bespioneerd?'

Artur haalde zijn schouders op en wierp me een van zijn intrigerende glimlachjes toe. Als een kind dat op onnozel kattenkwaad wordt betrapt.

'Dan weet je dus ook dat we geen enkel spoor hebben gevonden,' loog ik.

'Daar lijkt het op. Maar het stelt me teleur: ik had mijn hoop op jou gevestigd.'

'Op mij?'

'Ja, natuurlijk. Wij zijn toch maatjes.' Hij pakte mijn hand weer. 'En we kunnen meer zijn, als jij dat wilt. Ik heb recht op tweederde deel van de schat, als rechtmatige erfgenaam van de twee panelen die Enric van mijn familie gestolen heeft. Het andere derde deel is van jullie, maar die koppige Oriol heeft nooit met mij willen onderhandelen. Het is precies zijn vader.'

Ik lette scherp op of hij dat met boze opzet beweerde, maar ik merkte noch in zijn toon, noch in zijn gebaren enige ironie.

'Laten wij samen tot een akkoord komen,' zei hij. 'Ik ben bereid om een deel aan jou af te staan als wij een team vormen. En voor de lieve vrede zal ik de andere twee ook iets geven.'

'Dat klinkt geweldig,' zei ik. 'Maar er valt niets te onderhandelen. Er is geen schat,' besloot ik te liegen. Ik vond Artur leuk, maar ik wilde Oriol niet verraden. Misschien had de antiquair gelijk en moesten we tot overeenstemming komen. Daar moesten we het dan eerst over hebben.

'En wat ga je nu doen?' vroeg hij.

'Ik ga nog een paar daagjes genieten van de Costa Brava. Ik vertrek morgen.'

'Alleen?'

'Ja.'

'Dan ga ik met je mee.'

Ik keek hem weer aan. Wilde hij me verleiden of geloofde hij niet dat ik dat echt ging doen?

'Nee, Artur. Ik zie je wel weer als ik terug ben.'

Toen we uit het restaurant weggingen, nodigde hij me uit mee naar zijn huis te gaan. Ik moet toegeven dat ik even aarzelde voordat ik nee zei. Ik had twee goede redenen. De twee andere mannen. Maar ik maakte er wel een puinhoop van.

44

❧

Ditmaal zagen we het eiland helemaal aan de oostkant opdoemen. We waren vertrokken vanuit de haven van Altea, waar we Luis hadden opgepikt en de eerste nacht hadden doorgebracht in de beschutting van de haven. Het was een grote boot met een breed bed in het vooronder, dat de neven galant aan mij hadden afgestaan. Een kolossaal bed. Zij sliepen op veldbedden in het ervoor gelegen ruim, waar zich ook de keuken bevond. Oriol wekte ons vroeg, en met een behendigheid die me verbaasde, ook al wist ik dat hij een vaarbewijs had, maakte hij de boot klaar voor vertrek. Binnen enkele minuten waren we op weg naar het zuiden.

Toen ik in de verte het okerkleurige eiland ontwaarde dat werd verlicht door de zon die achter ons opkwam, sprong mijn hart op. Daar lag het schateiland weer. En nu zou het ons lukken!

We gingen aan de zuidoostkant voor anker; de sonar van de boot gaf zeven meter diepte aan en de kust lag op ongeveer vijfentwintig meter afstand. Daar, tegenover ons, lag de plek waar de projectielen die bestemd waren geweest voor de katapult op de galei van Arnau, de schat verborgen.

'We kunnen het beste een neopreen pak, dito sokken en handschoenen aantrekken om ons te beschermen tegen stoten, schrammen en kou,' adviseerde Oriol. 'Zwemvliezen zijn eerder lastig aan je voeten. We kunnen beter plastic sandalen over de sokken aandoen om ons tegen de rotsen te beschermen.'

We gingen enthousiast aan het werk. De zee was rustig en zoals Oriol had gezegd liep de bodem, die bestond uit afgeslepen keien van ongeveer hetzelfde formaat, door tot onder aan een steile rots die bijna loodrecht zo'n vijf meter uit zee oprees. Het eerste wat Luis en ik deden nadat we van de boot waren gesprongen en zwemmend de kust hadden bereikt, was kijken wat voor soort stenen het waren. En inderdaad, sommige waren van graniet en basalt, andere leken van marmer of kwarts, maar er waren ook gewone groenachtige keien bij van vulkanische oorsprong en okerkleurige van kalksteen, afkomstig van dat deel van het eiland. Natuurlijk hadden we niet aan Oriol getwijfeld, maar het was toch fijn om ze met eigen ogen te zien.

We hadden een stel sympathieke buren, hoewel soms wat luidruchtig: op de rotsen tamelijk ver boven ons nestelden pijlstormvogels met een witte borst, die af en aan vlogen voor hun eeuwige visvangst.

Bij laag water lagen de stenen zo'n vijftig centimeter diep en bij hoog water bijna een meter. We begonnen de keien naar een dieper gelegen stuk iets verder zeewaarts te gooien; zodoende wisten we zeker dat kleine golven ze niet terug zouden spoelen. De grens tussen de rolstenen en het diepere stuk werd gevormd door een klein rif met grotere keien die daar, zoals we hadden verwacht, best door mensenhanden konden zijn neergelegd.

In het begin gingen we aan de rand van het rif staan en kostte het ons weinig moeite de stenen eroverheen te gooien – vooral bij laag water hoefden we de snorkel niet te gebruiken – maar toen we keien moesten verplaatsen die verderop lagen, werd het erg lastig om over die stenen te lopen en besloten we een keten te vormen. De eerste pakte de steen, gaf hem aan de tweede en de derde gooide hem over de blokkade. Al gauw begonnen onze armen en rug te protesteren en realiseerden we ons dat het werk een paar dagen zou gaan duren. We namen regelmatig rust en bij vloed een pauze van enkele uren.

Oriol was doorlopend op zijn hoede en stak Luis en mij aan met zijn onrust.

'Ik denk niet dat Artur zo makkelijk te misleiden is,' zei hij steeds weer. 'Hij kan elk moment komen opdagen. En als dat gebeurt, ziet het er slecht voor ons uit.'

Daarom keken we argwanend naar ieder schip dat dichterbij kwam, maar gelukkig mocht je in dat gebied niet voor anker gaan. Iedereen ging naar het zuidstrand, dat zo'n vierhonderd meter verder naar het westen lag, voorbij een klein eiland en een rif. Van daaruit gingen de toeristen met behulp van een opblaasboot, en een enkeling zwemmend, naar de restaurantjes aan het strand of naar het dorp.

Als een vrouw die haar man ontrouw is, zo schuldig voelde ik me erover dat ik Oriol niet had verteld over mijn ontmoeting met de antiquair na onze terugkeer naar Barcelona. Belachelijk, dacht ik. Met geen van beiden heb ik iets, en als ik me schuldig zou moeten voelen, dan wel ten opzichte van Mike.

Tussen de middag gingen we met de boot naar het stuk strand. Als drie gewone toeristen stapten we uit het bootje en gingen we in een van de restaurantjes een heerlijke Taberquinse visschotel eten.

'We moeten niet vergeten het ook leuk te hebben; het harde werken mag het avontuur niet bederven,' zei Luis waarschuwend tegen Oriol toen er tijdens het eten een discussie ontstond over een tweede karaf sangria die ik bestelde. 'Denk aan de filosofie van je vader. Je moet onderweg van het leven genieten. Bij aankomst is daar niet veel tijd meer voor. Het avontuur is het doel, de schat alleen maar een kwestie van geluk.'

'Je hebt gelijk,' gaf Oriol toe. 'Maar ik ben ongerust vanwege Artur, bang dat hij onverwacht opduikt; ik ben past gerust als we die grot binnen kunnen.'

Als toeschouwster verbaasde ik me over de rolwisseling tussen de neven. De kraker, die zich tegen de gevestigde orde verzette, maakte zich zorgen over materiële zaken, terwijl de prozaïsche kapitalist en geldwolf wilde genieten van het moment, net nu hij een fortuin binnen handbereik had. Zo zie je maar hoe het kan gaan in het leven.

In de vroege ochtend van de derde dag begon de mistral op te zetten, de wind uit het noordwesten, maar omdat we aan de zuidoostkant van het eiland hadden aangelegd, zaten we in de luwte en konden we zonder al te veel problemen doorgaan met ons werk. Er kwam een ingang in de rots bloot te liggen waar je bij laag tij, ongeveer zeventig centimeter onder het wateroppervlak, een doorgang zag die naar het binnenste van het eiland leidde. Maar we moesten nog heel wat keien versjouwen. We wisselden elkaar doorlopend af en gaven de stenen aan elkaar door, om moeheid te voorkomen door het alsmaar in dezelfde houding staan. Maar naarmate het dieper werd, werd het steeds moeilijker en moest er voortdurend worden geworsteld met snorkel en duikbril.

Die middag werkten we als nooit tevoren. De tunnel ging voor onze ogen steeds verder open en ondanks de uitputting bleven we uit pure opwinding stenen bij de ingang weghalen. Intussen was de wind naar het oosten gedraaid en was de levant gaan waaien, waardoor hoge golven tegen de rots aan beukten. Op het laatst zat er niets anders op dan het trimvest, de persluchtfles en een lantaarn te gebruiken om in de holte te kijken.

Toen de zon onderging leek de tunnel wel begaanbaar, maar we besloten pas de volgende ochtend naar binnen te gaan. We waren te moe om die avond ons avontuur af te ronden, en de golven sloegen te onstuimig tegen de rots. Het was gevaarlijk, en helemaal omdat we zo uitgeput waren.

'Ze zeggen dat de levant meestal drie dagen aanhoudt,' zei Oriol. 'En erger wordt. We gaan een onrustige nacht tegemoet. We zouden er verstandig aan doen in de haven te schuilen.'

Dat wilden we niet. Nu de schat binnen handbereik was, was het te veel van ons gevraagd om hem alleen te laten.

Er waren golven van twee tot drie meter hoog voorspeld, heel vervelend maar niet gevaarlijk. Oriol besloot tien meter verder uit de kust te gaan liggen en op een diepte van elf meter gingen we voor anker. Ik nam een extra pilletje tegen zeeziekte in en de douche was een ware uitdaging. Het water spoot mee met de deining van het schip; je moest erachteraan bewegen en het was puur geluk als je de straal op je lijf opving. Het eten bestond die avond uit een paar sandwiches die we zonder veel praten opaten. De zee put je uit, en zeker als die zo woest is. Net als de vorige avonden vielen we doodmoe in bed; we waren echt aan het eind van ons latijn.

Toch bleef het maar door mijn hoofd spelen dat het morgen de grote dag zou zijn, de dag van onze dromen. De dag van de schat. Biddend dat de wind zou gaan liggen, dat de deining minder zou worden en dat we erin zouden kunnen, viel ik in slaap. Maar ik voelde me onrustig. Was het de opwinding of een voorgevoel? Er zou iets gebeuren.

's Nachts hoorde ik opeens een klap. Ik moet licht hebben geslapen, onrustig, want ik sprong meteen uit bed. Ik zocht het licht om me te oriënteren en merkte dat de deining nog heviger was dan toen ik naar bed ging. Wat was er aan de hand? Waren we ergens tegenaan gebotst? Voordat we gingen slapen hadden we het anker gecontroleerd en de schokken gaven me niet het idee dat het was losgeraakt; we konden niet op drift zijn geraakt. In het vooronder hoorde ik niets en ik dacht dat ik maar eens op onderzoek uit moest gaan. Ik deed de schuifdeur open die me scheidde van de kajuit en toen ik het licht aandeed, trof ik op de grond Luis aan, die erachter probeerde te komen waar hij was. Hij was bij slagzee uit bed gevallen en in zijn slaperige, verwarde uitdrukking zag ik dat dikkerdje van vroeger. Zelfs door mijn geschater werd Oriol niet wakker.

45

De levant bleef maar waaien, hoewel hij een beetje naar het zuiden was gedraaid. Hij bracht een dageraad zonder nevel en een zon die bijna onaangekondigd opkwam vanuit een horizon van zee en lucht.

Ik keek naar het eiland. De golven sloegen onvermoeibaar tegen de klippen; ze waren niet echt hoog, maar wel gevaarlijk en ik bedacht teleurgesteld dat we onder die omstandigheden niet de grot in konden. De pijlstormvogels op de steile rots waren al wakker en vlogen tegen de wind in, wedijverend met de meeuwen op zoek naar voedsel.

Ik was verbaasd zo vroeg bij dat deel van het eiland toeristen te zien. Hoewel het seizoen al begonnen was, hadden we daar op doordeweekse dagen niet veel mensen gezien – het lag te ver van het dorp en het strand, en het was dus niet druk. Maar ik schonk er geen aandacht aan.

Ik ging naar het toilet; daar besloot ik nog een pilletje tegen zeeziekte te nemen en weer naar bed te gaan. Ik weet niet waarom ik nog eens naar buiten keek. Twee boten van dezelfde afmeting als die van ons kwamen recht op ons af met een snelheid die ze op de golven deed dansen. Ik realiseerde me niet wat er gebeurde totdat ik een van de bemanningsleden herkende: het was Artur.

'Ze enteren ons!' schreeuwde ik naar de twee die nog lagen te slapen. 'Artur komt eraan.'

De neven reageerden nauwelijks, terwijl die anderen in volle vaart op ons afkwamen. Ze manoeuvreerden behendig en de boot van Artur kwam niet al te hard tegen onze achtersteven aan.

Plotseling leek Oriol te begrijpen wat er aan de hand was en toen was hij in één sprong uit bed. Alsof hij dat al vele malen in zijn dromen had meegemaakt, pakte hij zonder nadenken en zonder enige aarzeling een pikhaak en rende ermee naar het dek, waar hij hem als een knots begon te gebruiken om te verhinderen dat de mannen van de antiquair aan boord zouden komen. Een van hen kreeg een klap tegen zijn hoofd en viel in zee. Maar Oriol stond op de achtersteven en kon niet voorkomen dat er een paar mannen op onze voorsteven sprongen. We waren verloren.

'Bel de politie!' riep Oriol.

Ik haastte me naar de radio, maar Luis, die zijn neef de klus alleen had laten klaren, greep me bij mijn arm om me van het dek naar beneden te trekken.

'Niet doen,' zei hij. 'Als we de politie erbij halen, zijn we de schat kwijt. We kunnen beter onderhandelen.'

'Onderhandelen?' herhaalde ik verbaasd. 'Hoe kun je...' Ik maakte mijn zin niet af. Een van de vechtersbazen van Artur was uit de kajuit gekomen en belaagde Oriol nu van achteren.

'Achter je!' Ik schreeuwde naar hem en hij draaide zich bliksemsnel om, rondmaaiend met zijn pikhaak, maar die vent had zich al boven op hem gestort en kon de klap met zijn armen afweren. Artur en nog een man sprongen precies achter Oriol, die hem, toen hij zich omdraaide en zijn vijand daar zag, zonder een moment te aarzelen een dreun op zijn bek gaf. Het verbaasde me. De kraker bleek de krijgskunst te beheersen. Voor een pacifist deed Oriol het lang niet gek. De twee andere kerels, bijna even lang als hij maar veel robuuster, grepen hem tegelijkertijd vast en met het advies zich koest te houden verkochten ze hem een paar flinke opdoffers in zijn maag.

De klap die de antiquair te incasseren had gekregen was niet zo hard geweest, maar hij bracht toch zijn hand naar zijn mond om te kijken of het bloedde. Toen dat niet het geval bleek, kreeg Artur zijn mondaine air weer terug en hij wierp mij een glimlach toe. 'De Costa Brava ligt iets meer naar het noorden,' zei hij. 'Wist je dat, schatje?'

'Natuurlijk, lieverd,' antwoordde ik op dezelfde cynische toon. 'Ik ben van gedachten veranderd.'

Met een klein knikje accepteerde hij beleefd de uitleg van een dame.

'Meneer Casajoana,' zei hij tegen Luis. 'Ik zie dat u een man van uw woord bent en dat u zich aan uw afspraken houdt.'

Luis, dacht ik. Luis speelt onder één hoedje met Artur. Hoe is het mogelijk?

'Overeenkomsten zijn er om nagekomen te worden,' zei die. 'Nu bent u aan zet en moet u zoals afgesproken met voorstellen komen om een voor iedereen aanvaardbaar akkoord te bereiken.'

'Dat heb ik al eerder geprobeerd, maar tevergeefs. Denkt u dat ze nu bereidwilliger zijn?' zei Artur met een vals lachje. Hij genoot van zijn triomf.

'Ja, ik ben ervan overtuigd dat ze nu wel naar u zullen luisteren,' zei Luis, die mij een smekende blik toewierp.

'Hoe heb je dat kunnen doen?' verweet ik hem. 'Waarom heb je ons verraden?'

'Ik vind dat de heer Boix ook recht heeft op een deel van de schat,' zei hij met opgeheven kin, alsof hij zich niet wilde laten kennen.

'Heb jij dat toegezegd?' wilde ik weten. 'In naam van ons allemaal?'

'En hij heeft me ook zijn deel verkocht,' lichtte Artur toe. 'Een paar maanden geleden heeft uw vriend door te investeren in een paar internetbedrijven een heleboel geld verloren, geld dat niet alleen van hem was; hij zat aan de grond, we hebben onderhandeld en toen heb ik zijn deel van de schat gekocht. Vandaag is hij zijn belofte nagekomen.'

'Maar hoe kon je...?'

'Ik moest wel!' Luis was helemaal van slag. 'Hij dreigde me te vermoorden.'

Zijn toon deed me denken aan het huilerige dikkerdje van vroeger. God nog aan toe, dacht ik, als hij zo meteen gaat janken sla ik hem op zijn gezicht!

'En nu vermoordt hij ons allemaal,' kwam Oriol tussenbeide. 'Snap je het dan niet, idioot? Begrijp je dan niet dat hij, ook al komen we tot een overeenkomst, de stukken nooit zomaar kan verkopen met drie getuigen die hem kunnen aangeven?'

'Jij denkt dat je heel slim bent,' richtte Artur zich tot Oriol, die nog steeds door die twee onguur uitziende types bij zijn armen werd vastgehouden. 'Je dacht dat je mij voor de gek kon houden, dat de misdaad van die dégénéré van een vader van je ongestraft zou blijven, dat jij de hele buit binnen kon halen... En dan durf je mij ook nog te slaan...' Hij hief zijn rechtervuist op en sloeg Oriol, die zich niet kon verdedigen, keihard in zijn gezicht. Er klonk een doffe klap, alsof er iets brak. Ik snelde toe om tussenbeide te komen, maar Artur duwde me opzij.

'Weg jij!' raasde hij. 'Dit is iets tussen ons tweeën...'

Als advocaat zou ik nooit iemand aanraden om een dergelijke situatie op te zoeken, en al helemaal niet om er eentje uit te lokken. Maar als je als vrouw twijfelt tussen twee mannen, dan is er geen betere manier om achter je gevoelens te komen dan je pretendenten tegenover elkaar te zien staan... Echt. Je hart kiest onmiddellijk partij. Oriol vastgehouden te zien worden door die twee criminelen, met zijn lippen onder het bloed en Artur die hem triomfantelijk aanviel – ook al moest ik toegeven dat Oriol was begonnen – dat alles maakte een groot gevoel van tederheid bij me los voor die jongen met de amandelvormige ogen, en haat voor zijn tegenstander. Dus zoals te voorzien was koos mijn hart voor Oriol, en en passant haalde ik ook nog even die cursus zelfverdediging eruit, die ik nooit eerder had gebruikt door gebrek aan agressieve cliënten. Het gebeurde instinctief. Ik gaf Artur een trap in zijn kruis, loepzuiver. Het was een voltreffer, gevolgd door een hevig gebrul en ingehouden vloeken. Hij viel op zijn knieën met zijn handen, weliswaar wat laat, voor zijn edele delen om ze te beschermen en kromp in elkaar op de grond. Ik moet zeggen dat hij zelfs dat elegant en stijlvol deed.

Oriol maakte van de verwarring gebruik door zich los te rukken van de kerel die hem bij zijn rechterarm vasthield en gaf hem een elleboogstoot in zijn gezicht. De man viel achterover terwijl mijn vriend de andere op een vuistslag trakteerde, zodat die hem ook losliet in een poging de klap te ontwijken. En zonder er ook maar een seconde over na te denken sprong Oriol overboord. Ik wist onmiddellijk wat hij ging doen en voelde paniek in me opkomen. Oriol zwom zonder enige uitrusting of bescherming naar de ingang van de grot, waar de golven onafgebroken op beukten. Het was pure zelfmoord. We wisten niet hoe het er aan de andere kant uitzag. De grot kon wel zijn ingestort of onder water staan, of misschien zou hij uitgeput door het gevecht en het zwemmen niet voldoende kracht hebben om door die zwanenhals te komen, of zou hij door de golven tegen de rotswand worden platgedrukt, of honderdduizend andere dingen. Het zou een wonder zijn als hij het er levend van afbracht.

Sinds ons gesprek die eerste avond in het dorp, op onze eerdere reis, was ik blijven denken aan het voorstel van Oriol om samen met hem de tempeliersgelofte af te leggen, het gesprek dat door zijn neef was onderbroken. Misschien had hij gehoopt dat het een geschikt moment was om dat en nog iets meer te bezegelen in een kus, die ook door Luis verijdeld werd. De gelofte van het heilige legioen van Thebe, en van de Tempelridders, die gezworen hadden hun kameraad nooit in de steek te laten en hun leven voor hem te offeren. Die Enric ertoe had gebracht vier mensen te doden om zijn vriend te wreken.

Ik voelde vanbinnen dezelfde emotie, dezelfde kracht waardoor ik mijn vriend had verdedigd door Artur in zijn kruis te schoppen zonder me druk te maken over de gevolgen. En op dat moment, toen ik die tengere en verlegen jongen van wie ik zoveel hield en die ik mijn eerste kus had gegeven in de golven zag worstelen, kwam ergens diep van binnenuit: 'Ik beloof het je.'

De avond tevoren was ik uitgeput op bed neergevallen zonder me aan de basisregel voor onderhoud van duikuitrustingen te houden: alles uit elkaar halen en schoonmaken. Daar lagen mijn neopreen duikpak en dito sokken op de loden duiklaarsjes en het trimvest, met eraan vast de persluchtfles en de ademautomaat. Ik had alleen de luchttoevoer afgesloten. Gebruikmakend van de verwarring waardoor iedereen Oriol in de gaten hield, haastte ik me naar mijn uitrusting en toen ik het kraantje opendraaide zag ik dat er nog iets meer dan honderd atmosfeer in zat. Genoeg om ons allebei te redden. Ik deed de neopreen sokken aan, zette mijn duikbril op met de snorkel eraan, en toen ik het trimvest met de fles op een van die krakkemikkige bedden liet steunen lukte het me dat aan te doen. Er was geen tijd voor het pak en de duiklaarsjes. Op dat moment hoorde ik het eerste schot, toen nog een. Mijn hart ging als een razende tekeer. Ze zouden hem vermoorden! De schoften! Ze schoten op een weerloze man die vocht tegen de golven.

'Stop, idioten!' hoorde ik Artur schreeuwen en ik was blij dat ik hem niet harder had getrapt. 'Maak niet zo'n lawaai, verdomme! Zien jullie dan niet dat hij niet kan ontsnappen. Het barst van de mensen op het eiland.'

Ik vond het maar niks dat hij ervan overtuigd was dat we betrapt zouden worden en nog minder dat hij zich alleen maar druk maakte om het lawaai van de schoten. Maar dat veranderde niets. Het veranderde niets aan mijn belofte. En toen ik op het punt stond te springen, keek ik naar de kustlijn en zag ik daar inderdaad een aantal mensen staan te kijken, meer dan ik er eerst had gezien.

Toen voelde ik hoe ik van achteren krachtig beetgepakt werd en hoorde ik een spottende stem, luid en duidelijk zodat iedereen het kon horen: 'En jij schoonheid, waar ga jij naartoe?' Het was een van de zware jongens.

Ik vocht om me los te rukken, maar hij hield me zo stevig vast dat het me niet zou lukken los te komen. Wanhopig probeerde ik achteruit te trappen. Het was zinloos: zijn greep werd alleen maar nog steviger.

Als kind had ik altijd het idee gehad: Luis vindt mij leuk. Maar het was meer dan leuk vinden, hij was verliefd op mij. En daarom deed hij zo vervelend tegen me, zat hij me te pesten om zichzelf te bewijzen dat het niet zo was, dat het geen liefde was maar haat. Misschien voelde hij op dat moment voor mij wat ik kort daarvoor voor zijn neef had gevoeld en waarom ik naar Artur had getrapt; hoe dan ook, ik zag hem rechts van mij opduiken, zwaaiend met een van die stootkussens die de zijkant van de boot beschermden. En die liet hij neerkomen op de hufter die me vasthield: een vreselijke klap, die lekker hol klonk.

'Spring, haaibaai!' commandeerde hij, en hielp me tegelijkertijd met de uitrusting. Ik zette mijn duikbril op en het volgende moment viel ik, terwijl ik mijn trimvest opblies, in het water. Ik was vreemd gelukkig toen ik eenmaal zwom. Om hem, om Luis, om wat hij had gedaan. Om zijn herwonnen waardigheid. Ik weet niet of zijn actie ons van nut zou zijn – misschien waren we allemaal ten dode opgeschreven – maar Dikkerdje had zijn moment van glorie gehad. Dat grootmoedige en heldhaftige moment maakte wat hij gedaan had weer goed. Oriol en ik zouden het zwaar krijgen. Maar voor Luis zou het vast nog erger worden. Hij was de enige van ons die de piraten binnen hun bereik hadden om hun woede op af te reageren.

46

Ik bleef maar zwemmen. Zonder zwemvliezen is het zwemmen met een duikuitrusting uitputtend, en ik moest het trimvest een beetje leeg laten lopen om mijn armen beter te kunnen gebruiken. Even dacht ik Oriol te zien, die een paar meter voor me door de golven werd opgetild; hij moest vlak voor de branding zijn. Daarna zag ik hem niet meer. Toen ik dichterbij kwam lette ik goed op de cadans van de golven, die heftiger was dan de vorige avond. Ik moest de stuwkracht van een golf benutten en erin duiken voor de branding me weer mee terug sleurde. Het was niet diep en naar beneden nam de kracht van de stroming sterk af, waardoor het me misschien zou lukken in de tunnel te komen. Ik liet mijn trimvest helemaal leeglopen, maakte de snorkel los, deed het mondstuk in mijn mond en ademde rustig de ingeblikte lucht in. Hij deed het! Precies voor de top van een golf dook ik met een vaart naar beneden. Ik kon bijna niets zien. Ondanks de rotsachtige bodem vermengden de snippertjes dood blad van het zeegras en een wirwar van duizenden andere deeltjes zich met het schuim en de luchtbellen die ik uitblies. Ik voelde me gevangen in de terugtrekkende stroming naar zee en ging vooruit en achteruit zonder veel te kunnen zien. Ik dacht aan Oriol. Hij had geen persluchtfles bij zich en helemaal geen zicht. Dat had niet gemogen! zei ik bij mezelf.

Wanhopig zwom ik omlaag en naar voren, met één hand voor mijn voorhoofd om te voorkomen dat ik me stootte en met de andere hand ging ik langs de keien op de grond. Ik bleef borstzwemmen en zag de contouren van de ingang van de grot. Vreemd genoeg was ik toen voor het eerst die dag echt bang. Wat als het Oriol niet was gelukt in de grot te komen? Of er erger nog, als ik tegen zijn lijk zou botsen? Even zag ik voor me hoe zijn lichaam de toegang blokkeerde, drijvend tegen de bovenkant van de tunnel. Ik huiverde. Maar er was geen weg terug en ik trotseerde de duisternis.

Jezus, zei ik bij mezelf, ik ben vergeten de lamp mee te nemen. Maar dat hield me niet tegen. Ik voelde meteen de stroming in de tunnel, die me beurtelings naar voren en naar achteren duwde, en al was het met moeite, ik kwam vooruit; ook wist ik door het terugstromen van het water dat er ergens op z'n minst één luchtzak moest zitten.

Ik was iets meer dan een meter vooruitgekomen toen ik bleef steken. Mijn hart ging als een gek tekeer. Ik kon niet meer vooruit. Met mijn handen op de grond duwde ik mezelf naar achteren, maar ook zo kon ik me niet bewegen. Ik was doodsbang, raakte in paniek. Wanhopig probeerde ik een uitweg te vinden, maar zonder resultaat. Heb je wel eens claustrofobie gehad? Dat is afschuwelijk. Ik had er alles voor overgehad om uit die donkere, koude en vochtige graftombe te komen. Ik zat gevangen, ik kon me niet bewegen en met mijn armen raakte ik de muren aan die maar op zo'n dertig centimeter afstand zaten. Wat een angst! Ik deed een wanhopige poging om naar voren te bewegen. Niets. Hetzelfde naar achteren. Ik kreeg het benauwd, ondanks de perslucht, en ik begon te bidden na een volgende hysterische en vruchteloze poging. Ik dacht aan het advies dat duikscholen aan sportduikers geven: ga nooit een afgesloten ruimte onder water binnen zonder speciale training. En die had ik niet.

Ik had alleen een paar minuten geleden de belofte gedaan dat ik liever zou sterven dan iemand in de steek te laten. En die zou ik nakomen. Die was ik al aan het nakomen. Ik zou een afschuwelijke dood sterven; gevangen in de duisternis met nog maar een paar minuten te leven. Bij die gedachte werd ik zo wanhopig dat ik het opnieuw probeerde. Al snel snakte ik naar adem, zonder ook maar een centimeter vooruit te zijn gekomen in die lugubere graftombe, waar de vele luchtbellen mijn leven met seconden bekortten.

Hoe lang had ik nog? Misschien een halfuur lucht? Ik was al aan het doodgaan. Nu het einde naderde, merkte ik dat het me moeite kostte om te inhaleren. En dat betekende het einde.

Ik beloofde mezelf dat wanneer dat zou gebeuren ik me niet zou verzetten, maar dat ik het mondstuk weg zou gooien en diep zou inademen... water.

Het is vreemd. Dat voornemen om waardig de dood in de ogen te kijken, mijn lot te aanvaarden, hielp me rustig te worden. De ademhaling. Als ik kalmeerde zou ik minder lucht verbruiken. Langzaamaan kreeg ik mezelf weer in de hand. Ik zat vast. Liever gezegd, mijn uitrusting zat vast. Zonder had ik zeker naar binnen gekund. Ik zou de riemen kunnen losmaken, diep inademen en naar voren zwemmen; de uitgang aan de andere kant van de zwanenhals kon niet ver weg zijn. Anders had niemand erin gekund, al helemaal niet zonder uitrusting. En in de dertiende eeuw was men op eigen kracht binnengekomen. Toen herinnerde ik me dat we gisteravond tot na donker hadden gewerkt. We hadden lampen gebruikt. Waar had ik de mijne gelaten voordat we naar de boot teruggingen? Misschien, ja, had ik hem daarna toch... in de zak van het trimvest gedaan. Ik klopte erop, en daar aan de rechterkant zat iets hards. Licht! Het eerste wat ik zag was de drukmeter. Zeventig atmosfeer! Ik had nog even te leven. De tweede stap was mijn positie bepalen. Met aan alle kanten rotsen was het zicht beter dan buiten, en ik ontdekte dat mijn hoofd maar een paar centimeter van de bovenkant van de tunnel verwijderd was – ik dacht zelfs even aan de andere kant licht te zien. Misschien hadden we wel niet alle stenen in de doorgang weggehaald en was mijn persluchtfles blijven vastzitten in een holte bovenin. Door mijn eigen drijfvermogen kon ik niet de noodzakelijke centimeters zakken om los te komen. Ik bedacht een plan, in gedachten herhaalde ik het één, twee, drie keer om mogelijke tegenslagen te voorkomen en toen besloot ik aan de slag te gaan. Ik maakte alle gespen van het trimvest los, duwde de lamp die ik had aangeknipt in mijn slipje, ademde diep in en terwijl ik het mondstuk uitdeed zwom ik naar voren en naar beneden. Het trimvest ging tamelijk makkelijk uit. Na nauwelijks twee meter zag ik de waterspiegel aan de andere kant van de tunnel precies boven me. Ik wilde de uitrusting niet achterlaten – die kon mijn leven nog redden – dus zodra ik genoeg manoeuvreerruimte had draaide ik me om, zwom de doorgang weer binnen en dook naar beneden om het trimvest te pakken. Het leek tijden te duren voordat ik de opblaasknop had gevonden, en met één hand in de lucht om mijn hoofd niet te stoten kwam ik boven water: dat was verrassend dichtbij. Gered! Voorlopig.

Het was een bijzondere plek. Ik stond in een vrij hoge grot, die op en neer leek te gaan met het water dat werd voortgestuwd door de stroming in de tunnel. Die stroming werd veroorzaakt doordat de golfbeweging van de zee buiten naar binnen kwam door de nauwe doorgang van de zwanenhals waardoor ik ook naar binnen was gekomen. Van ergens bovenin kwam een flauwe lichtstraal binnen, die mij met een onverklaarbare vreugde vervulde. Aan een kant van dat geheimzinnig op en neer deinende meertje zag ik een plek waar de rots geleidelijk opliep en daar klom ik op om mijn trimvest neer te gooien.

Ik zag hem meteen. Hij lag languit, op zijn rug, op een plek buiten bereik van het stijgende water. Mijn hart sprong op van vreugde. Hij leefde! Roerloos, maar als hij die plek had bereikt betekende het dat hij nog leefde. Ik bescheen hem met mijn lamp, maar hij reageerde niet. Ik had met hem te doen. Behalve zijn bloedende onderlip zat zijn hele lichaam onder de kneuzingen. Het verbaasde me dat hij zover had kunnen komen. Hij had alleen de onderbroek aan waarmee hij was gaan slapen, kapot aan een van de pijpen.

Ik knielde naast hem en streelde zijn voorhoofd. 'Oriol,' zei ik zachtjes. Er kwam geen reactie. Ik was bang dat hij niet meer ademde.

'Oriol!' zei ik wat harder.

Ik weet niet of het kwam doordat ik langzaam door kou was bevangen of door de angst, maar ik begon te trillen als een rietje. Hij reageerde niet. Zou hij door uitputting zijn gestorven? Ik zocht zijn hartslag in de halsslagader, maar kon hem niet vinden.

'Oriol!' riep ik.

Toen raakte ik voor de tweede keer in paniek.

Ik probeerde mond-op-mondbeademing toe te passen en proefde nogmaals de smaak van de zee in zijn mond. Zoals op die dag van de storm. Alleen smaakte hij nu ook naar bloed.

Maar hij ademde. Hij haalde adem! Wat een opluchting! Ik dankte God toen ik mijn armen om hem heen sloeg en terwijl ik op hem ging liggen, erop lettend dat hij vrij kon ademen, wenste ik dat we elkaar zouden verwarmen.

En opnieuw zocht ik de smaak van zijn lippen.

Misschien waren het mijn liefkozingen die hem kracht gaven, want even later sloeg hij zijn ogen op, die ogen waar ik zo van hield en waar ik in het halfduister meer naar raadde dan dat ik ze echt voor me zag. Ik zei niets, maar drukte me stevig tegen hem aan en probeerde niet langs zijn wonden te schuren.

'Cristina!' zei hij ten slotte.

'Ja, ik ben het.'

Hij keek weer om zich heen en alsof hij plotseling begreep waar hij was riep hij uit: 'Wat doe jij hier?'

'Bij jou zijn.'

'Maar hoe ben je binnengekomen?'

'Door de tunnel, net als jij.' Ik streelde de haren van zijn voorhoofd.

'Ben je gek geworden?'

'Ben jij gek geworden?'

'Ik had mezelf beloofd dat ik en niet Artur de schat van mijn vader zou vinden.'

'En ik heb gezworen, zoals de jonge adellijke Thebanen van het heilige legioen, en zoals de Tempelridders, mijn kameraad niet in de steek te laten.'

'Heb je dat gezworen?' Zijn omhelzing werd iets losser om me in de ogen te kunnen kijken.

'Die belofte heb ik gedaan toen ik je van de boot zag springen.'

Hij antwoordde niet en even waren we stil. Ik veronderstel dat hij nadacht over de situatie.

'Dankjewel, Cristina,' zei hij ten slotte. Zijn stem klonk geëmotioneerd. 'Hij gaat ons hoe dan ook vermoorden. Maar zo sterven zou prachtig zijn.'

Ik kon het niet laten hem weer te kussen. Ditmaal beantwoordde hij mijn kus wel. Weer het zout, de woeste zee, zijn lippen, zelfs een grot en de kou zoals de eerste keer. Maar het verschil met nu was de smaak van bloed, een onheilspellend voorteken. Het kon me niet schelen en ik liet me meeslepen door de herinnering aan wat er ooit was, wat er had kunnen zijn en wel nooit meer zou gebeuren. Mijn tienerdromen waarin wij beiden, hand in hand, de wereld begonnen te ontdekken, die brieven vol liefdesgedichten die nooit waren aangekomen en dat ook nooit meer zouden doen. Niets van dat alles zou nog kunnen gebeuren. Oriol had gelijk. Artur zou ons vermoorden.

En plotseling dacht ik weer aan de schat. De schat! Die was ik helemaal vergeten, en dat was logisch. Ik was niet voor een of andere schat die grot binnen gegaan, maar voor hem.

Oriol leek evenmin enige haast te hebben om dat fortuin te zoeken. Het klopt inderdaad dat als je weet dat je gaat sterven of je overlevingskansen heel klein zijn, je anders over de dingen gaat denken. Waarom zouden hij en ik een schat willen hebben? Onze vriendschap, onze liefde, de minuten die ons nog restten, waren het enige wat telde in die grot. Goed. Misschien vond Oriol het nog nodig die schat te vinden. Maar dan vanwege zijn vader. Dat telde wel.

En zo zaten we, voor mijn gevoel maar even, elkaar zachtjes te strelen en te kussen, maar zo innig als je alleen maar doet als je weet dat het de laatste keer is. Omdat we op een droge plek zaten, begon ik het door al die liefkozingen minder koud te krijgen. En toen gebeurde er iets onverwachts. Ik begon een vertrouwde druk te voelen tegen mijn onderbuik.

'Oriol!' riep ik verbaasd.

Hij zei niets, maar de druk werd groter.

'Oriol!' herhaalde ik, maar nu opzettelijk, en ik duwde hem alleen maar een stukje van me af om zijn ogen te kunnen zien. Ondanks het tragische van de situatie was het toch wel lachwekkend.

'Zoals je ziet,' zei hij, 'kom ik weer op krachten.'

Ik wist niet dat je dat soort krachten had, dacht ik.

'Weet je het zeker?' wilde ik weten.

'Wat?'

'Dat dat ter ere van mij is?'

'Helemaal.'

En daar hield de dialoog op. We bezegelden die met een kus waarbij we zijn bloedende lip vergaten, onze kneuzingen, de schat, zelfs de dood die ons buiten dat liefdeshol wachtte. We voelden zelfs de stenen niet op de grond. Koud? Dat was snel over toen ik mijn natte kleren uitdeed.

We beminden elkaar hartstochtelijk. Ik herinner me niet ooit in mijn leven zoiets te hebben meegemaakt, en als ik die ochtend nog twijfels had gehad over de seksuele voorkeuren van Oriol, waren die nu verdwenen. Het was duidelijk dat het niet was vanwege het gevaar waarin we verkeerden, en het was ook niet de eerste keer dat hij het met een vrouw deed. Hij wist precies wat hij wanneer moest doen, hij had de allure van een ervaren minnaar.

We deden het met de moed der wanhoop. Met de haast die zich in veertien jaar had opgehoopt. Alsof het de eerste keer was. Alsof het de laatste keer was. Zonder ons ergens zorgen over te maken, zonder enige voorzorg. We hadden geen morgen.

Zo ben ik niet. En zo'n hartstochtelijke voortplantingsdrift heb ik zelden gehad. Eigenlijk bijna nooit. Ben ik zo raar? Zijn het kritieke situaties die me tot het uiterste brengen? Zoals die middag van 11 september bij mij thuis met Mike. Of hoort die reactie bij onze soort, bij iedere diersoort die als hij de dood ruikt nieuw leven probeert te verwekken, het ras in stand probeert te houden? Misschien was het alleen maar een poging om de angst te bestrijden, die voor een paar seconden op afstand te houden door te vluchten in liefde en passie.

En daar zaten we, dicht tegen elkaar aan, met onze armen om elkaar heen, elkaar strelend, en terwijl het vuur doofde werden we ons bewust van onze vele kneuzingen. Ik zocht op zijn lippen weer naar de smaak van de zee, naar de tijd dat we van kind puber werden, naar de eerste kus. Na een paar intens gelukkige momenten was het verdriet des te groter. Mijn adem stokte twee keer, het was bijna een snik, en ik deed mijn best om niet te gaan huilen. Ja, sterven was verschrikkelijk, maar het was nog erger om al die tijd zonder deze liefde geleefd te hebben. Ik zou er wel nooit meer van kunnen genieten. Het was verschrikkelijk onrechtvaardig te ontdekken dat wat wij hadden een toekomst had, op het moment dat we die niet meer hadden. Maar ik beloofde mezelf van elke seconde die ons restte te genieten.

47

Er verstreken een paar minuten waarin we elkaar vast omstrengeld hielden; daarna lieten we elkaar geleidelijk aan los.

'We moeten erachter zien te komen of de grot een andere uitgang heeft,' fluisterde Oriol in mijn oor.

We stonden op en inspecteerden de grot. Het binnenmeertje bewoog nog steeds op en neer; de hevige golfslag buiten bleef onverminderd doorgaan. Het eindeloze klotsen ervan drong tot ons door.

De plek waar we waren lag op een tamelijk egale verhoging vol kleine steentjes en de zonnestraal die door een spleet, ongeveer drie meter boven ons hoofd, naar binnen viel stond nu lager en was over de rotswand aan landzijde van links naar rechts gedraaid.

En daar was het, een meter voorbij de verlichte plek op de muur geschilderd, het rode breedarmige kruis. Zoals dat van mijn ring.

'Kijk daar,' wees ik Oriol.

'Het staat zo dat het middaglicht erop valt,' zei hij na er aandachtig naar gekeken te hebben. 'Deze grot is een perfecte schuilplaats.'

Toen doofde het straaltje hoop en geschrokken keken we naar de spleet.

'Het zijn de pijlstormvogels, die nestelen in de opening,' legde Oriol uit toen hij ernaar keek. 'Die hebben hier een fijn onderkomen,' en zijn woorden werd door het geklapwiek kracht bijgezet.

Toen sloeg hij zijn armen om me heen en voegde eraan toe: 'Wees maar niet bang. Ze durven echt niet binnen te komen, niet met deze zee. Ze zullen wachten tot wij weg zijn.'

Hij keek in mijn ogen en nu kon ik wel het blauw in de zijne zien. 'Het spijt me. Het spijt me heel erg dat ik je hierin heb betrokken.'

'Dat heb jij niet gedaan,' antwoordde ik. 'Ik ben allang meerderjarig en zelf verantwoordelijk voor wat me kan overkomen.'

Ik omhelsde hem weer en onze naakte lichamen warmden zich aan elkaar, kregen nieuwe energie. Het werd weer een lange omhelzing, we hadden geen haast, en toen we elkaar eindelijk loslieten kwam onze belangstelling voor een mogelijke uitgang terug. De spleet waar het licht door naar binnen kwam lag boven het water in een bijna gladde wand; hij was ontoegankelijk en te klein. Daar kon je onmogelijk door naar buiten. Links van de richel waar wij ons op bevonden was de grot afgesloten door grote steenblokken. Niet in beweging te krijgen. Verder naar rechts, in de vermoedelijke richting van de zonnestraal, ging de bodem van de grot over in rolstenen die onder water verdwenen, maar een paar meter verderop kwam de weg weer geleidelijk op het droge. We volgden het pad, dat zo'n anderhalve meter boven het wateroppervlak lag, tot er een nieuwe richel begon, parallel aan die van ons, maar dan dieper. Het was donker en ik lichtte even bij met mijn lamp. Er stond een hutkoffer!

'De schat!' riep ik zonder al te veel enthousiasme uit.

Oriol zei niets, en zonder te stoppen om onze vondst nader te bekijken liepen we in dezelfde richting verder op zoek naar een uitgang. De rotswand vernauwde zich en de grond liep omhoog naar een korte doorgang, die werd afgesloten door grote rotsblokken. We konden niet verder.

'Dit is alles,' zuchtte hij. 'Er is geen uitweg.'

'Wij, de schat en de dood,' zei ik peinzend.

'In elk geval gaan we rijk dood,' zei hij schertsend.

'Wil je hem niet zien?'

'Ja, natuurlijk wel.'

Ik scheen met mijn lamp in de richting van de hutkoffer. Het bleek een middelgrote houten kist te zijn, rondom versterkt met repen metaal en in een verbazingwekkend goede staat.

'Er zit geen sluiting of hangslot op,' merkte Oriol op.

'Dat is niet nodig.'

Hij legde zijn hand op het deksel en tilde dat zonder enige moeite op. Het lamplicht onthulde ... stenen. Een berg stenen, gewone stenen, rolstenen... waarvan er miljoenen waren op dat deel van het eiland.

Oriol begon ze eruit te halen en gooide ze op de grond; hij leek wel gek geworden. 'Er is geen schat! Er is geen schat!' schreeuwde hij naarmate hij dichter bij de bodem kwam zonder iets anders dan keien te vinden.

Met een gelukkige glimlach draaide hij zich naar mij om. Hij hield iets in zijn hand. 'We zijn gered,' riep hij uit. 'Er is geen schat!'

'En Artur dan?' zei ik verdwaasd. 'Zal hij ons niet vermoorden?'

'Niet meer! Waarom? Artur is een rationeel type, een zakenman. Nee, dat doet hij niet, hij zal niet voor niets een risico nemen. Hij zou het misschien wel graag willen, maar voor hem is dit een spel van kans en beloning. Zonder winst geen risico.'

Ik was daar niet zo zeker van. Voor de antiquair was dit meer dan een handeltje; ik herinnerde me zijn woorden over bloedschuld, maar ik wilde mijn vriend niet ontmoedigen.

'Wat heb je daar in je hand?' vroeg ik.

'Het lijkt een briefje, verpakt in plastic.'

Het was van Enric en er stond:

Lieve mensen. Ik verwacht en vertrouw erop dat jullie dit op een dag zullen lezen. Hebben jullie de schat gevonden? Jullie zijn nu te groot voor een beloning van toffees en chocolaatjes, maar ik hoop dat jullie niet te jong en ook niet te oud zijn om van deze ervaring te kunnen genieten. Als jullie tot hier zijn gekomen, dan hebben jullie onvergetelijke dagen beleefd. Dat is de schat van het leven. Weet te leven in de tijd die jullie nog rest.

Enric, die van jullie houdt.

We zwegen, in gedachten verzonken. Alles was een spel, een grap. Net als toen we kinderen waren, maar nu in het groot.

'Carpe diem,' fluisterde ik.

Gezegend het spel dat ons het leven redde. Nu kon ik weer verder denken dan die rotswanden, verder dan de zee en de oceaan. Ik was nog wel niet erg zeker van de reactie van Artur, maar dat we het zouden overleven was meer dan waarschijnlijk. En alles begon anders te worden. Ik realiseerde me dat ik op mijn neopreen sokken na helemaal naakt was en voelde me gegeneerd, iets waar ik daarvoor geen last van had gehad. Met mijn duiklamp zocht ik mijn pyjama en ik vroeg of hij me wilde helpen die aan te doen. Ik voelde me schuldig. Ik had het initiatief genomen, misschien had ik hem wel gedwongen. Ik, met een verlovingsring aan mijn hand. Het was slecht, heel slecht. Iets graag willen was één ding, maar het ook doen was iets anders. Misschien zag Oriol aan mijn gezicht dat ik me schuldig voelde; hoe dan ook, hij pakte me bij mijn arm, trok me naar zich toe en kuste me. Ik liet me meeslepen en opnieuw bedreven we de liefde. Het was duidelijk: hij vond het fijn. En het was ook fijn, maar niet zoals daarvoor; deze keer voelde ik de stenen wel.

We bleven naast elkaar zitten en liefkoosden elkaar, maar na de tweede keer begon ik het koud te krijgen.

'Sommige dingen waren ook heel vreemd,' begon Oriol die zijn gedachten onder woorden probeerde te brengen, 'maar ik was zo geobsedeerd door het avontuur dat ik ziende blind was. Oude boodschappen verstopt in een schilderij. Wat een flauwekul. Iets voor een roman, niet erg origineel en totaal onrealistisch. Tegenwoordig, in de eenentwintigste eeuw, hebben we de middelen om schetsen waar later andere afbeeldingen overheen werden geschilderd, tevoorschijn te halen. Maar in de dertiende eeuw kwam niemand op de gedachte om een boodschap op die manier te verbergen, tenzij hij dat voor altijd wilde doen.' In zijn stem klonk iets van teleurstelling door.

We zijn vreemde wezens, dacht ik. Een paar minuten geleden waren we nog dolblij dat alles alleen maar een verzinsel was, dat we gered waren, en nu hij zijn angst vergeten is, zit hij te klagen.

'Maar de panelen zijn toch echt, of niet?'

'Ja, dat wel, maar mijn vader was een uitstekend restaurateur en hij heeft ermee geknoeid. Hij heeft die inscripties er zo goed op gezet dat iedereen die ze gezien heeft erin is gelopen. En ook het schrijven van die teksten was knap werk.'

'Zijn ze vals?'

'Het bedrog met de panelen wijst wel in die richting. En hoewel er verrassend realistische details in voorkomen en het verhaal ook echt klopt met de geschiedenis, is het toch best mogelijk dat hij alles zelf heeft bedacht.'

'Denk jij dat Arnau d'Estopinyá een verzonnen personage is?' Ik voelde me nu ook teleurgesteld. 'En de ring dan? Waar is de ring vandaan gekomen?'

'Ik weet het niet. Maar Arnau heeft wel bestaan; zijn naam komt voor in de papieren van de commanderij van Peñíscola en in verslagen van de Inquisitie. Wat ik niet weet is wat er waar is van dat verhaal en wat mijn vader verzonnen heeft.'

'Maar Enric was ervan overtuigd dat er een schat bestond. Hij heeft er moorden voor gepleegd.'

'Ik geloof niet dat geld een motief voor hem was. Misschien heeft hij het uit ethische overwegingen gedaan, vanwege zijn eigen erecode. Hij zat beslist achter een schat aan, maar alles wijst erop dat hij die niet kon vinden en in plaats daarvan maakte hij er een van zijn spelletjes van, postuum.'

Hij zweeg even en zei toen: 'Ik had het kunnen weten!'

'Wat?'

'Mijn vader heeft ons meer dan eens meegenomen naar dit eiland. Hij hield van de onderwaterwereld hier. Hij dook met en zonder persluchtfles. Het was al te toevallig.'

'Maar wat doet dat er nu nog toe?' De zon verlichtte het kruis op de muur, en omdat het zo helder was kon ik het ook zonder lamp goed zien. Ik lachte naar hem en hij lachte terug. 'We gaan weer leven! Dringt het tot je door?'

Ik had vreselijke dorst en het was dus duidelijk dat we weg moesten van die onwezenlijke plek, uit die grot der wonderen, voordat we nog meer kracht zouden verliezen. Te oordelen naar het geklots van het binnenmeer was de zee daarbuiten nog steeds woelig. Oriol wilde als eerste vertrekken, zonder persluchtfles, op eigen kracht en zonder uitrusting, maar ik haalde hem over minstens een halfuur te wachten nadat ik vertrokken was. Artur zou mij eerder geloven en het bericht minder slecht opnemen als ik het hem vertelde. Ik hoopte dat de pijn in zijn ballen intussen gezakt zou zijn en dat hij niet al te haatdragend was.

Ik kwam er heel gemakkelijk uit. We doken allebei met het trimvest waar geen lucht in zat en ademden elk door een van de mondstukjes totdat we ter hoogte van de onderwatertunnel waren, en toen ik bijna buiten was gaf hij het trimvest aan mij. Ik gaf hem de duiklamp; van daar af wees het licht van buiten me de weg.

Ik haalde diep adem en zwom naar de bodem in de richting van de open zee om de golven en de branding tegen de rotsen te ontwijken. Toen ik op een redelijke afstand was en het terugstromen van het water op de bodem minder werd, blies ik het trimvest op en kwam daaraan vastgeklampt naar de oppervlakte. Ik begon door de snorkel buitenlucht in te ademen terwijl ik me oriënteerde. En daar, op een paar meter afstand, lagen de boten. Ik zwom er met rustige slagen heen en vroeg me af hoe Artur me zou ontvangen.

Hij nam het slecht op, heel slecht. Maar hij had zijn elegante manieren weer terug en gedroeg zich geforceerd beleefd. Wie niet goed was behandeld, was Luis. Mijn held van de laatste minuut had de woede van die kerels over zich heen gekregen. Zijn gezicht was bont en blauw, maar gelukkig leefde hij nog. Hij lachte opgelucht toen hij mij zag en nog meer toen hij de verlossende inhoud begreep van het bericht dat ik meebracht.

Oriol had het goed geraden. Artur, die zijn ongenoegen op een bewonderenswaardige manier wist te verhullen, geloofde uiteindelijk mijn verhaal. Hij ging ermee akkoord er een paar mannen met duikuitrusting heen te sturen in een rubberboot die met een kabel aan een van de boten vastzat om te voorkomen dat hij tegen de rotswand sloeg. Oriol had het bericht van zijn vader achtergelaten op de plek waar hij het gevonden had en hij werd zonder problemen opgehaald.

Tegen wil en dank waren wij de gasten van Artur tot zijn mannen de grot vanbinnen steen voor steen hadden verkend en weer terugkwamen. Dat duurde tot halverwege de volgende dag.

Het was geen verloren tijd. Oriol was nu wel bereid te onderhandelen en hij was heel overtuigend tegenover een neerslachtige Artur. Hij zei te erkennen dat er een onbetaalbare schuld was tussen de families Boix en Bonaplata, maar dat die schuld voor rekening was van de doden. Die moesten zich daarvoor verantwoorden tegenover God. Wie wel rekeningen konden voldoen waren de levenden, en hij, Oriol Bonaplata, erkende dat zijn vader de twee zijpanelen van de triptiek gestolen had. Hij was bereid ze als aandenken te kopen, voor een bedrag waar ook de schuld van zijn neef bij de antiquair bij inbegrepen was. Het middenpaneel was altijd eigendom van Enric geweest en was nu van mij; daarover was geen discussie mogelijk. Het ontging me niet dat in het bedrag waarover ze onderhandelden een aanzienlijke overwaarde zat, om Artur ertoe te bewegen af te zien van welke wraak dan ook. Het waren harde onderhandelingen, die tot de volgende ochtend duurden. Het frappeerde me, toen er een akkoord was bereikt in de vorm van een onderhandse akte, hoe weinig belang Oriol hechtte aan geld en hoe grootmoedig hij zich toonde ten opzichte van zijn neef.

Tijdens de terugreis wist ik niet wat ik moest doen en hoe ik me tegenover Oriol moest gedragen; we deden allebei alsof er niets was gebeurd in die grot. Ik begon er op een gegeven moment zelfs aan te twijfelen of het een droom was geweest of echt waar. Alleen de pijn aan mijn rug en de blauwe plekken van de stenen getuigden ervan.

Terloops merkte ik op dat ik als we terug waren in Barcelona, moest beginnen mijn koffers te pakken voor de terugreis naar New York. Ik lette erop hoe Oriol reageerde. Hij zei niets, leek verstrooid, alsof hij belangrijker dingen aan zijn hoofd had. Ik had van hem minstens een aardig voorstel verwacht, een uitnodiging om nog een paar dagen te blijven. Maar hij zei niets van dien aard en dat kwetste mijn ijdelheid. Erger nog, ik kwam tot de conclusie dat het hem onverschillig liet wat er tussen ons was gebeurd, of dat hij het incident zelfs wilde vergeten.

Wat betreft Luis wilde Oriol van geen excuses weten. Hij zei dat ze quitte waren. Het paneel van Sint-Joris was nu ook van hem en het deed er niet toe of de prijs hoog of zelfs exorbitant hoog was geweest; daar had hij de andere erfenis voor die zijn vader hem had nagelaten. En hij omhelsde hem.

48

❖

De volgende dag realiseerde ik me dat het allemaal voorbij was. Oriol was de vorige avond verdwenen zonder me welterusten te wensen; misschien was hij bang dat ik hem naar zijn slaapkamer zou volgen. Ik ging vroeg naar beneden om te ontbijten, in de hoop hem te zien, maar Alicia zei dat hij nog vroeger was opgestaan en al was vertrokken. Ik voelde me teleurgesteld. Ik moest met haar praten en antwoord geven op de vele vragen die ze nog had naar aanleiding van het gesprek gisteravond tijdens het diner; die vrouw wilde echt alles weten. Over wat er tussen ons was gebeurd in de grot zweeg ik natuurlijk. Maar zij stond bekend als heks en leek gedachten te kunnen lezen. Misschien kwam het door de moedeloosheid in mijn stem. Even was ik zelfs bijna in tranen en ik verontschuldigde me door te zeggen dat ik hoofdpijn had. Ik hield haar niet voor de gek. Betekende ik zo weinig voor Oriol dat hij er niet eens was om me gedag te zeggen?

Ik wist dat het tijd werd om mijn koffers te pakken. Ik deed de kastdeur open in de hoop dat ze verdwenen zouden zijn, maar ze stonden er nog. Bij het zien ervan stortte ik in. Snikkend viel ik op bed. Dat was het einde. Het avontuur van de schat was voorbij. De liefde die misschien kans van slagen had gehad, was in de beslotenheid van een grot gestorven, en alleen aan mijn blauwe plekken was nog te zien dat ik het niet had gedroomd.

Toen zag ik op het nachtkastje twee oude langspeelplaten liggen, die iemand daar misschien vannacht had neergelegd. De ene was *Viatge a Itaca* en de andere was van Jacques Brel. Ik huiverde. Mijn god! Dat waren de platen waar Enric naar had geluisterd voordat hij stierf! Wie had ze daar achtergelaten? Oriol of Alicia?

Het was vast Oriol. Het was een boodschap voor mij. De les van de reis, de ervaring van de zoektocht. Daar ging het om. Ik had mijn lesje niet geleerd. De weg was het doel. Het leven was het einddoel. Het kostte me moeite om het tot me te laten doordringen.

Toen ik die kamer betrok had het me verbaasd dat er behalve een moderne muziekinstallatie ook een grammofoon voor langspeelplaten stond. Er zat een wisselaar op. Ik legde de twee platen erop en toen bleek dat hij het uitstekend deed, strekte ik me uit op het bed om ernaar te luisteren. Ik wilde de zin van het avontuur ontdekken, er een betekenis in vinden die ik nog niet zag.

Stevig hield ik de platenhoezen vast en ik sloot mijn ogen. Ik hoorde de wind en de zee op de achtergrond toen de muziek over me heen kwam. Ik zag het beeld van de groene weiden met zeegras op het witte zand in Tabarca en daartussen zwommen scholen baarzen vlak onder het oppervlak, waar het zonlicht hun vinnen deed glanzen als goud- en zilverkleurige franje. De kalme en vriendelijke zee van het begin, de woeste zee van de laatste dagen.

En ik ging naar de grot en vond nogmaals Oriol uitgestrekt op de grond en alles begon opnieuw. Daar ging het toch om? Te leven op het moment zelf. En je dat later weer herinneren. Soms, altijd, voortdurend, je hele leven. Zoals de eerste liefde, de storm, het zout en de eerste kus.

Maar zou Konstantínos Kaváfis, de wijze dichter, weten hoe je met dat carpe diem, het intens beleven van het moment, moest omgaan als je hart daarna brak? Ik geloof dat ik snikkend in slaap viel. En weer droomde ik:

'Politie. Hallo,' de stem klonk resoluut door de telefoon.

'Goedemiddag,' antwoordde ik. Ik stond stijf van de zenuwen en ik had een brok in mijn keel van emotie, maar ik was vastbesloten deze momenten zo intens mogelijk te beleven.

'Goedemiddag. Hallo,' drong de agent nog eens aan.

'Ik ga een kogel door mijn hoofd jagen.'

Het bleef stil aan de andere kant van de lijn, en ik probeerde me het verbouwereerde gezicht bij die jonge stem voor te stellen.

'Wat?' stamelde de agent.

'Ik heb u gezegd dat ik zelfmoord ga plegen.'

'Dat meent u niet echt.'

'Natuurlijk wel,' zei ik glimlachend. Zijn verbijstering amuseerde me: die jongen was vast het gedeelte uit het handboek vergeten waarin staat hoe je omgaat met vermeende zelfmoordenaars.

'Maar waarom? Waarom wilt u zich van het leven beroven?' Er klonk angst door in zijn stem.

Ik blies een rookwolkje uit van de Davidoff die ik rookte. Vanuit mijn stoel kon ik door de wijdopen deur van het balkon de donkergroene bladeren van de platanen op de boulevard zien op die heerlijke, zonnige lentemiddag. Het was een heldere dag, lichtgevend bijna, en het leven ontlook met die onstuimige kracht die me ieder jaar weer verbaasde.

Jacques Brel zong zijn afscheidslied: *Adieu l'Émile je vais mourir. C'est dur de mourir au printemps tu sais...*

(Dag, Émile, ik ga sterven. Weet je, het valt niet mee om in de lente te sterven...)

Ja, het was moeilijk om te sterven op een dag als deze, waarop de oude stad Barcelona een en al leven uitschreeuwde: de duiven, de wind, de bomen op de boulevard, zelfs de eeuwige door de straat voortbewegende mensen straalden een uitbundige energie uit.

Maar het was de dag van mijn dood.

'Ik heb vier mensen van kant gemaakt.'

'Wat zegt u?'

'Dat. Ik heb ze doodgeschoten.'

'Godallemachtig!' schreeuwde de agent, waarna hij zweeg totdat hij zei: 'Kom nou, u houdt me voor de gek. Ik geloof het niet.'

'Echt waar.'

'Zegt u me dan maar waar en wanneer, zodat wij het kunnen controleren.'

'Het is al een tijdje geleden gebeurd en er is nu geen tijd meer voor bewijzen: over enkele minuten ga ik mijn hersens opblazen. En bovendien, als ik u alles vertel wordt uw werk er straks alleen maar saaier door.'

'Nee, u wilt niet dood.' De jongeman leek zijn kalmte te hebben herwonnen. 'U belt om hulp te vragen: als u zich van kant had willen maken dan had u dat allang gedaan.'

'Ik bel zodat niemand anders de schuld van mijn dood in de schoenen kan worden geschoven.' Ik bedacht dat ik misschien wel belde omdat ik gezelschap wilde, niet alleen wilde sterven. Ik nam een slok cognac en mijn blik ging naar mijn lievelingsschilderij van Ramón Casas. Een man en een vrouw uit de Catalaanse bourgeoisie aan het eind van de negentiende eeuw, allebei in witte zomerkleding, gebruiken een verfrissing in een prieeltje van wijnranken. Het waren mijn grootouders, ze waren mooi. Een spel van weerkaatsende lichtjes, schaduwen, doezelende pasteltinten, slaperige, heerlijke decadentie. En ik voegde eraan toe: 'Het is makkelijker dan een briefje schrijven.'

'Geef mij uw naam en adres. Laten we praten. Hoe ernstig uw situatie ook is, er is vast en zeker een uitweg.'

Ik wachtte even voordat ik antwoord gaf – ik luisterde voor de laatste keer naar dat lied dat ik woord voor woord uit mijn hoofd kende.

Je veux qu'on rie

Je veux qu'on danse

Quand c'est qu'on me mettra dans le trou...

(Ik wil dat er wordt gelachen. Ik wil dat er wordt gedanst. Als ze me in mijn graf leggen.)

'Enric Bonaplata, op de Paseo de Gracia,' zei ik ten slotte. 'En als ze opschieten en snel een eenheid sturen, kunnen ze tegenover het huizenblok, la Manzana de la Discordia, het schot horen.' Daarna zei ik liefjes: 'Hoe oud ben je, jongen?'

'Twintig.'

'Welke kleur hebben je ogen?'

'Wat doet dat ertoe. Waarom vraagt u dat?' antwoordde hij geïrriteerd.

'Om je aan de praat te houden. Jullie zijn toch bezig het telefoongesprek te traceren? Zeg eens, welke kleur hebben ze?'

'Groen.'

'Hmm...' Ik nam eerst nog een trekje van mijn sigaar voordat ik verderging. Ik stelde me een mooie jongen voor met kattenogen. De perfecte aanvulling op een borrel met sigaar.

'Jongen met de groene ogen, heb je wel eens iemand zien doodgaan?'

'Nee.'

'Dat zul je dan nu horen.'

'Wacht!'

'Nog een lang en gelukkig leven, vriendje. Sorry dat ik de conversatie afbreek, maar met volle mond praten is nu eenmaal niet netjes.'

'Wacht! Wacht even!'

Ik legde de hoorn op het tafeltje, naast de dampende sigaar. En ik luisterde naar:

C'est dur de mourir en printemps tu sais

Mais je pars aux fleurs la paix dans l'âme...

(Weet je, het valt niet mee om in de lente te sterven. Maar ik ga te midden van de bloemen met vrede in mijn hart.)

De vrede waar Brel over zong in zijn lied voelde ik niet: in mijn hart gingen de emoties heftig tekeer, in mijn geest vochten de beelden van een leven om de laatste plek. Maar ik moest het doen, voor mijn familie, voor mijn gevoel van eigenwaarde. Ik keek naar het schilderij van Picasso dat aan een van de muren hing. Er werd een raam opengezet boven een mediterrane stad, misschien Barcelona vanaf een hoge plek: huizen, palmbomen, plantengroei... en zee... Vibrerende tinten, explosie van kleur, lange penseelstreken. Ik nam een laatste slok van mijn cognac, die ik een paar tellen in mijn mond hield; ik proefde de smaak en snoof de geur ervan op. Daarna zette ik de koude loop van de revolver in mijn mond, tegen mijn gehemelte. Ik zag twee jongens, de ene dood, de andere met nog een heel leven voor zich: mijn zoon Oriol. Mijn god, help hem hier overheen te komen! Ik ademde diep en wilde dat mijn ogen die naar de boulevard keken, werden doordrenkt met het licht en de frisheid van die onstuitbare kracht: de energie van het leven; het voorjaar. Dat zou mijn laatste beeld zijn.

De jonge agent Castillo hoorde de knal door de telefoon en sprong uit zijn stoel. De duiven op de boulevard stoven allemaal tegelijk in een wolk omhoog, alsof ze op het schot hadden zitten wachten, en de voorbijgangers keken verontrust naar dat mooie modernistische gebouw met een balkon waarvan de deuren wijdopen stonden.

Ik deed mijn ogen open en keek naar het plafond. Jacques Brel zong het volgende liedje en in één ruk zat ik rechtop. Weer! Het was weer gebeurd! Ik was zo door Oriol van mijn stuk gebracht dat ik door die verdomde ring de verhalen van de doden weer opnieuw beleefde! In een opwelling deed ik de ring met zijn bloedrode kruis, die zo'n stempel op me drukte, af en legde hem naast mijn verlovingsring op tafel. Ik wist niet welke me het meest benauwde.

Ik ging naar beneden op zoek naar Alicia en vertelde haar wat me zojuist was overkomen; zij nam me mee naar haar werkkamer. Daar, met de stralende, zonnige stad aan onze voeten, vertelde ik haar alles.

'Dit zal je helpen de indruk te verwerken,' zei ze terwijl ze een glaasje cognac inschonk. En ze bleef oplettend naar me kijken.

'Het heeft, het heeft...' stamelde ik bij de eerste slok. Het was de smaak uit mijn droom.

'Ja. Ik drink dezelfde cognac als Enric.'

Ik voelde me een proefkonijn en stond op om weg te gaan.

'Sorry,' verontschuldigde ze zich. 'Dat was niet mijn bedoeling, ik besefte het pas toen ik je gezicht zag.'

Ik geloofde haar niet en bleef aarzelend voor de deur staan. Ze stond op en pas toen die warme, grote hand die me deed denken aan die van haar zoon de mijne pakte, ging ik weer zitten.

'Het spijt me, liefje.' Haar diepe stem klonk overtuigend. 'Loop niet weg, dan zal ik je een verhaal vertellen dat je zal interesseren. Dat heb je verdiend.'

Met ingehouden adem en een beetje nerveus wachtte ik op het volgende spelletje dat ze zou proberen te spelen. En zij begon te praten, rustig...

'Inmiddels zul je wel weten dat Enric niet van vrouwen hield en ik niet van mannen. We zijn getrouwd voor de familie en omdat we een kind wilden, en dat was in die tijd de enige manier. We hadden elk ons eigen leven, maar waren wel vrienden. Dat we Oriol gekregen hebben was een zegen.' glimlachend keek ze me aan. 'Ja toch? Het is een fantastische knul,' ging ze door zonder op mijn antwoord te wachten. 'En mocht je nog twijfels hebben, hij is hetero. Ach nou ja,' verzuchtte ze gelaten, 'niemand is volmaakt.' Ze begon weer te glimlachen.

'Enric en ik gingen vertrouwelijk met elkaar om en hij liet de statuten veranderen van de Tempelorde die zijn grootvader en jouw overgrootvader, die ook vrijmetselaars waren, hadden opgericht, zodat ik kon worden toegelaten. Maar toen Arnau verscheen met het verhaal over de panelen en de schat, werd het allemaal ingewikkeld. Enric was een romanticus en een van zijn passies was de traditie van de tempeliers nieuw leven in te blazen. Stel je voor hoe het was toen hij dat van die schat te weten kwam. Het werd een obsessie voor hem. En in diezelfde periode begon ook de ruzie met de Boixs. Bovendien liet hij zijn toenmalige vriend Manuel, op wie hij stapelgek was, als ridder toe in onze Tempelorde. Ze hadden zich met elkaar verbonden met de eed van de tempeliers, die van de Thebaanse Grieken van Epaminondas.' Ze keek nieuwsgierig naar me of ik daar iets van wist en toen ik begrijpend knikte, ging ze verder met haar verhaal.

'Toen Manuel werd vermoord was hij wanhopig. Ik zie hem nog vertwijfeld zitten huilen, hier in dezelfde stoel waarin jij nu zit. Ik wist dat er iets rampzaligs zou gebeuren en vroeg hem kalm te blijven. Het verbaasde me toen hij een paar dagen daarna tegen me zei dat hij vier mannen had vermoord en dat Manuel was gewroken. Jouw peetoom was geen gangster. Hij moet geluk hebben gehad.' Ik zei niets tegen haar, maar dacht dat niemand beter dan ik dat deel van het verhaal kende.

'Maar de politie begon het net om hem heen steeds nauwer aan te halen. Veel mensen wisten dat hij op gespannen voet stond met zijn concurrenten en vroegere medebroeders van de tempeliers, de Boixs. Ook was zijn relatie met Manuel bekend en diens gewelddadige dood.

Een tijdlang hoorde ik niets van hem en de politie bleef maar bellen; er kwamen zelfs agenten hier om hem te ondervragen. Ze hadden geen arrestatiebevel, maar het was duidelijk dat ze hem verdachten. Hij heeft me nooit verteld wat hij in die tijd heeft gedaan, maar ik denk dat hij zonder succes op zoek was naar de schat. Op een avond kwam hij thuis; hij at met ons, praatte wat met Oriol en toen die naar bed ging, zijn we hiernaartoe gegaan om een glas cognac te drinken. Hij wilde dat ik hem de kaart zou leggen. Dat deed ik dus, het was iets wat je vroeger deed als tijdverdrijf. Maar die avond lag er al bij de eerste kaarten een combinatie van de dood. Daar lag het skelet met zijn zeis, dat naar hem keek. De boodschap was heel duidelijk, maar ik zei dat de tekenen strijdig waren. Hij keek me aan zonder iets te zeggen. Ik schudde, liet hem schudden en coupeerde. Toen het meteen daarna weer gebeurde, huiverde ik. De doodskop keek hem glimlachend aan. Ik werd bang en maakte het spel ongedaan, en bij de derde keer bad ik dat er iets anders tevoorschijn zou komen. Dezelfde combinatie. Wat zijn kaarten halsstarrig als ze je met alle geweld iets willen vertellen! Ik ben geen huilerig type, maar toen ik dat verdomde stel kaarten oppakte, had ik tranen in mijn ogen. Ik wist niet wat ik moest zeggen en we bleven stil zitten. Enric nam een slok cognac, hij glimlachte naar me en zei dat ik me niet bezorgd hoefde te maken, dat mijn kaarten gelijk hadden en dat hij het niet lang meer zou maken. Hij leek heel rustig. Hij vertelde me dat een tijdje geleden aids bij hem was geconstateerd en dat hij de symptomen daarvan begon te merken. In die jaren waren er nog geen medicijnen voor de ziekte en de wetenschap kon zelfs geen kwaliteit van leven geven. Hij zei dat de politie hem in de gaten hield, net als de maffia van de kunsthandelaren waartoe de Boixs behoorden, dat ze zelfs dreigden Oriol te ontvoeren of hem iets aan te doen. Hij verzekerde me dat hij niet in de gevangenis zou sterven en dat hij er niet aan dacht om 's nachts met een revolver onder zijn kussen te gaan slapen. En dat als er niemand meer was om te chanteren, Oriol geen gevaar meer zou lopen.

Ik denk dat hij toen die plannen maakte en dat laatste spel van de schat voor jullie in gang zette.'

Ik bleef peinzend zwijgen, en terwijl ze me aankeek, zei ze: 'Enric was iemand met onwrikbare opvattingen en meningen. Hij leefde en stierf volgens zijn eigen regels en op zijn eigen manier. Ik denk dat hij vrede had met zichzelf.'

Alicia zweeg en keek mistroostig naar de stad. Ze dronk van haar cognac. Ik deed hetzelfde en toen ik de smaak proefde, dacht ik aan wat er even daarvoor was gebeurd.

'Alicia.'

'Ja?'

'Gebruikte Enric mijn kamer als hij hier sliep?'

'Ja.'

'Heb jij die langspeelplaten op mijn nachtkastje gelegd?'

'Ja, dat was ik.'

'Je wilde dat dit me zou overkomen.' Ik geloof niet dat in mijn stem boosheid doorklonk, alleen maar nieuwsgierigheid.

Ze zei niets en terwijl ze van haar cognac dronk staarde ze weer naar de stad. Even later keken haar amandelvormige ogen, van dat blauw dat alleen zij en Oriol hebben, in de mijne en vroeg ze: 'Hij is toch in vrede gestorven, hè?' Er klonk een smeekbede door in haar stem.

'Ja,' loog ik, na een korte mijmering.

49

Ik had niets meer te doen in de stad en ik werd er melancholiek van. Ik ging naar mijn kamer en deed het raam open. Op de vensterbank geleund overdacht ik mijn situatie nog eens en realiseerde ik me dat ik nog wel degelijk iets moest doen voordat ik Barcelona voorgoed zou verlaten. Voorgoed om nooit meer terug te komen, net als mijn moeder van plan was geweest.

Arnau d'Estopinyá. Ik had zelfs een tijdlang de gewoonte gehad alles om me heen angstvallig in de gaten te houden om te zien of hij me volgde. Maar de afgelopen dagen leek de broeder in rook te zijn opgegaan.

Alicia zou wel weten waar hij te vinden was!

Deze keer waren de rollen omgedraaid en was ik in een barretje aan de overkant van de straat tegenover de ingang van zijn portiek gaan zitten om hem op te wachten. Het was een smal straatje in het oude deel van Barcelona, dat vroeger de Barrio Chino, de rosse buurt, werd genoemd, later het Distrito Quinto, en nu Raval. Onderdak is daar goedkoop en de wijk is vergeven van de immigranten. De belwinkels floreren en op straat zie je een kleurrijke, multiculturele menigte mensen, vaak in autochtone kleding, die allemaal een andere taal spreken. Alicia had me gezegd dat hij daar in een pension woonde of in een gehuurde kamer, en ik had het idee dat wat ze de man betaalde wel geen vetpot zou zijn.

Ik zag hem toen hij nog een meter of vijftien van het huis verwijderd was. Zoals altijd droeg hij een zwart hemd onder een grijs pak dat zo donker was dat het een onbestemde kleur kreeg. Hij liep kaarsrecht, krijgshaftig, met een stevige pas, en sommige mensen leken hem uit de weg te gaan als ze hem op dezelfde stoep zagen naderen. Zijn baard was geknipt en zijn witte haar gemillimeterd.

Ik stak haastig de straat over, maar voor ik er was, stond hij al met zijn rug naar me toe de sleutel in het slot te steken.

'Arnau,' zei ik en ik legde mijn hand op zijn schouder.

Hij draaide zich om met een woeste uitdrukking op zijn gezicht, terwijl zijn hand naar de dolk aan zijn zij ging. Met zijn fletsblauwe ogen keek hij me aan en ik werd weer bang voor die waanzinnige blik.

'Broeder Arnau. Ik ben het, het meisje van de ring,' haastte ik me te zeggen. 'Ik ben een vriendin.' Zijn gezicht werd wat vriendelijker toen hij me herkende.

'Wat wilt u?' zei hij met zijn hese, lijzige stem.

'Met u praten.'

Ik zag dat hij naar mijn handen keek en herinnerde me dat de ring een symbool van gezag voor hem was. En toen ik geen antwoord kreeg zei ik, ervoor zorgend de juiste woorden te gebruiken en op een naar mijn idee militaire toon: 'Broeder Arnau d'Estopinyá. Gaat u met mij ergens wat eten?'

Ik zag dat hij aarzelde, zijn ogen zochten weer die van mij en de ring en ten slotte stemde hij er grommend mee in.

Het was een gewoon restaurant met een dagmenu, broodjes calamaris en de geur van vette frituur; er was niet veel keus in de buurt. Ik vond een tafeltje ver weg van de televisie, de gokautomaat en het lawaai van borden en bestek op de bar, maar ondanks deze betrekkelijke privacy lukte het me niet de broeder aan de praat te krijgen. Toen het brood werd gebracht zegende hij de maaltijd en met zijn ellebogen op tafel begon hij hoorbaar een gebed te prevelen. Hij stopte en keek me aan in de verwachting dat ik hetzelfde zou doen; dat deed ik dus maar. Na zijn gebed wachtte hij niet even uit beleefdheid, maar begon meteen aan het brood zonder op het voorgerecht te wachten. Ik probeerde een praatje te maken, maar ik kreeg alleen eenlettergrepige antwoorden. Arnau was niet wat je noemt een groot causeur en was waarschijnlijk niet gewend om met mensen te praten, maar zijn gulzigheid sprong wel in het oog. Het was duidelijk dat zijn maaltijd doorgaans niet erg copieus was of dat hij vastte, uit religieuze overtuiging of door gebrek aan financiële middelen. Ook wist hij wel weg met de wijn, zodat ik nog een fles bestelde in de hoop dat die zijn tong losser zou maken.

En plotseling, na het hoofdgerecht, begon hij tot mijn stomme verbazing opeens te praten: 'Ik ben de laatste uit een lange reeks van gekke mon- niken. Ik begrijp heel goed waarom meester Bonaplata zelfmoord heeft gepleegd.'

Ik zat hem gebiologeerd aan te kijken. Het waren de eerste twee zinnen achter elkaar die de man tijdens de hele maaltijd uitsprak en ik realiseerde me dat ik hem nog niet eerder zo veel had horen zeggen.

'Geloof maar niet wat er wordt verteld. De broeder die wilde dat ik de ring zou erven heeft zich ook van kant gemaakt en velen voor hem. Ieder- een in mijn congregatie dacht dat hij gek was, behalve ik. Hij vertrouwde mij de ring toe en daarna besloten ze dat ik ook gek was. Het begint met die visioenen. Bent u ook gemarteld? Ondervraagd door de Inquisitie? Zag u de muren van Saint Jean d'Arce instorten? Voelde u hoe de Sarace- nen u neerstaken? Hoeveel moorden heeft de ring u niet laten zien? Hoe- veel verminkingen? Een heleboel levens, een heleboel pijn, dat is wat erin opgesloten zit. En daarna leven ze verder in u en laten ze u niet meer met rust, overdag niet en 's nachts niet.'

'Wie zijn ze?' wilde ik weten.

'Wie?' Hij keek me vragend aan alsof hij verbaasd was over die vraag waarop ik het antwoord toch allang moest weten. 'De geesten van de broe- ders zitten in die ring. En bij elk visioen dringen ze een beetje dieper in je door. Ik ben niet meer degene die ik was. Op een dag kreeg ik een andere droom. Daarvoor had ik al heel vaak visioenen gehad van broeder Arnau d'Estopinyá, maar die dag bleef zijn lijdende ziel bij me. Voor altijd. Vanaf die dag ben ik Arnau.

Hij is een ziel in het vagevuur die lijdt door de misdaden die hij heeft begaan. Maar dat is niet zijn grootste straf; hij weet dat zijn missie nog niet is voltooid, dat de schat nog niet terug is bij de broeders van de Tempelor- de.'

Hij keek me met verwilderde ogen aan en ik durfde hem niet tegen te spreken.

'Ik ben Arnau d'Estopinyá,' herhaalde hij met stemverheffing. 'Ik ben de laatste tempelier. De laatste echte.' Zwijgend keek hij me aan, misschien in de verwachting dat ik zijn bewering in twijfel zou trekken. Maar ik keek wel uit dat te doen.

Toen klonk zijn stem wat vriendelijker en fluisterend vervolgde hij: 'Pas goed op, meisje. De ring is gevaarlijk. Die dag dat ik uiteindelijk op de Nieuwe Tempelorde stuitte en meester Bonaplata leerde kennen, wist ik dat ik mijn thuis gevonden had. En toen ik hem de ring had gegeven voelde ik me erg opgelucht. Er wordt gezegd dat paus Bonifacius VIII een ring droeg die er erg op leek en dat koning Filips IV van Frankrijk, de Schone, beweerde dat de duivel erin huisde.

De koning wilde de paus belasteren en nam zijn toevlucht tot elk willekeurig middel om hem aan te klagen; hij beschikte over een uitgebreid netwerk van spionnen en onderbouwde zijn laaghartige beschuldigingen met ware feiten. Er is iets in die steen wat leeft, in die ster met de zes punten... Niemand kan die ring dragen zonder te lijden...'

'Hebt u de heer Bonaplata ook een paar bundels papieren gegeven?' onderbrak ik hem. Ik wilde niets meer horen over die ring.

'Nee. Ik heb de meester het levensverhaal verteld van broeder-sergeant Arnau d'Estopinyá, dat ik voor een deel had gehoord van mijn voorganger, degene die voor mij de ring droeg, en voor de rest zelf had beleefd door die visioenen.'

Ik bleef hem aankijken toen hij zijn glas wijn leegdronk. Ik had altijd al mijn bedenkingen gehad tegen die ring, maar nu was ik er bang voor geworden. Wat deed het ertoe of die eigenaardige gek al of niet bezeten was door de geest van de oude Arnau? Ik was er inmiddels wel achter gekomen dat ze een en dezelfde persoon waren. Voor mij was hij broeder Arnau d'-Estopinyá, de laatste van de echte tempeliers.

'En de panelen?' vroeg ik.

'De panelen waren, samen met de ring en de mondelinge overlevering over Arnau, de erfenis die honderden jaren lang van broeder op broeder werd doorgegeven. In het jaar 1845 werden ze gestolen, toen Poblet bij antiklerikale rellen werd geplunderd en in brand gestoken. We wisten dat ze niet door brand waren verwoest, omdat de monniken achter de dieven aan zijn gegaan, hoewel het gespuis wist te ontkomen. Er zijn in die tijd veel kunstwerken verbrand, maar niet de panelen. Misschien werden ze meegenomen door iemand die het verhaal kende.'

'Waarom hebt u me gevolgd?'

'Meester Alicia vroeg me om na te gaan wat u deed en haar daarvan op de hoogte te houden. Later, toen ik wist dat u de ring droeg, hield ik u in de gaten om u te beschermen, zoals toen u aangevallen werd.'

'En als u me wilde beschermen, waarom heb ik u de afgelopen dagen dan niet gezien?'

'Omdat u de stad uit ging. En het gevaar ligt hier. Daarom heb ik u niet gevolgd.'

'Wat bedoelt u precies?'

'Dat het hier is, in Barcelona.'

'Wat is hier?' drong ik aan. 'Welk gevaar?'

Hij antwoordde niet. Zijn blik was afwezig en toen hij een paar mannen met een Noord-Afrikaans uiterlijk aan de bar zag staan mompelde hij: 'Ziet u het dan niet? Ze komen terug.' Er klonk woede door in zijn stem. 'Op een dag ga ik er nog eens een paar de keel afsnijden.' En toen trok hij zich weer terug in zijn eerdere stilzwijgen.

Ik huiverde. De broeder meende wat hij zei.

50

❧

Toen ik 's middags terugkwam zag ik de koffers weer staan. Ik werd er gedeprimeerd van en dacht dat ik ze het beste in één rottige keer kon inpakken om van dat ellendige gevoel af te zijn. Maar toen schoot me iets te binnen. Ik wist dat Oriol niet thuis was en sloop naar de deur van zijn kamer die slechts door een muur van die van mij gescheiden was. Ik voelde aan de deurknop – hij was niet op slot – en glipte stiekem naar binnen.

Het rook er naar hem. Niet omdat Oriol parfum gebruikte, en ik geloof ook niet dat hij een speciale geur had, maar dat wilde ik me verbeelden. Die plek was doordrenkt van zijn aanwezigheid. Ik keek naar zijn bed, de kast, zijn bureau dat tegen een raam aan stond dat ook uitkeek op de stad. Ik wist dat ik niet kon treuzelen – ik wilde niet betrapt worden – en begon de laden van zijn schrijftafel te doorzoeken. Daar kon ik me niet bedwingen om een stapel foto's te bekijken van hem met vriendinnen, onder andere het meisje van het strand, en met vrienden. Ik moest mezelf tot de orde roepen. Ik ging verder met het nachtkastje, daarna de commode, maar ik vond hem niet. Hij lag in de klerenkast. In de la met het ondergoed. Daar vond ik hem. De revolver van zijn vader. Die waarmee hij de Boixs had vermoord, die we hadden gevonden in de holte van de putrand.

Ik stak hem tussen mijn riem en ging naar de zolder, waar ik het schilderij meteen vond. De reproductie van het mijne. Ik scheurde het ivoorkarton dat tegen de achterkant zat eraf en zag dat het vanbinnen niet massief was zoals mijn schilderij, hoewel wel dikker, maar dat kwam door de latten langs de randen van het schilderij. Er zaten er ook een paar in het midden: sommige verstevigden het raamwerk, andere vormden een soort steunconstructie. Ik legde de revolver in dat houten foedraal en zag dat hij er perfect in paste. Hij bleef zitten zonder eruit te vallen, zelfs als je het schilderij heen en weer bewoog, maar ging er makkelijk uit als je hem bij de kolf vastpakte en hem er met enige kracht uit trok. Ik probeerde het nog een paar keer en dacht aan mijn droom over de moord op de Boixs. Ja, het was waar. Zo had hij het gedaan. Ik had het raadsel van commissaris Castillo opgelost, hoewel hij dat nooit zou weten. Maar door de herinnering aan mijn peetoom in die bloederige droom, de zekerheid dat in werkelijkheid alles precies zo was gebeurd als ik had gezien, voelde ik me niet bepaald beter. Integendeel. Ik had mijn buik vol van die ijzingwekkende visioenen. Ik besloot terug te keren naar mijn lastige taak.

Maar eerst belde ik mijn kantoor in New York en vroeg of ik de volgende week weer kon beginnen. Mijn baas zei dat daarover moest worden beraadslaagd. Mijn lange vakantie was niet zo goed gevallen bij de collega's op kantoor, maar door de positieve toon waarop hij sprak had ik het gevoel dat ik terug mocht komen.

Daarna belde ik María del Mar om haar mijn terugkomst te melden. Dat vond ze geweldig. Maar toen ik zei dat ik erover dacht met Mike te breken, begon ze moord en brand te schreeuwen. Ik vertelde wat er tussen Oriol en mij was gebeurd en zonder al te verbaasd te zijn, zei ze dat dat alleen geen reden was om te breken met een jongen als Mike, en dat je hoe dan ook door de telefoon geen ring teruggeeft, dat ik eventjes moest wachten, dat ik de beslissing moest uitstellen totdat ik terug was en dat we dan wel zouden zien.

Er was een eind gekomen aan het avontuur. Het was een geweldige tijd geweest, maar mijn leven ging door in New York. Met of zonder Mike. Ik had een reis gemaakt door de tijd, door de ruimte, door mijn innerlijk.

Ik had mijn verlangen naar Oriol bevredigd, dat ik zo veel jaren had onderdrukt. De vroegere wond was genezen maar het was nog steeds een zomerliefde, ook al was die genoten en geconsummeerd. Ik was teruggekeerd naar Barcelona, naar mijn mediterrane jeugd waaraan op mijn dertiende jaar zo abrupt een einde was gekomen, en voor een paar ogenblikken had ik die hervonden en was ik in staat geweest die in te halen.

Die reizen, de fysieke, die door de tijd en door mijn innerlijk, hadden mijn kijk op de wereld en de mensen veranderd. Nee, ik was niet meer dezelfde als toen ik hier kwam. Ik wist nu hoe ik blootsvoets door het leven kon gaan.

Het was onredelijk om, nu ik in de haven was beland, hoe leeg en teleurstellend het einde ook leek, me te beklagen een pover Ithaca te hebben gevonden. Onderweg had ik geleerd, van de momenten genoten. Daar gaat het om in het leven.

Niets hield me nu meer hier; mijn toekomst lag in New York.

Toen Oriol op mijn deur klopte lag mijn bed vol met kleren, een paar open koffers lagen op de grond en de rest van mijn spullen lag over de hele kamer verspreid.

'Mijn moeder heeft me verteld dat je weggaat,' zei hij.

'Ja. Nu het avontuur voorbij is, is het tijd om terug te gaan. Je weet wel, de familie, verantwoordelijkheden...'

Hij keek naar mijn handen. Na het gesprek met mijn moeder had ik de ring van Mike weer om gedaan.

'Waar is de ring van mijn vader?'

'Die heb ik op het nachtkastje gelegd. Hij jaagt me angst aan.'

'Alica heeft het me al verteld...' viel hij me in de rede. 'Wanneer ga je weg?'

'Morgen.'

'Ik wil jouw schilderij kopen.'

Teleurgesteld keek ik hem aan. 'Het schilderij is niet te koop, het is een cadeau van iemand van wie ik veel heb gehouden.'

'Zeg maar wat je ervoor wilt hebben.'

Ik voelde me beledigd door zijn aandringen.

'Ik weet al dat je edelmoedig bent, Oriol, dat heb je bewezen door Luis uit de brand te helpen.' Ik had wel kunnen huilen. 'Maar ik heb het geld niet nodig en ik kan ook edelmoedig zijn. Als je het zo graag wilt, mag je het hebben. Ik geef het je cadeau.'

Op zijn gezicht verscheen een grote grijns. 'Reuze bedankt.'

'Als dat alles is, ga ik verder met mijn koffers pakken.' Ik wilde dat hij wegging, dan kon ik in mijn eentje gaan huilen.

'Waarom stel je je terugreis niet uit?'

'Waarom? Ik heb hier niets meer te zoeken.'

'Ik kan zo'n kostbaar cadeau niet aannemen en als je je schilderij niet wilt verkopen, zul je mijn compagnon moeten worden en nog een paar dagen moeten blijven.'

Zijn zelfverzekerde blik en zijn nogal arrogante toon krenkten mijn eergevoel, dat toch al een lelijke deuk had gekregen. Maar omdat ik nieuwsgierig was liet ik niet merken dat ik me beledigd voelde.

'Je compagnon in wat?'

'In de zoektocht naar de schat van de tempeliers.'

Ik keek hem onderzoekend aan en probeerde erachter te komen of hij me voor de gek hield. Maar Oriol begon opgewonden te vertellen: 'Toen ik alleen in de grot van Tabarca was achtergebleven, ben ik aan het denken geslagen en dat doe ik nog steeds. Dat mijn vader valse sporen op de panelen heeft aangebracht wil nog niet zeggen dat ze niet authentiek zijn, en ook niet dat het verhaal van de schat niet waar is. En als dat zo is zouden er aanwijzingen te zien moeten zijn, al was het alleen voor iemand die er verstand van heeft. Dat we dat niet hebben gezien, kwam omdat we verblind waren door het zoeken naar geheime inscripties onder de verflaag, zonder de echte aanwijzingen te zien. Gisteravond kon ik bijna niet slapen, en vanmorgen in alle vroegte heb ik jouw schilderij en de mijne meegenomen naar de beste restaurateurszaak in de stad. Het onderzoek en het overleg met de experts hebben bijna de hele dag in beslag genomen. Kom mee!'

En terwijl hij me bij de hand nam trok hij me mee naar zijn kamer.

❖

51

D aar op zijn kast stonden de panelen tegen de muur geleund.
'Kijk er eens goed naar,' zei hij.

Ik zag wat ik altijd al had gezien. Het linkerpaneel verdeeld in twee rechthoeken van elk ongeveer vijftien centimeter breed bij twintig hoog: op de bovenste zag je, onder een boog van beschilderd sierpleister, Jezus Christus die zegevierend opstond uit zijn graf, en daaronder Johannes de Doper, de voorloper van de Messias, tijdens het verkondigen van de goddelijke boodschap, gehuld in een lamsvacht. Op het middenpaneel, ook met een enigszins puntige boog bovenin, stond Maria, de moeder van de Heer, met aan haar voeten de Latijnse inscriptie *Mater* in gotische letters. Ze keek triest voor zich uit en hield het Kind op haar schoot. Het stuk metaal dat op de aureool had gezeten was er nog steeds af en je kon nog lezen *Illa Sanct Pau*. Het Kind, dat vrolijker keek, gaf met zijn rechterhand de zegen. Op het derde paneel stond in de bovenste rechthoek onder de vreemde gelobde boog Christus aan het kruis met ernaast de Heilige Johannes de Doper en de Maagd. Onderaan stond Sint-Joris die op een belachelijk soort draak stond.

'Om te beginnen', vervolgde Oriol, 'heb ik vandaag de teksten aan de voeten van de heiligen en onder de aureool laten onderzoeken; de verf daarvan en die eroverheen geschilderd was bevat synthetische stoffen. En die zijn nieuw, want in de middeleeuwen bestonden ze nog niet. Dat bewijst dus dat de verborgen teksten van heel recente datum zijn, vast en zeker erop geschilderd door mijn vader. Maar dat zo vreemde element, de ring aan de hand van de Maagd, is wel middeleeuws. En ook al het overige op de panelen is absoluut van eind dertiende begin, veertiende eeuw.'

'En dat zou betekenen dat het verhaal in de kern op waarheid berust.'

'Precies. Dat is de eerste echte aanwijzing. Het is iets wat in het oog springt, wat tegenwoordig normaal lijkt, maar in die tijd onmiddellijk de aandacht zou hebben getrokken. De Maagd is een klassieke Madonna – ze draagt geen koningskroon, alleen een mantel – maar ze heeft wel een aureool en dat maakt het nog ongewoner, nog vreemder dat zij een ring draagt. Zoals ik al zei, het hoorde niet onder christenen: alleen hoge kerkelijke ambtsdragers deden dat.'

'Het mag dan vreemd zijn, maar het is niet vals,' concludeerde ik.

'Klopt. We hebben dus twee elementen die uit die tijd stammen en waarvan we mogen aannemen dat ze authentiek zijn: de panelen en de ring. Alleen daarmee kon Arnau d'Estopinyá of wie het ook was zijn boodschap door de tijd heen doorgeven.'

'En wat vind je van het verhaal van Arnau? Denk je niet dat er iets van waar kan zijn?'

'Ja zeker. In sommige culturen is mondelinge overlevering de enige manier om het erfgoed door te geven en het is verbazingwekkend hoe dat soms met heel oude verhalen van generatie op generatie gebeurt. Omdat het in dit geval voor de betrokkenen om zo'n belangrijk geheim ging, zou het heel goed kunnen dat het oorspronkelijke verhaal zonder veel weglatingen of toevoegingen aan ons is overgeleverd.'

'Maar we zullen nooit weten wat echt is en wat verzonnen.'

'Dat is waar, maar ook intuïtie is voor mij een belangrijke bron van weten, niet alleen het puur verstandelijke. Niet alle menselijke kennis komt voort uit wetenschap.'

Daar bleef ik over nadenken. Ik herinnerde me hoe ik huiverde toen ik de holte voor het pistool ontdekte in het valse paneel op zolder. Maar Oriol had het alweer over het schilderij: 'Voor een ingewijde is het teken van de Tempelorde op de panelen overduidelijk. Hoewel de Maagd een gangbaar motief was in de schilderkunst van die tijd, maakt de verbreiding van de Mariaverering onder de tempeliers en ook de aanwezigheid op de zijpanelen van hun onthoofde patroonheiligen, voordat ze hun hoofd verloren, duidelijk dat dit draagbare altaartje eigendom was van de monniksoldaten. Bovendien hebben we te maken met de twee kruisen die de tempeliers gebruikten: het patriarchale op de staf van de verrezen Jezus Christus en het breedarmige of Jeruzalemkruis op de kleren van Sint-Joris. Dat laatste is wel vreemd. Het kruis van Sint-Joris is dat van de kruisvaarders: rood en fijn, zoals dat op het stadswapen van Barcelona. De heilige wordt nooit afgebeeld met een breedarmig kruis.'

'Hieruit blijkt dus dat de panelen echt zijn en aan de tempeliers toebehoorden,' zei ik. 'En wat levert ons dat op?'

'Nou, dat als er een boodschap op staat, die voor iedereen te zien moet zijn. Denk je niet?'

'Ja, dat moet wel, lijkt me,' zei ik niet al te overtuigd. 'Want ik geloof niet dat de ring een of ander teken in zich draagt. Het oppervlak is glad; er staat niets in gegraveerd.'

'Nou goed, dan hebben we verder alleen de geschiedenis van Arnau, als we daar tenminste iets van mogen geloven.' Ik wilde hem niet onderbreken, maar ik had alle reden om aan te nemen dat het verhaal grotendeels waar was. 'En de panelen,' concludeerde Oriol, terwijl hij de afbeeldingen nog eens aandachtig bekeek. 'Je moet ze met de ogen van een detective van eind dertiende begin, veertiende eeuw bekijken. Wat zou een speurneus uit die tijd opvallen?'

'Jij bent de deskundige op dat gebied,' zei ik schouderophalend. 'Ik ben bang dat jij het speurwerk moet doen.'

'Nou, behalve wat ik net zei, vind ik die inscriptie *Mater* aan de voeten van de Maagd vreemd...'

'En waarom?'

'Het betekent "moeder" in het Latijn, maar dat is overbodig. Iedereen weet dat de Maagd Maria de moeder van Jezus was. Waarom zette de schilder er dan "moeder" onder als het allang duidelijk was dat de Maagd dat was? Onderschriften om heiligen aan te duiden komen tamelijk veel voor, vooral als de schilder het onderscheid niet goed kon weergeven; dat gebeurt regelmatig in de romaanse kunst. Maar op onze panelen kan iedereen de Maagd Maria herkennen, Sint-Joris gekleed als soldaat die op een draak staat, en Johannes de Doper, met een lamsvacht om en een perkamentrol in zijn hand, die verwijst naar het Oude Testament met daarin de aankondiging van de komst van Jezus. Al die dingen zijn overduidelijk, daar kan geen misverstand over bestaan, en het is dus niet nodig om daar een naam bij te zetten.'

'Misschien wilde de kunstenaar de belangrijkheid van de Maagd benadrukken.'

'Nee, dat geloof ik niet. De aanwezigheid van de Maagd domineert het paneel.

Bovendien wordt dit onderwerp in de vroegere schilderkunst heel vaak herhaald en ik heb nog nooit een onderschrift gezien dat naar de Maagd verwijst als moeder: dan staat er Maria of Santa Maria. Als de kunstenaar de Maagd als moeder had willen aanduiden, had hij *Mater Dei*, "moeder van God", geschreven.'

'Wat denk jij dan?'

'Dat *Mater* niet verwijst naar *Mater Dei*.'

'Naar wie dan wel?'

'Als dat woord op het middenpaneel staat, heeft het betrekking op iemand die op dat middenpaneel staat. En als het niet de moeder van het Kind is, dan moet het...'

'De moeder van de moeder zijn.'

'Ja, en de moeder van de Maagd was...'

Godsdienst was nooit mijn sterkste vak geweest, maar het antwoord schoot me in een flits te binnen... Misschien was het mijn geheugen, misschien intuïtie: 'De heilige Anna!'

We keken elkaar met grote ogen van verbazing aan.

'Santa Anna!' riep ik uit. 'De Santa Anna-kerk!'

Santa Anna. De kerk waar de Nieuwe Tempeliers van Enric en Alicia bij elkaar kwamen. Zou het opschrift op het paneel inderdaad verband houden met die kerk, of waren wij totaal verblind? Te veel toeval. Of zou het weer een van die valse sporen zijn die Enric op de panelen had aangebracht? Die mogelijkheid sloten we uit. Deze keer had Oriol de gebruikte pigmenten op alle panelen helemaal laten onderzoeken en die van het opschrift waren origineel middeleeuws.

Mijn intuïtie zei me dat het klopte, dat de Santa Anna-kerk de sleutel vormde. Hoewel ik besefte dat ik me misschien aan dat idee vastklampte bij gebrek aan betere sporen, in de hoop dat het avontuur nog even zou duren.

'Laten we die mogelijkheid als werkhypothese aannemen,' besloot Oriol na een lange woordenstrijd, waarin hij mijn enthousiasme probeerde te temperen. En ook dat van hemzelf.

Ik verweet hem dat hij nog maar een paar minuten daarvoor de intuïtie verdedigd had, het instinct als bron van kennis, en nu liet hij zich voorstaan op wetenschappelijk taalgebruik. Ik wist wel dat hij gelijk had, dat we methodisch te werk moesten gaan, maar het debat is een van mijn sterke punten en ik had zin om het initiatief weer naar me toe te trekken door nog even een academische discussie op gang te brengen.

Maar door het vermogen dat wij vrouwen vaak hebben om twee dingen tegelijk te doen, raakte ik in een controversieel gesprek verwikkeld met Oriol, waarvan ik bij voorbaat wist dat het niets zou opleveren, en ondertussen keek ik naar die panelen terwijl ik me afvroeg wat ik daar voor vreemds op kon ontdekken.

'De bogen!' riep ik plotseling uit.

Oriol keek me perplex aan. Wat hadden die bogen te maken met de strijd tussen intuïtie en methode?

'De bogen,' herhaalde ik. 'Eigenlijk zouden de bogen van de kapelletjes op het bovenste gedeelte van de zijpanelen hetzelfde moeten zijn. Denk je niet? Dat is iets vreemds.'

'Ja, ja, dat is zo,' antwoordde hij zodra hij begreep waar ik het over had. 'En die gelobde boog, die van het rechterpaneel; die is me al vanaf het begin opgevallen.'

'Is die zo vreemd?'

'Ja, heel vreemd... Ik denk dat het nu tijd wordt om de Santa Anna-kerk nog eens te gaan bekijken. Je gaat toch mee, hè?'

Ik deed even mijn ogen dicht om me te concentreren op waar ik op dit moment mee bezig was. Oriol en ik waren op zijn kamer de panelen aan het bekijken, waarop vermoedelijk de aanwijzingen verborgen stonden voor het vinden van de schat, en hiernaast, in die van mij, wachtte me een rommeltje van verspreid liggende spullen, die in mijn koffers gestopt moesten worden om dan door iemand van het personeel verstuurd te worden, terug naar de Big Apple. En juist nu had Oriol me gevraagd of ik morgen, de dag van mijn terugreis, met hem meeging om dat geheim te ontraadselen. En wat kon ik hierop antwoorden?

'Ja,' zei ik.

En tegelijkertijd realiseerde ik me dat ik, zoals mijn moeder zou zeggen, opnieuw mijn toekomst overboord gooide. Noch de nieuwe afspraak die ik met mijn kantoor had gemaakt, noch de oude met Mike weerhield me ervan om dat 'ja, ik wil' uit te spreken, dat me weer uithuwelijkte aan het avontuur. Maar wie zou zoiets kunnen weerstaan?

52

De ochtend kondigde zich stralend aan: het beloofde een van die vroege zomerdagen te worden waarop de wind vanaf de Middellandse Zee Barcelona zegent met een heldere lucht en milde temperaturen. Ik koesterde me in de zon die door mijn raam naar binnen viel en dacht aan die zonsopgang met de holbewoners op de ochtend van Sint-Jan, het kabaal, het zwemmen en de rest... Dat zou ik graag nog eens overdoen. De stad zoemde bedrijvig beneden me met het blauw van de zee en de lucht als decor. En daarboven zag ik een glinsterend vliegtuig, dat plotseling op een zwarte bromvlieg leek toen ik dacht aan New York en 'mijn verantwoordelijkheden'. Ik had het gevoel dat ik aan het spijbelen was. Je moet ervan genieten, zei ik bij mezelf en ik rende naar de douche; ik zag mezelf al met Oriol ontbijten in de rozentuin. Lekkere, geurige koffie, croissants en toast, boter, marmelade... en hij; het water liep me in de mond. Carpe diem, riep ik als excuus en remedie voor mijn wroeging.

We kwamen binnen door het portaal dat aan de zuidkant van het dwarsschip ligt, de korte arm van het Latijnse kruis dat het grondplan vormt van het gebouw. Anders dan bij mijn vorige bezoeken, toen ik de bogen niet eens had opgemerkt, werden die nu zorgvuldig bekeken.

We stonden in het dwarsschip, onder de koepel, en plotseling was het duidelijk dat de kerk met zijn drie naast elkaar gelegen kapellen in feite een alternatieve vorm was voor wat ook op de panelen is te zien: namelijk het zicht op de apsis. Het priesterkoor in het midden is, net als bij de panelen, veel groter dan de kapellen aan de zijkant. Links bevindt zich de kapel van het Heilige Graf en rechts de kapel van het Heilige Sacrament.

'Denk aan de panelen,' fluisterde Oriol. 'Het zijn er drie en allemaal hebben ze bovenin, zoals in die tijd gebruikelijk was, een boog alsof het een gebedsruimte is. De eerste kapel, die aan de linkerkant, die van Jezus Christus die uit de dood herrijst, heeft een enigszins puntvormige tonboog, iets tussen romaans en gotisch. De boog steunt niet op een console, maar loopt vloeiend door in de pilaar.'

'Net als de kapel die we hier links zien,' zei ik opgewonden. 'Kijk eens hoe de benaming klopt! Het Heilige Graf op het schilderij en het Heilige Graf op dezelfde plek in de kerk.'

Oriol glimlachte instemmend en ging door: 'Het middenpaneel heeft precies zo'n boog, maar die rust op een kleine opstaande rand en heeft daarboven een nog puntiger boog.'

'Die zijn ook hetzelfde!'

'En ten slotte, denk eraan dat het rechterpaneel een wonderlijke boog heeft met in het midden een lobje. Die gelobde bogen zie je veel op panelen uit die tijd, zoals op de onze, maar met meerdere lobjes, dus niet één zoals op ons schilderij. En wat zien we hier rechts?'

'De kapel van het Heilige Sacrament, maar eerst zitten er een paar kleine gewelven gevormd door verlaagde bogen die op consoles rusten, die op hun beurt weer steunen op de dikke zijmuren en een dunnere tussenmuur, die ze van elkaar scheidt.'

'Maar als je de voorkant ervan zou willen tekenen zouden die gewelven op verlaagde bogen lijken en de tussenmuur op een zuil. Denk je niet?'

'Inderdaad.'

'Dus als je de tussenzuil weghaalt dan lijken de panelen heel erg op wat hier in de kerk staat. Het was dus geen boog met slechts één middenlobje maar het bij elkaar komen van de twee verlaagde bogen op dezelfde console. Vergeet bovendien niet dat op het schilderij de grootste balk van het kruis op precies dezelfde plek staat als hier de zuil. In feite stelt het deze hele wand voor.'

'Zou dat toeval zijn?' vroeg ik hem uitdagend.

'Nee! Allemachtig!' riep hij enthousiast uit. 'Geen toeval! De schilder heeft het met opzet gedaan. De panelen zijn de plattegrond van deze kerk! De kapellen op het schilderij zijn de nabootsing van die in de echte kerk,' en hij keek van het schip naar de apsis. 'Het is hier, Cristina!'

We wilden zo veel mogelijk te weten komen over de Santa Anna: het was een kwestie van alles tot in detail onderzoeken. We verdeelden het werk; ik zou eigentijdse bronnen raadplegen en gezien zijn vak zou hij er oude documenten op naslaan.

Ik verzamelde allerlei materiaal waarin iets stond over het gebouw en de geschiedenis ervan, van toeristische gidsen van de stad tot degelijke boekwerken over de Catalaanse gotische architectuur. Oriol, vanwege de banden van zijn familie met de kerk, wist er al veel meer van en gaf me een juweeltje: een behoorlijke dikke pil over de Santa Anna-kerk, onlangs gepubliceerd in een beperkte oplage. Daar zou alles in staan wat we wilden weten. Ik zou een echte expert worden op het gebied van de kerk!

Die onbesuisde opmerking ontlokte mijn vriend een ironische glimlach, waardoor er iets door me heen ging dat het midden hield tussen verrukking en belediging. Wat is hij knap en wat is hij een pedante kwast, zei ik bij mezelf.

De volgende dagen was ik de hele dag bezig met lezen en met het steeds opnieuw bezoeken van de kerk, waar ik met een zekere regelmaat Arnau d'Estopinyá tegenkwam, die me de ene keer niet eens groette, andere keren wat gromde en zich nooit liet overhalen tot een praatje van meer dan twee zinnen.

Ook al is de verleiding groot, ik zal het niet tot vervelens toe hebben over hoeveel ik heb gelezen over Santa Anna, maar de gedocumenteerde geschiedenis ervan schijnt in het jaar 1141 te beginnen met het testament van de Aragonese koning Alfons I, die zijn gehele koninkrijk had geschonken aan de militaire ordes van de tempeliers, de Hospitaalridders en de ridders van het Heilige Graf. In dat jaar kwam een zekere kanunnik Carfillius namens de monniken van het Heilige Graf onderhandelen met de graaf van Barcelona, Ramón Berenguer IV, die door zijn huwelijk erfgenaam van de kroon was geworden. Hij kwam met de drie ordes overeen goederen en privileges te ruilen om het koninkrijk terug te krijgen.

Zo kwam de orde van het Heilige Graf van de ene op de andere dag in het bezit van uitgebreide bezittingen in Catalonië en Aragón, waaronder de buiten de stadsmuren gelegen kerk van Santa Anna, die zeer waarschijnlijk toen al bestond. Er werd besloten een klooster te stichten dat dezelfde heiligennaam zou dragen en dat niet alleen bezittingen kreeg in Catalonië maar ook op Mallorca en in Valencia. In zijn bewogen, turbulente geschiedenis maakte het klooster na een beginperiode van luister en rijkdom eeuwen van verval mee, waarin het van klooster tot een collegiale kerk werd en ten slotte een parochiekerk. De talrijke bezittingen werden verkocht, met inbegrip van de omliggende percelen, waar tegenwoordig hoge gebouwen staan die de overblijfselen van die oude luister omringen. De kerk werd tijdens de napoleontische invasie geplunderd en afgesloten, in 1873 gedurende de Eerste Republiek door gewapende troepen ontheiligd en gesloten voor het publiek, en in 1936, ten tijde van de Tweede Republiek, in brand gestoken en geplunderd. Toen, zo had Artur me verteld, was de nieuwe kerk opgeblazen. De enige overblijfselen van dat stijlvolle neogotische gebouw die we nu nog kunnen zien, zijn een paar muren die de Plaza Ramón Amadeu aan één kant begrenzen.

Oriol wisselde zijn onderzoek af met zijn werk, waardoor we elkaar 's avonds zagen, of tussendoor als er even tijd was, om onze aantekeningen te vergelijken.

Bij onze eerste ontmoeting was ik heel enthousiast over een foto van het interieur van de kerk na de brand: tussen de overblijfselen van een altaar was een gigantisch breedarmig kruis zichtbaar, dat daar oorspronkelijk zeker door verborgen was geweest.

'Onze grootouders kwamen hier bijeen,' zei Oriol stellig. 'En in tegenstelling tot die van de orde van het Heilige Graf, is onze cultus altijd geheim geweest.'

Het huidige heiligdom werd in de loop van de eeuwen gebouwd. Er zijn stukken waarin staat dat het priesterkoor en het dwarsschip tussen 1169 en 1177 werden gebouwd, het middenschip en een paar van de kapellen in de dertiende eeuw, andere zoals die van het Heilige Graf en het voorportaal in de veertiende, de kloostergang en de kapittelzaal in de vijftiende eeuw en de kapel van het Heilige Sacrament in de zestiende eeuw – en die is in de twintigste eeuw aangepast.

Maar opeens realiseerde ik me dat er een anachronisme was tussen het schilderij en het bouwwerk. Als de kapel van het Heilige Sacrament pas in de zestiende eeuw werd gebouwd, hoe kon er dan een kapel op het rechterpaneel staan? Hadden we ons niet in de kerk vergist? Bovendien, ondanks dat het Heilige Graf op het schilderij en in de kerk overeenkomsten vertoonden, was die kapel uit de veertiende eeuw, wat laat voor de schilder van de panelen, en er waren geen andere kapellen waarin dezelfde heiligen stonden. Op het priesterkoor wordt aan het hoofdaltaar zoals gebruikelijk de patroonheilige Santa Anna vereerd in de vorm van een beeld met open armen als hoedster van haar dochter en kleinzoon. Dat is ook de plek waar het beeld hoort te staan. En hoewel het allemaal moderne beelden zijn, logisch na de brand in de vorige eeuw, moet het er hier altijd zo hebben uitgezien: het hoofdaltaar voor de patroonheilige. Bovendien is er in de nieuwe kapel rechts, die van het Heilige Sacrament, geen enkele kruisiging te zien – hoewel er wel een piëta is afgebeeld in een hedendaagse muurschildering. Er waren dus punten die overeenkwamen, maar veel meer die verschilden. Ik werd er moedeloos van. We zaten weer op een vals spoor.

'We hebben onze eigen verzinsels geloofd, Oriol,' zei ik toen we elkaar zagen. En ik vertelde hem wat ik allemaal had ontdekt.

'Zulke oude gebouwen als deze zagen er niet altijd zo uit als nu, en ook stond niet alles op dezelfde plaats,' antwoordde hij. 'Daarbij komt dat de Santa Anna nooit uitvoerig is bestudeerd.'

'Denk je dat de boeken over de kerk het niet bij het rechte eind hebben?'

'Een beetje. Om te beginnen zijn het priesterkoor en het dwarsschip niet de oudste gedeelten van de kerk. Ze zijn alleen het eerste opgetekend. Toen de orde van het Heilige Graf de Santa Anna-kerk in bezit nam bestond die al, want anders hadden ze het latere klooster wel het klooster van Het Heilige Graf genoemd. Ben je het met me eens tot nu toe?'

Ik knikte.

'Waar zou het oude gebouw van de Santa Anna hebben gestaan?'

Ik haalde mijn schouders op.

'Kom maar mee!'

We gingen naar de kerk en hij trok me aan mijn hand mee naar het priesterkoor.

'Zie je iets bijzonders aan de ramen?'

In de muur van de apsis, achter het hoofdaltaar, zit bovenin een groot gotisch glas-in-loodraam en wat meer naar beneden zitten twee smalle ramen met een puntige boog, op precies dezelfde hoogte en gelijk aan de drie ramen in de rechtermuur, die op het zuiden ligt.

'Ik zie ramen in de rechtermuur, maar niet in de linker.'

'En wat zie je nog meer?'

Voordat ik antwoord gaf, draaide ik me in het rond om te kijken.

'Behalve het raam bovenin,' concludeerde ik, 'kijkt geen enkel raam van het priesterkoor naar buiten: de twee achterin staan in verbinding met de sacristie en de drie aan de rechterkant met de kapel van het Heilige Sacrament.'

'En waar denk je dan aan?'

'Ik denk dat toen de apsis werd gebouwd, alle ramen naar buiten keken, en als aan de noordkant, de linkerkant, geen ramen zitten komt dat omdat daar een ander gebouw stond. Misschien wel de oorspronkelijke kerk van Santa Anna.'

'Precies!' Wat tegenwoordig de kapel van het Heilige Graf is, was de vroegere kerk, die in de elfde eeuw in romaanse stijl moet zijn gebouwd.'

'Maar waarom situeren de hedendaagse onderzoekers het dan in de veertiende eeuw?'

'Omdat ze niet goed weten wat er is gebeurd en de bouw hebben beoordeeld naar wat je nu ziet. De vroegere romaanse kapel is na de brand in 1936 ingestort, net zoals veel andere delen van de kerk en de koepel, die uit elkaar spatte en een gigantische schoorsteen werd. Wat werd herbouwd heeft een puntige tonboog, dezelfde als in het priesterkoor en het dwarsschip, maar oorspronkelijk moet hij niet die punt hebben gehad. Maar er is meer. Op een paar tekeningen uit 1859 die ik van de kerk heb gevonden van een architect genaamd Miguel Carriga, staat een wandconstructie in de kapel *Dels perdons*, zoals die toen werd genoemd, die totaal anders was dan de rest van de kerkmuren. Ze waren dikker en er zaten nissen in waarin ongetwijfeld heiligenbeelden stonden.

En wat betreft het rechtergedeelte van het priesterkoor: de kapel die nu bekendstaat als het Heilige Sacrament bestond in de achttiende eeuw nog niet, aangezien de ramen naar buiten keken. Wat daar in de zestiende eeuw werd gebouwd was de sacristie. In die tijd waren er daarentegen wel twee gebedsruimtes, waarvan we de door twee kleine kruisgewelven overdekte bouw nog kunnen zien bij de ingang van de bewuste kapel, en die op het schilderij terug te vinden zijn in die verlaagde boog, met iets waarvan wij dachten dat het een lobje was precies boven het kruis, maar die in werkelijkheid de twee gebedsruimtes voorstelt. De hoofdingang en het portaal bevinden zich exact ernaast; ze dateren uit 1300 en gezien de gotische stijl ervan lijken ze op de gebedsruimtes, die waarschijnlijk in diezelfde periode werden gebouwd.'

'Dus als we blijven geloven wat Arnau ons heeft verteld, moeten er vier bogen hebben gezeten, en niet drie zoals op de panelen.'

'Dat klopt. In de gotische schilderkunst komen veel triptieken voor, maar niet met vier panelen – die bestonden gewoonweg niet. Vandaar dat er drie van werden gemaakt. De kapel links van ons stelt die van het Heilige Graf voor, met een zegevierende Jezus die uit de dood opstaat, met een staf waarop het patriarchale kruis, dat van de tempeliers, te zien is aan het uiteinde. Op het middelste, dat in omvang overeenkomt met het priesterkoor, hebben we de Maagd, maar het woord *Mater* doet denken aan de heilige Anna. Daarnaast lagen de twee kapellen, die tot de brand in 1936 als zodanig werden gebruikt. In de eerste bevond zich toen de Maagd van de Ster, in dezelfde gotische stijl als de Madonna op het middenpaneel, en de tweede gaf toegang tot de sacristie. En aan wie zou die laatste gebedsruimte zijn gewijd?'

Stil wachtte ik op zijn antwoord.

'Aan de gekruisigde Jezus!' zei hij glimlachend. 'Er stond een kruis met een levensgroot beeld.'

'Net als op de panelen,' fluisterde ik.

53

We gingen de kerk uit om wat makkelijker te kunnen praten en toen we door de Calle Santa Anna liepen op weg naar de Ramblas zei Oriol: 'Stel dat die Arnau werkelijk iets te maken had met de ring en de panelen, zoals mijn vader vertelt in zijn verhaal, waarvan we aannemen dat het is gebaseerd op mondelinge overlevering, en als we er bovendien van uitgaan dat het portaal en de kapellen rond 1300 werden gebouwd, dan moet hij de Santa Anna-kerk hebben gezien zoals die er op de panelen uitziet. De tempeliers werden tot 1307 niet vervolgd en volgens de documenten leefde Arnau d'Estopinyá ten minste tot 1328, een jaar langer dan Jaime II.'

'Alles klopt,' zei ik overtuigd. 'Iemand uit die tijd, die de kerk kende, moet hem op de panelen hebben kunnen herkennen.'

'Het verhaal moet als volgt zijn gegaan,' ging hij verder. 'Arnau zette met zijn galei koers naar het noorden in plaats van naar het zuiden. Anders dan met de Hospitaalridders, hebben de tempeliers altijd een goede verstandhouding gehad met hun collega's van het Heilige Graf. Dat was een veel kleinere orde, waardoor er geen rivaliteit bestond zoals met de Johannieters. Bovendien hadden de monniken van het Heilige Graf in die tijd geen militaire arm in Catalonië: het waren gewone geestelijken. De broeders Lenda en Saguardia waren al met de commandeur van de orde van het Heilige Graf in Barcelona overeengekomen dat die hun schatten zou bewaken, dus landde Arnau op een strand in de buurt van de stad. Zo vermeed hij zowel de zetel van de tempeliers, die vlak bij de scheepswerven lag en zeker in de gaten gehouden werd, als de haven van Can Tunis aan de zuidkust van de heuvel Montjuïc, die beschermd werd door een kasteel dat goed was uitgerust door de troepen van de koning. Hij zorgde ervoor dat alleen de Saraceense galeislaven zagen aan wie hij de lading overhandigde, en daarna op de terugreis liet hij hun de keel afsnijden zodat ze bij aankomst in Peñíscola niets konden doorvertellen. Hij had gegronde redenen om te vrezen dat afgevaardigden van de Inquisitie of van de koning zijn bemanning zouden ondervragen. De monniken van het Heilige Graf daarentegen stonden boven elke verdenking en brachten de schat naar hun klooster om hem te bewaren in de kerk die toen al bekendstond als de Santa Anna. Het klooster stond buiten de muren van Barcelona, waardoor het over zijn eigen verdediging beschikte. Maar juist in die tijd werd er gewerkt aan de tweede stadswal, waardoor de Santa Anna-kerk uiteindelijk binnen de ommuring terechtkwam. Ik weet niet of het commandeurschap van het Heilige Graf in die tijd al door de muur werd beschermd, maar zeker is dat de monniken ofwel een eigen toegangspoort hadden, omdat hun klooster uiteindelijk zou grenzen aan de vestingwerken, ofwel dat ze vrije toegang hadden tot de stad zonder heffingen of registraties. Dat voorkwam lastige vragen.'

'Of misschien was het niet zo,' zei ik.

'Misschien niet. Misschien brachten ze de schat vanuit het kasteel van Miravet over land hierheen. Maar het eindresultaat moet hetzelfde zijn geweest.'

'Oké. Goed. De schat van de tempeliers ligt in de Santa Anna-kerk. En wat doen we nu?'

Oriol krabde zich eens nadenkend achter zijn oor. We stonden midden op de Rambla de las Flores, en de glans en levendigheid van die zomermiddag en van de kleurrijke menigte waren voor ons als een warm bad. Hij stond stil bij een van de kraampjes en kocht een fleurig bosje bloemen, dat hij me met een kus op mijn lippen zwierig aanbood. Vanwege Oriols onverschilligheid van de laatste dagen werd ik totaal verrast door die kus, waarnaar ik zo intens had verlangd, maar ik herstelde me ogenblikkelijk en sloeg mijn armen om zijn hals terwijl ik me tegen hem aan drukte en hem hartstochtelijk begon te zoenen.

'We moeten hem zoeken,' zei hij toen we ons een beetje losmaakten uit die omhelzing. 'Denk je niet?' Hij lachte en ik zag het geluk in zijn blauwe amandelvormige ogen.

'Ja, dat vind ik ook,' stemde ik in.

En hand in hand liepen we de Ramblas verder af, pratend over ditjes en datjes en lachend om niets, alleen maar omdat we leefden, om dat moment van geluk. Wat doet die schat ertoe? zei ik bij mezelf. Maar welke schat? Over welke schat hebben we het?

We genoten van de middag, van de stad, van de nacht, en de vroege ochtend trof ons naakt aan op het door elkaar gewoelde bed van Oriol, met het raam open boven een nachtelijk Barcelona, zwijgend, kijkend naar de panelen die door een paar lampjes werden verlicht.

Na een tijdje van stilte, zonder acht te slaan op Oriol die in diep gepeins was verzonken en die puur door mentale kracht de panelen hun geheimen leek te willen ontfutselen, wilde ik mijn ideeën hardop samenvatten.

'We weten dus dat de triptiek een soort plattegrond is van de kerk,' zei ik. 'Nu moeten we de route op de kaart zien te vinden.'

'Ja,' gaf hij nadenkend toe.

'We moeten letten op alles wat niet zo vaak voorkomt...'

'De plaats van het kindje Jezus rechts van de Maagd,' onderbrak hij me. 'Ik heb je al gezegd dat dat niet gebruikelijk is. Verreweg de meeste gotische Maagden in het rijk van Aragón uit die tijd hebben, zowel in de schilderkunst als in de beeldhouwkunst, het Kind links op hun schoot. Alsof ze hem met hun rechterhand moeten kunnen verzorgen. Maar hier niet.'

'Nog een aanwijzing!'

'Precies. Bovendien wordt het Kind meestal afgebeeld terwijl het ergens mee bezig is, een boek vasthoudt, met vogeltjes speelt, zijn moeder fruit aanbiedt. Het meest komt hij zegenend voor.'

'En dat is wat hij op mijn paneel doet.'

'Nee! Kijk eens goed. Hij zegent niet, de zegen geef je met de opgeheven wijsvinger en middelvinger van de rechterhand. Zoals op het rechterpaneel, waar Jezus uit het Heilige Graf opstaat.'

'Het Kind heft alleen zijn wijsvinger op.'

'Precies, hij zegent niet, hij wijst.'

'Maar waarheen? Hij wijst naar de hemel en een beetje naar links, niet echt ergens heen.' Ik voegde er nadenkend aan toe: 'Het moet de belofte van het rijk der hemelen aan de gelovige voorstellen...'

'Helemaal niet. Kijk eens goed! Nu zie ik het!' Oriol klapte het paneel van het Heilige Graf door middel van een paar niet bestaande scharnieren als een luik over het middenpaneel dicht. 'En waar is de vinger van het Kind nu?'

Ik keek door de hoek die de beide panelen nu vormden. 'Hij wijst naar de binnenkant van de graftombe, van het Heilige Graf.'

'Naar de binnenkant van een graftombe in de kapel links van het hoofdaltaar in de Santa Anna-kerk in Barcelona,' zei Oriol. 'De kapel van de broeders van de orde van het Heilige Graf, die van *Dels perdons*!'

Ik zat na te denken. Het leek allemaal erg gezocht, maar er zat wel logica in. Ik probeerde me de kerk voor de geest te halen.

'Ben je er zeker van dat de schat daar ligt?' vroeg ik ten slotte.

Oriol haalde zijn schouders op. 'Het is het enige alternatief dat ons overblijft.'

'En hoe krijgen we toestemming om onder de vloer van de kerk te mogen graven?'

'Ik zal met mijn moeder gaan praten,' antwoordde Oriol. 'Ik ben er zeker van dat zij de pastoor kan overtuigen dat wij die kapel moeten onderzoeken. Zij en de "broederschap" waarvan ze voorzitter is zijn de grootste weldoeners van de kerk. En annuleer jij nu maar definitief die terugreis van je. Laat me hier alsjeblieft niet alleen mee zitten... Weet je nog, we hebben gezworen om elkaar niet in de steek te laten.'

Nou zeg, dat is wat je noemt een retorische vraag! Hem alleen laten? Zelfs als die heilige kerk in elkaar zou storten met al zijn bogen, gewelven, pilaren, consoles, gewelfstenen en god weet wat voor stenen er nog meer boven ons hoofd in de lucht hangen, dan nog was het avontuur opgeven wel het laatste wat ik op dit moment zou doen.

54

We brachten enkele heerlijke nachten door in zijn kamer, waar we de mysteries van het lichaam en de geest van de ander oplosten omdat die van de panelen geen geldig excuus meer waren. In mijn kamer was het nog een chaos van koffers die gepakt... of uitgepakt moesten worden.

En we konden praten over de eerste kus, over de zee, over onze zoekgeraakte brieven, en ook over wat er de laatste dagen was gebeurd. De haremvrouw die Oriol in de nacht van Sint-Jan had afgewezen, bleek een studente van hem te zijn aan de universiteit en hij vertelde dat hij het daarom en omdat ik bij hem was, weinig elegant had gevonden om met haar te gaan stoeien in het bos. Susi, de travestiet die we waren tegengekomen toen we uit bar Pastis kwamen, was op weg geweest naar het welzijnswerk in een kraakpand daar in de buurt, dat georganiseerd werd door een van de actiegroepen van Oriol. Hij had haar grapje over een triootje meegespeeld omdat hij het leuk vond mijn verschrikte gezicht te zien. Lachend verzekerde hij me dat hij zich door travestieten op seksueel gebied nooit zou laten strikken. Daarna werd hij serieus en zei dat zelfs al zou hij daarvoor voelen, hij niet naar Susi zou gaan; zij had aids en het welzijnswerk was bedoeld om mensen te helpen die besmet waren met hiv en geen geld hadden. Dat deed hij uit respect voor zijn vader. Ik ergerde me en vroeg hem hoe iemand als zij zich kon prostitueren, dat het gevaarlijk was, waarom ze er niet mee ophield. Oriol haalde zijn schouders op en zei dat ik misschien wel gelijk had, maar dat Susi, ook al had ze 'dat', nog steeds een mens was, met alle rechten van dien, dat ze vrij was, dat ze eronder gebukt ging, dat ze moest werken om te eten en liefde nodig had om te leven. Ik moest toegeven dat dat allemaal waar was. Maar hij overtuigde me niet: iedereen is een slaaf van zijn angsten. Ik was ook niet tevreden met zijn uitleg over de grap; ik zei precies wat ik vond van zijn erbarmelijke gevoel voor humor.

De dagen waarop we onze zoektocht in de kerk voorbereidden waren onvergetelijk. We genoten van een stralend Barcelona, van de pas ontloken zomer en de liefde. En het was de liefde die al het andere zo verrukkelijk maakte. De telefoon gebruikte ik niet meer, waardoor ik totaal van de Verenigde Staten was afgesneden. Even daarvoor had ik mijn kantoor gebeld om het bijna onmogelijke te vragen: opnieuw meer tijd. En Mike, om te zeggen dat wat wij hadden in een crisis was beland en dat ik de ring door een besteldienst liet terugsturen. Het was een lang gesprek, waarin hij niet opgaf.

En als laatste sprak ik met een verslagen María del Mar, die berustte in dat onverbiddelijke noodlot waaraan een simpele sterveling niet kan ontkomen hoe hij ook zijn best doet. Ik zei haar dat ze zich niet ongerust moest maken, dat ik het fantastisch had met Oriol en dat ze zich geen zorgen moest maken als ze een paar dagen niets van me hoorde; het ging goed met mij. Heel goed.

We gingen regelmatig naar de Santa Anna, die we tot in detail onderzochten.

'De kerk heeft een crypte,' zei Oriol op een ochtend.

'Een crypte?' vroeg ik. 'Een ondergrondse kapel?'

'Ja, ik weet zeker dat die er is. De oorspronkelijke Santa Anna-kerk moet halverwege de elfde eeuw zijn gebouwd, nog maar zo'n vijftig jaar nadat Almanzor de stad Barcelona had verwoest en alles van waarde en duizenden slaven met zich mee had genomen. Moorse strooptochten kwamen nog veelvuldig voor en het sprak vanzelf dat men bang was dat de plundering zich zou herhalen. Het ligt voor de hand dat een kerk die buiten de stadsmuren lag, niet alleen verdedigingsmuren had maar ook geheime bergplaatsen waarin de attributen voor de eredienst verborgen zaten, voor het geval dat er een overval plaatsvond.'

'Maar dat is niet meer dan een vermoeden.'

'Nee, het is wel meer. Ik heb heel oude documenten gevonden waarin de crypte van San José vermeld staat.'

'En waar zou die dan zijn?'

'Onder de kapel van het Heilige Graf,' zei hij.

'Waarom?'

'Omdat dat het oudste gedeelte is en ook het belangrijkste voor de eredienst. Vroeger zaten er op de buitenmuren van de kapel van het Heilige Graf een paar uitgebeitelde pelgrimsschelpen, die verwezen naar de ver giffenis die in de gebedsruimte werd verleend, die je ook kreeg wanneer je een pelgrimstocht maakte naar het Heilige Graf in Jeruzalem. Stel je het spirituele en economische belang van zo'n aflaat voor het klooster eens voor. Al die sporen zijn verdwenen. Bij de wederopbouw van de kerk na de brand in 1936, waarbij het oude tonplafond was ingestort, verdwenen de schelpen en andere belangrijke onderdelen van de kapel. Maar hoogstwaarschijnlijk is alles wat onder de grond verstopt zat, bewaard gebleven. Niemand weet tegenwoordig nog van het bestaan van de crypte, of waar die zich vroeger bevond, maar ze kan onmogelijk door brand of instorting zijn getroffen, omdat de ingang ervan door al het andere aan het oog werd onttrokken. Ik ben ervan overtuigd dat op een of andere plek onder deze tegels een geheime crypte verborgen ligt en ik durf er wat onder te verwedden dat ze precies onder de oude kapel *Dels perdons* zit.'

Met behulp van ijzeren koevoeten van de koster en een kleine takel voor huis-, tuin- en keukenwerk in de bouw, konden we de grafplaat in de kapel, waarop een geestelijke gebeeldhouwd stond, verplaatsen. Het resultaat was teleurstellend. Botten. De geniale theorie van Oriol viel in duigen. Hij zei dat hij de vloer wilde openbreken, maar de pastoor weigerde dat. Het feit dat de broederschap waarachter de orde van de Nieuwe Tempeliers van Alicia schuilging een zeer belangrijke financiële steun was voor de kerk, bracht de priester niet van zijn besluit af. Jaren geleden, toen er in het middenschip vloerverwarming werd aangelegd, waren er talloze stoffelijke resten tevoorschijn gekomen. Dat was heel pijnlijk. Nee, meer graafwerk zou hij niet toestaan.

'Als er een ingang tot deze kapel bestond dan moet die zijn dichtgemetseld bij een van de herstelwerkzaamheden,' zei Oriol.

Dus probeerden we hetzelfde bij het priesterkoor.

Daarvoor moesten de koorbanken van de apsis worden verplaatst en we ontdekten vier grafzerken aan de zijkant van het hoofdaltaar met kruisen met dubbele armen en kardinaalssymbolen. Vermoedelijk waren het de graftombes van kardinalen die priester in deze kerk waren geweest. Toen we de eerste twee, die naast de kapel van het Heilige Graf lagen, hadden opgetild, bleken de graven tot onze teleurstelling leeg. Maar bij de derde werden onze verwachtingen overtroffen toen een smalle trap met diepe treden zichtbaar werd, die in de duisternis verdween.

'De ingang van de crypte!' riep ik. En mijn ogen zochten die van Oriol waarin emotie was te lezen.

Mijn vriend stak een kaars aan en maakte aanstalten om naar beneden te gaan. Dat leek me nogal uit de tijd: ik zei tegen hem dat hij beter een van de zaklampen mee kon nemen die we bij ons hadden.

'Dit doe ik vanwege de zuurstof,' zei hij. 'Er zijn al heel wat mensen gestorven door een put of ondergrondse ruimten binnen te gaan zonder die voorzorg te nemen. Het koolzuur of andere nog zwaardere gassen blijven meestal in de diepte hangen, en mensen die naar binnen gaan ademen net zo lang lucht zonder zuurstof in tot ze verstikt in elkaar zakken. Je moet de vlam ter hoogte van je middel houden en als die uitgaat, is dat een teken dat je beneden niet kunt ademhalen en dat je weg moet wezen.'

Ik dacht vol trots dat die minnaar van mij een handige jongen was en maakte aanstalten om hem gewapend met een zaklamp te volgen. Hij ging voorop naar beneden, steunend tegen de muren en het plafond, maar de trap was zo smal en steil dat ik besloot er achteruit af te lopen, waarbij ik met mijn handen de treden vastgreep. Ik had geen zin om in die naargeestige duisternis naar beneden te vallen.

De ruimte was iets kleiner dan de apsis, met een tongewelf dat op een lage muur steunde, waardoor het vertrek een maximumhoogte van ongeveer tweeënhalve meter had. Achterin was alleen maar een stenen altaar en verderop, op de muur, een groot rood geverfd patriarchaal kruis. Hetzelfde dat zowel de tempeliers als de ridders van het Heilige Graf gebruikten. De kaars van Oriol bleef branden en hij zette hem op het altaar, waarop een paar kistjes stonden.

'Misschien zijn het relikwieën van Santa Anna, Santa Filomena, en de lignum crucis, die voor de oorlog in de kerk werden bewaard,' zei mijn vriend. 'De pastoor uit die tijd en nog een paar geestelijken werden vermoord. Het geheim moet met hen verloren zijn gegaan.'

'Het lijkt er niet op dat er hier een of andere schat is,' zei ik.

Oriol antwoordde niet en begon met zijn zaklamp op de grond naar grafstenen te zoeken. Af en toe stond hij even stil, alsof hij op sommige stenen tekens las die mij niets zeiden.

'De kardinaals moeten hier zijn begraven,' zei hij ten slotte en wees op een grafsteen aan zijn voeten. Hij leek teleurgesteld.

De koster en de kapelaan kwamen ook gewapend met zaklampen naar beneden om ons te helpen zoeken, maar konden evenmin iets van belang vinden. Onder de grafstenen van de crypte lagen alleen maar botten. Dat leek het einde van de zoektocht.

Oriol stelde voor erin te berusten en vroeg de pastoor of wij tweeën 's nachts verder mochten zoeken in de crypte, waarbij hij beloofde dat alles op zijn plaats zou staan voor de mis van de volgende dag. Na een lange reeks van waarschuwingen stemde de oude priester met tegenzin toe. Ik denk dat de financiële steun van Alicia aan de kerk zwaar op zijn gemoed rustte. Oriol vroeg me om ergens iets met hem te gaan eten, waar ik eigenlijk niet zo'n zin in had; van het snuffelen onder grafzerken krijg je niet bepaald honger en ik voelde me niet lekker. Maar hij drong erop aan; we moesten weer op krachten komen.

'Een schelp. Heb je dat gezien?' zei Oriol plotseling in het restaurant. 'Er was een pelgrimsschelp gebeiteld in een van de stenen van de linkermuur van de crypte; de steen is bijna net zo groot als een grafplaat en een mens zou door de opening kunnen.'

'En wat wil dat zeggen?'

'Je herinnert je vast nog dat die schelp het teken is van de kapel *Dels perdons*, die van het Heilige Graf,' zijn ogen glommen van enthousiasme. 'Dezelfde die op de buitenkant van de kapel zaten, maar die bij de wederopbouw van na de burgeroorlog verdwenen zijn.'

'En...?'

'Waarom zouden ze een pelgrimsschelp beitelen in een crypte onder de apsis die in theorie geen enkel verband houdt met de aangrenzende kapel *Dels perdons*?'

'Om aan te geven dat er wel een verband is?' vroeg ik onzeker.

'Ja, natuurlijk!' een triomfantelijke glimlach speelde om zijn mond. 'Het moet de ingang van een andere crypte zijn, de eerste, de oudste. Die we in de vloer niet konden vinden. Hij moet daar zitten!'

We werkten ons eten zo snel mogelijk naar binnen om door de Calle Rivadeneyra terug te gaan naar de kerk, waar we de doorgang naast het parochiehuis namen die toegang geeft tot de kloostergang. De pastoor had ons de sleutels geleend van de hekken in dat steegje. Toen we langs de kapittelzaal liepen en ik de zo donkere kloostergang zag, kon ik een huivering niet onderdrukken toen ik dacht aan mijn ontmoeting daar van een paar dagen geleden met Arnau d'Estopinyá.

We waren nu met ons tweeën en dankzij de koevoeten kwam er na een paar pogingen beweging in de steen met de gebeitelde pelgrimsschelp; het kostte niet veel moeite hem los te krijgen. Een muffe lucht steeg op uit de zwarte opening. Oriol hield er een van de kaarsen bij en zette die op de grond bij de ingang van het gat; hij bleef even staan om me aan te kijken. Hij glimlachte, we gaven elkaar een hand en een kus. Ik voelde mijn hart als een gek tekeergaan door de emotie en wist dat ik van dat unieke moment moest genieten. Zou de legendarische schat van de tempeliers verborgen liggen in de duisternis waarvan ik een glimp had opgevangen? Oriol maakte een galant gebaar, als een heer die een dame voor laat gaan bij een deur, en ik was me ervan bewust dat ik ondanks mijn nieuwsgierigheid bepaald niet stond te trappelen om daar naar binnen te gaan. Ik keek naar de kaars die rustig brandde aan mijn voeten en stelde mijn vriend voor er hand in hand in te gaan. Met een 'carpe diem' boog ik me voorover om via een afstapje in die ruimte te stappen. Ik hield de kaars voor me uit en onder mijn middel. Ik werd rustig toen ik zag dat hij niet uitging en ik moest hem boven mijn hoofd tillen om het goed te zien. Oriol lichtte me meteen bij met zijn zaklamp. Het vertrek was nog kleiner dan het vorige; aan het plafond zaten puntig toelopende bogen die op de muren steunden, en in het midden stonden drie dezelfde zuilen waarvan Oriol later zei dat ze Visigotisch konden zijn. Maar op dat moment interesseerde me dat geen barst.

Toen Oriol zag wat er in de catacombe zat riep hij uit: 'De schat!'

55

Ik werd door emotie overmand. Daar stonden we dan midden in een kleine crypte, in een open ruimte, maar met om ons heen grote kisten en daarachter, tegen de muren opgestapeld, kleine kistjes, waarvan sommige metaalachtig glansden in het licht van de zaklamp.

Met een beetje kaarsvet zette ik mijn kaars vast op een van de grote kisten. Ik vroeg Oriol of we er een zouden openmaken. Hij scheen met zijn lamp op de dichtstbijzijnde kist en ik trok met veel moeite het piepende deksel omhoog. Hij was leeg! Oriol maakte er nog een open... leeg! Leeg, leeg, leeg... Allezes de kisten waren leeg.

'Er is niets!' zei ik diep teleurgesteld tegen Oriol, die me ontgoocheld aankeek.

'Toch moet er iets zijn,' antwoordde hij na even nagedacht te hebben. 'Het goud en zilver ontbreken, maar ik denk dat wat voor de tempeliers het meest waardevol was van de schat nog steeds hier ligt. Kijk eens naar die kistjes.'

Dat waren er een heleboel, mooie kleine kistjes, sommige van metaal met versieringen van een soort Limoges-email, andere met gebeeldhouwde marmeren figuurtjes, of bedekt met inlegwerk of van bewerkt hout in reliëf en met net zulke afbeeldingen als die op mijn paneel.

'Deze zijn in elk geval niet leeg...' verzekerde mijn vriend me.

Ik maakte er eentje open in de hoop goud en edelstenen te zien glinsteren, maar wat ik zag was de weerschijn van tanden in een doodshoofd met nog wat verdroogde huid en haren eraan. 'Mijn god,' riep ik vol afkeer uit. 'Het zijn stoffelijke resten.'

Oriol, die nog twee kistjes had opengemaakt, scheen met zijn zaklamp in mijn richting en zei: 'Het zijn relikwieën. Het was niet makkelijk illegaal handel te drijven op de relikwieënmarkt.' Hij pakte een houten doosje dat beschilderd was met heiligen in romaanse stijl. Op het deksel stond het-zelfde kruis als dat in mijn ring. Met dat in gedachten scheen ik erop om te zien of hij glansde, en ik meende in de bloedrode steen een vreemde vibra-tie te voelen.

'Er is geen twijfel mogelijk, we hebben de verloren schat van de tempe-liers gevonden,' zei Oriol voor hij het kistje openmaakte.

Er lagen nog meer botten in, sommige met een perkamentachtig stuk huid eraan vast. 'In de kronieken van de kerk die ik erop nageslagen heb, staat dat de orde van het Heilige Graf in de vijftiende eeuw werd ontbon-den en dat het klooster een collegiale kerk van de augustijnen werd. Er woonden geen monniken meer, maar reguliere kanunniken die niet de eed van kuisheid hadden afgelegd en die in veel gevallen tuchtstraffen kregen vanwege hun losbandige leven en hun – voor een bedelorde – onvoorstel-baar hoge uitgaven. De opbrengst van de moestuinen, pacht en aalmoezen was nog geen honderdste van wat de gemeenschap verspilde. Toen ik dat las, was me al duidelijk dat de schat hier gelegen moest hebben en dat het geld dat er deel van uitmaakte was verbrast in de honderd jaar na het over-lijden van Arnau. Maar de relikwieën van de heiligen waren voor de tem-peliers veel waardevoller dan het goud en zilver en de augustijner kanun-niken die hier woonden hadden daar ook eerbied voor, zelfs vrees. Het was heel onwaarschijnlijk dat ze die verhandeld hadden.'

'Het verbaast me niets dat ze dat niet aandurfden. Laten we hier weg-gaan,' drong ik aan. 'Dit is gewoon een kerkhof.'

Ik was misselijk en mijn hart draaide om in mijn lijf. Dit had ik niet ver-wacht. En plotseling voelde ik een soort bijgelovige angst, alsof we graf-schennis hadden gepleegd, alsof we hier straf voor verdienden. Ik heb al eens eerder gezegd dat ik over het algemeen niet bang ben uitgevallen, maar het nachtelijke tijdstip, die donkere oude kerk, de crypte met haar misselijkmakende geur en die stoffelijke resten in de kisten gaven me een intens gevoel van iets wat het midden hield tussen angst en walging. Ik moest hier weg, maar ik wilde dat Oriol met me meeging. Ik voelde me niet in staat nu nog eens alleen die naargeestige kerk te trotseren die ons boven wachtte.

Maar ik vergiste me. Boven wachtte ons niet het duister, maar een licht-schijnsel in onze ogen en een bekende stem: 'Nee maar, Cristina, ik dacht dat jij allang in Amerika zat.' Ik herkende de cynische toon van Artur, die vriendelijk mijn hand pakte om me te helpen uit de catacombe te stappen. 'Of aan de Costa Brava...'

Ik telde een, twee, drie van zijn huurlingen met zaklamp en revolver in de hand. Oriol die achter me aan kwam, werd ook onder schot gehouden.

'Jij dacht zeker dat je mij voor de gek kon houden, hè?' beet Artur hem toe op een heel andere toon dan die hij tegen mij aansloeg. 'Ik vertrouw het nooit als iemand overdreven veel voor iets betaalt. Temeer als die iemand de marktwaarde ervan kent. Hoe kon je denken dat ik zou toehappen?'

'Er is geen goud, er zijn alleen maar relikwieën,' was ik hem voor. Ik dacht dat we ons er misschien weer uit konden redden als we hem ervan overtuigden dat de waarde van wat er beneden lag niet opwoog tegen het risico om ons te doden.

'Nee, schat,' zei hij. 'Ik heb genoeg opgevangen van jullie gesprek beneden. Dozijnen kistjes, relikwiehouders uit de twaalfde en dertiende eeuw. Metaal bedekt met Limoges-email, doosjes met beschilderd pleisterwerk in romaanse en gotische stijl. Koffertjes met gebeeldhouwde marmeren figuurtjes. Dat is een fortuin waard. Het mag dan geen schat zijn geweest voor een koning uit die tijd – hoewel de relikwieën dat wel waren voor de monniken – maar voor een antiquair uit de eenentwintigste eeuw betekent het een onmetelijke rijkdom. Er is niet veel uit die tijd en het is reuze in trek.'

'Wat ga je doen met de relikwieën?' vroeg Oriol.

'Het menselijke afval laten we liggen waar het ligt,' antwoordde hij snel. 'En daar hoor jij ook bij.'

Toen wist ik dat het deze keer echt afgelopen was met ons. Wie zou hij hebben omgekocht om hier binnen te komen? Of had hij nog meer sleutels? Het deed er ook niet toe: wie hem had geholpen, zou ons nu niet helpen. Ik begon wanhopig na te denken hoe we ons hieruit konden redden. Ik zag mijn lijk al in het donker naast dat van Oriol liggen op de halfvergane en verdroogde stoffelijke resten van al die heiligen die ze uit de kistjes hadden gegooid, opgestapeld in een hoek, voor altijd opgesloten in de geheime crypte.

'Ik heb geld, als dat is wat je wilt,' bood Oriol aan.

'Ik wil je geld niet.' Artur keek hem vol afschuw aan, alsof zijn eergevoel diep was gekrenkt. 'Begrijp je het dan niet? Dit zou weleens de grootste vondst van middeleeuwse kunst van deze eeuw kunnen zijn. Bovendien, gijzelen is niet mijn soort handel.'

'En is moord dat wel?' vroeg ik verontwaardigd. Ik begreep niet hoe ik me ooit aangetrokken had kunnen voelen tot die zelfingenomen snob, die schertsfiguur.

'Het spijt me, schat,' antwoordde hij alsof het hem speet, 'maar soms is dat bij de prijs inbegrepen.'

'Artur, er moet een andere oplossing zijn,' probeerde Oriol te onderhandelen. 'Neem maar mee wat je wilt, houd ons net zolang ergens vast tot alles weg is. Niemand weet van het bestaan van deze crypte, niets van wat er hier ligt is gecatalogiseerd, dus niemand zal je ergens van kunnen beschuldigen. We beloven je, zweren op wat je maar wilt, dat we nooit iets zullen zeggen. Neem alles maar mee.'

De antiquair liet zijn blik door het duister naar het plafond dwalen, alsof hij nadacht.

'Nee. Het spijt me,' zei hij na een paar ogenblikken, die eindeloos leken te duren. 'Het spijt me echt, niet voor jou, maar voor haar, maar zodra jullie niet meer bang zijn, weten jullie niet hoe snel jullie aangifte moeten doen. Ik zou nooit rustig van die voorwerpen kunnen genieten. Het gaat me niet alleen om geld. De beste stukken houd ik zelf, om ernaar te kijken, om ze aan te raken en te strelen, alleen vanwege het plezier ze te hebben.'

Hij praatte op zachte toon; ondanks de situatie voelden we allemaal een vreemde eerbied voor de kerk.

De dood; hij ging ons vermoorden. Ik had er wat voor overgehad om niet zo overtuigd te zijn dat niets ons meer kon helpen, maar toch was ik Oriol dankbaar dat hij het probeerde en ik wilde denken dat hij het meer voor mij deed dan voor zichzelf. Ik zou misschien iets gezegd hebben als ik ook maar iets zinnigs had kunnen bedenken, maar de angst begon me in zijn greep te krijgen en in paniek keek ik naar dat donkere gat van de catacombe waar we net uit gekomen waren.

'Het spijt me dat ik niet meer tijd heb om te praten. Wees zo goed om naar beneden te gaan. Als jullie geen scènes maken hoeft niemand onnodig te lijden.'

Ik bedacht dat ze mij alleen maar dood naar beneden konden krijgen. Mijn hand zocht die van Oriol en hij pakte hem stevig vast. Ik had zijn handen altijd groot en warm gevonden, maar nu was die van hem ijskoud, net als de mijne. We moesten iets doen, we konden toch niet zomaar doodgaan. Ik voelde me op dat moment nergens toe in staat, maar ik kneep stevig in zijn hand en schoof dichter naar hem toe zodat onze schouders te-

gen elkaar botsten. Ik wist zeker dat Oriol op een of andere manier zou reageren en dat ik, terwijl ik nu als verlamd was, hem tot de laatste seconde
in het leven zou volgen.

'We gaan niet naar beneden,' zijn stem klonk vast, ook al voelde ik de
spanning.

'Begrijp het toch, Bonaplata,' antwoordde Artur, alsof hij zich erover
beklaagde dat Oriol zo koppig was. 'Het gaat er alleen maar om dat ik de
kerk niet vuil wil maken.'

Er is geen ontsnapping meer mogelijk, zei ik bij mezelf, terwijl ik de situatie overdacht. Ik was doodsbang, ik zag geen uitweg meer. De zaklampen vormden een vierkant van licht met beweeglijke zijden naargelang de
boeven ergens op richtten. En onze gezichten waren het doelwit van de
lamp van Artur.

Ik bedacht dat de antiquair wilde dat wij met zijn handlangers naar beneden zouden gaan zodat hij op die manier niet bij onze dood aanwezig
zou hoeven zijn. Misschien had hij toch nog iets van een geweten...

Maar net toen ik dacht dat Artur opdracht zou geven om ons dan maar
ter plekke neer te schieten, hoorden we een kreet vanuit het schip van de
kerk: het was een van de huurmoordenaars. Toen de lampen zich daarop
richtten werd er een verschrikkelijke scène zichtbaar. Zonder zijn zaklamp
of pistool los te laten probeerde een van die mannen iemand te over-
meesteren die hem van achteren bij de keel vastgreep, en onmiddellijk
daarop flitste er een stalen lemmet en begon het bloed gutsend uit zijn hals
te lopen. Er volgde een schot, dat klonk als een bom in de afgesloten ruimte; die kerel schoot in het wilde weg, in het niets, op zijn eigen dood die boven zijn hoofd cirkelde. Ik herkende de aanvaller aan zijn korte witte haar
en de waanzinnige schittering in zijn ogen. Het was Arnau d'Estopinyá en
hij had zojuist een van de huurmoordenaars, die bloedend op de grond
was gevallen, de keel afgesneden. Oh, god! dacht ik, hij kan iemand af-
slachten zoals in die droom van het strand. Maar er was niet veel tijd om
na te denken: de andere twee begonnen op de oude man te schieten en ik
merkte dat Oriol mijn hand losliet om zich op een van de huurmoordenaars te werpen en hem zijn wapen af te pakken. Ik zag hoe Artur iets in
zijn jasje zocht. Dat moest nog een pistool zijn; hij stond in een goede positie en bijna zonder nadenken, als een veer, reageerde ik met een schop
precies in zijn kruis. Pats! Net als op Tabarca. Hij gilde het uit en greep
weer te laat naar zijn getroffen edele delen. Ik bedacht dat ik me op een

soort freudiaanse manier aangetrokken moest voelen tot die plek in de anatomie van de antiquair. Arnau probeerde het pistool van zijn slachtoffer te pakken, maar hij werd neergeschoten en viel in het donker op een paar meter afstand van de zaklamp, die nu de vloer verlichtte. Oriol deed zijn uiterste best het pistool van zijn tegenstander met beide handen te pakken te krijgen, maar die leek het stevig vast te hebben; zijn zaklamp was op de grond gevallen.

'Rennen, Cristina,' schreeuwde hij. 'Rennen, nu!' In het halfdonker kon ik zien hoe zijn tegenstander hem een stomp in zijn gezicht gaf.

Ik aarzelde een ogenblik. Ik mocht hem niet alleen laten. Ik herinnerde me de tempeliersgelofte die ons bond. Maar ik begreep dat ze hem niet zouden durven vermoorden als het mij lukte weg te komen. Dus in bijna complete duisternis, want nog maar een van de boeven had een zaklamp, zette ik het op een lopen in de richting van de kerkdeur die op de kloostergang uitkomt, in de hoop dat de twee hekken bij de Calle Rivadeneyra open zouden staan. Daar waren we door naar binnen gekomen, maar toen ik al halverwege het schip was herinnerde ik me dat we het hek hadden gesloten en alleen de deur naar de kloostergang open hadden gelaten, en dat Oriol de sleutels had. Hoe waren zij binnen gekomen? Door de sacristie, zoals ik de eerste keer had gedaan? Maar het was te laat om terug te gaan.

'Laat haar niet ontsnappen!' zei Artur met zwakke stem, maar verstaanbaar.

De huurmoordenaar probeerde me met zijn licht te vinden en de knal van nog een schot galmde door de heilige ruimte. De dood zat me op de hielen.

'Sta of ik schiet!' schreeuwde de man meteen nadat hij gevuurd had.

Ik voelde hoe mijn nekharen recht overeind gingen staan en liep met knikkende knieën verder in de richting van die muizenval waarin de afgesloten kloostergang was veranderd. Ik herinnerde me dat iemand die iets van het onderwerp meende te weten ooit had verteld dat het zelfs voor een ervaren schutter moeilijk was om met één pistoolschot een bewegend object te raken, zelfs op een paar meter afstand en vooral als je van richting veranderde. En dat het in die gevallen, ondanks wat films ons willen doen geloven, meer geluk dan wijsheid is als je raak schiet. Ik prentte me in dat de duisternis in de kerk nu in mijn voordeel werkte en hield mezelf voor dat Oriol en ik allebei in leven zouden blijven zolang ik niet gepakt werd. Maar die hoopvolle gedachte duurde nauwelijks een paar seconden. Ondanks de duisternis in die hoek van de kerk was het me gelukt met een flinke voorsprong op mijn achtervolger de deur te bereiken, maar toen ik door het kleine houten portaaltje naar de kloostergang liep, botste ik tegen een man, op die me onmiddellijk vastgreep. Artur had een van zijn mensen in het donker op wacht gezet.

Toen was ik echt helemaal op, waardoor ik zelfs niet bang meer was. Wat een treurig einde! Ik deed nog een vergeefse poging om me los te rukken van degene die me vasthield en die een hand voor mijn mond hield, maar toen zag ik nog meer mensen in de schaduw van de kloostergang. Op dat moment zei de man die me vast had gepakt dat ik rustig moest zijn, dat ik veilig was, dat hij van de politie was.

Ik wilde tegen de muur leunen en merkte dat ik bij een van de ramen tussen de kloostergang en de kapittelzaal stond, waar de tempeliers hun ceremonies hielden. Toen moest ik echt op de grond gaan zitten.

Daarna gebeurde alles razendsnel. De schutter die achter mij aan zat liep in de armen van dezelfde agent, alleen werd hij meteen omsingeld door een heel politiekordon en onder schot gehouden met een paar pistolen.

Uit de duisternis kwam ook Alicia tevoorschijn, samen met de pastoor. Zij was degene die de politie had gewaarschuwd, die ook geprobeerd had binnen te komen vanuit de Porta del Ángel via de binnenplaatsen aan de achterkant en vanuit de toegang in de Calle Santa Anna, die uitkomt op de Plaza Ramón Amadeu, waar zich de hoofdingang en die naar de kloostergang bevinden.

Het leek wel of Alicia zelf de leiding had. Het gezag van die vrouw heeft me altijd verbaasd. De commissaris die aan het hoofd van de operatie stond vroeg haar een paar keer haar mond te houden, maar iedereen, inclusief hijzelf, volgde uiteindelijk haar instructies op. Zij wist precies waar en wanneer wat moest gebeuren.

Oriol had overal kneuzingen en een bloedneus, maar verder maakte hij het goed en we vielen elkaar om de hals. Toen de huurmoordenaar die nog in de kerk was begreep hoe de zaken ervoor stonden, gooide hij zijn wapen ver van zich af, en bij Artur werd er zelfs nooit een gevonden. Ik vind het een ontmoedigende gedachte dat hij in voorlopige vrijheid werd gesteld en dat hij maar één nacht op het politiebureau hoefde te blijven. De zaak moet nog voorkomen.

De lichamen bleven op de plek waar ze lagen, op het middenpad in de kerk, vlak voor het dwarsschip. Ze mochten niet verplaatst worden voor de komst van de forensisch rechercheur.

Daar lag het lichaam van Arnau d'Estopinyá, voorover met om zich heen zijn bebloede dolk, het pistool dat hij van zijn slachtoffer had afgepakt en een mobiele telefoon. Die laatste paste helemaal niet bij de oude tempelier. Later hoorde ik dat Alicia hem die gegeven had om haar te kunnen waarschuwen als wij in de problemen kwamen. Zij vertelde dat de kerk voor Arnau zijn thuis was en dat hij daar meer dan eens de nacht in penitentie had doorgebracht, op zijn knieën biddend totdat hij op de grond of op een van de banken in slaap viel.

Hij was niet meteen gestorven. Hij had nog tijd gehad om met zijn eigen bloed een patriarchaal kruis op de grond te tekenen, dat met de vier armen, hetzelfde dat overal in de kerk aanwezig was. De dood kwam toen hij dat kruis kuste. Ik kan het niet helpen dat ik die man altijd heb beschouwd als de historische Arnau; voor mij waren zij een en dezelfde persoon. En voor mij blijft wat Luis heeft voorgelezen uit die bundel papieren waarop Enric schijnbaar dat verhaal heeft geschreven – verzonnen, gehoord, intuïtief aangevoeld of al die dingen bij elkaar – het echte verhaal van Arnau, de bezetene, de oude, de nieuwe, allebei, dezelfde. Zijn waanzinnige blik had me vaak angst aangejaagd, en zijn misdadige, fanatieke uiterlijk ook, maar toen ik hem daar zo zag liggen in een plas bloed kreeg ik tranen in mijn ogen en een brok in mijn keel. Hij stond buiten de maatschappij, was iemand die in de verkeerde eeuw was geboren, een marginale, eenzame, fysiek gewelddadige man, maar ondanks zijn waanzin eerlijk in zijn overtuiging en zijn idealen. Hij aarzelde niet om voor zijn geloof te sterven. Misschien had het redden van ons niet zijn prioriteit, maar hij deed het en aarzelde niet om het enige dat hij als Arme Ridder van Christus bezat op te offeren: zijn leven, om te voorkomen dat wat er nog over was van de schatten van de tempeliers in goddeloze handen terecht zou komen.

Zijn bestaan was, net als dat van zijn voorganger van zevenhonderd jaar geleden, naar mijn mening niet prettig, niet mooi en zelfs niet opbouwend geweest. Het waren harde levens, getekend door geweld en tegenslag. Maar hun laatste momenten als tempelier waren mooi geweest. Hij was gestorven voor zijn geloof, moordend in de strijd tegen de ongelovigen, het leven reddend van zijn wapenbroeders bij de verdediging van de relikwieën van martelaren. Wat kon een Arme Ridder van Christus nog meer wensen?

Alicia zorgde ervoor dat hij een begrafenis kreeg die een held waardig was. Er werd een rouwkapel ingericht in de kapittelzaal en het lichaam in de doodskist werd constant bewaakt door vier ridders in witte capes met het rode patriarchale kruis op de rechterschouder. Eenzelfde kruis dat hij kuste toen hij stierf. Postuum werd Arnau tot ridder geslagen en Alicia gaf het rustende lichaam de ridderslag. Ook ik werd tot vrouwe van de Tempelorde benoemd; de ring gaf me dat recht, hoewel ik me al lid van de orde had gevoeld vanaf het moment dat ik in zee was gesprongen en gezworen had Oriol nooit in de steek te laten. Maar hoe serieus alle aanwezigen die ceremonies ook namen, voor mij was het allemaal maar poppenkast. Het enige echte was het lijk, Arnau zelf, de laatste echte tempelier. En het was ironisch dat hij, die zijn bestaan had gewijd aan die utopie, bij zijn leven alleen de donkere cape bestemd voor sergeanten had mogen dragen, terwijl degenen van adellijke of rijke afkomst, zonder verdere verdienste dan hun geboorte, de witte riddercape droegen. Wat een dwaasheid.

Desondanks woonde ik de begrafenisceremonie ontroerd bij, naast Oriol, en daar kwam de gedachte bij me op: het was toen, op dat moment, dat onze boot uiteindelijk op Ithaca aankwam. Het avontuur was afgelopen.

56

Ik zal dit gedeelte snel vertellen omdat het treurig is. Net zo treurig als de afstand tussen droom en werkelijkheid.

Onze tweede jeugd lag achter ons, de avontuurlijke dagen, het postume cadeau van Enric. Vaak blijken vrienden, kameraden en minnaars die onvervangbaar zijn in bijzondere situaties, toch niet de juiste te zijn als het gaat om de rest van ons leven. Maar ik houd nog wel van hem en hij van mij. We hebben het geprobeerd, maar de liefde bleek niet groot genoeg om over de afgrond van onze verschillen een brug te slaan die lang genoeg was.

Ik denk wel dat ons avontuur ons dichter bij elkaar heeft gebracht; ik was niet meer dat verwende nest dat niet in staat was zonodig blootsvoets door het leven te gaan. Ik aanvaardde dat de 'Susi's', de mensen met aids, ook het recht hadden om te leven en lief te hebben, en ik accepteerde dat er mensen waren die alles uit liefde konden geven, maar zo was ik niet.

Hij was ook veranderd: hij was niet meer die radicale, tegendraadse anarchist. Hij had de schat van zijn vader gevonden en daarmee een oude nog openstaande schuld vereffend. Ik weet eigenlijk niet wie van de twee, vader of zoon, de schuldeiser en wie de schuldenaar was. Maar ik weet zeker dat Oriol met het afsluiten van dat hoofdstuk een vredesovereenkomst heeft getekend, waarvan ik overigens niet weet of dat was met de buitenwereld, met zichzelf of met een herinnering.

Helaas waren die veranderingen niet voldoende om ons dicht genoeg bij elkaar te brengen. Het leven had ons verschillende wegen doen gaan en hoe je ook je best doet, dat draai je niet terug; de tijd beweegt zich maar in één richting. De Costa Brava, de storm en de kus bleven begraven in het zand van het verleden.

Wat jammer.

En je wilt nu vast weten wat er is gebeurd met de schat. Wat de eindbestemming ervan is weet ik nog niet en dat interesseert me ook amper, tenminste niet persoonlijk. Zelfs voor niets wil ik geen van die stukken, hoe kunstzinnig, historisch en waardevol de kistjes ook mogen zijn. En de inhoud ervan nog veel minder. Ik krijg kippenvel bij het idee om er eentje als versiering in mijn appartement in New York neer te zetten. Ik heb mijn buik al vol van die even mooie als macabere ring met zijn stoffelijke resten.

Het ziet er ook niet naar uit dat Oriol, ondanks zijn passie voor de middeleeuwen, een paar van die historische kunststukken zelf wil hebben. Voor hem zijn het alleen maar studieobjecten.

Hij is ervan overtuigd dat de schat het avontuur was; dat alleen dat de erfenis van Enric was. Niets en niemand in de wereld kan ons dat afnemen. En zo denk ik er ook over.

Zoals Kaváfis zei:

Ithaca heeft je de reis gegeven
En ook al vond je het daar maar armzalig
Het heeft je niet misleid
Zo zal je, eenmaal wijs geworden
Begrijpen wat de Ihtaca's behelzen

Maar niet iedereen denkt daar zo over.

Door de tussenkomst van de politie kwam de ontdekking in de openbaarheid en toen waren de poppen aan het dansen. Het bisdom Barcelona vindt dat het recht heeft op een dergelijke vondst, ontdekt in een kerk. Maar in die tijd hoorde de kerk bij het klooster Santa Anna, van het Heilige Graf, waarvan de orde nog steeds in Catalonië haar zetel heeft, en haar rechten... Maar de relikwieën en de kistjes waarin ze zitten behoorden toe aan de tempeliers, die waren ontbonden door de paus, die met de koning van Aragón was overeengekomen om de weinige bezittingen die nog waren overgebleven na de koninklijke plunderingen, af te staan aan de Johannieterorde, die nog steeds actief is onder de naam Maltezer orde, de wettelijke erfgenaam dus.

Maar het gaat om een historische kunstschat en daar heeft de Spaanse Staat zeggenschap over, hoewel, en dat is een van de veranderingen die de centralistische Staat met zich mee heeft gebracht, de Generalitat veel in te brengen heeft als het gaat om Catalaans cultureel erfgoed...

En dan hebben we het nog niet eens over de echte en authentieke erfgenamen van de Arme Ridders van Christus... Er zijn honderden groepen die zich uitroepen tot de ware erfgenamen van de Tempelorde, waaronder die van Alicia.

Natuurlijk komt de schat alleen toe aan een van de provincies van de tempeliers; die van de koninkrijken Aragón, Mallorca en Valencia. En dat maakt het aantal mogelijke erfgenamen van de tempeliers een stuk kleiner. In Valencia werd de orde van de tempeliers, door een gril van Jaime II, opgevolgd door die van Montesa, die door hemzelf was opgericht. Maar Mallorca was in die tijd onafhankelijk van de beide andere koninkrijken, en strekte zich ook uit over de Catalaanse en Provençaalse gebieden die nu in Frankrijk liggen. Dus zouden groepen Nieuwe Tempeliers uit die Franse streek ook als erfgenamen kunnen worden beschouwd...

Alicia is heel slim en heeft zich niet willen bemoeien met eisen over morele erfenissen van de tempeliers... Wat een wespennest. Zij heeft haar vordering ingediend namens de ontdekkers van de schat: Oriol en mijzelf. Die vrouw heeft volgens mij een verontrustende belangstelling voor de relikwieën, nog meer zelfs dan voor de mooie verpakking. Ik wil niet weten, het interesseert me niet om te weten waarom...

Als advocaat ben ik uitermate nieuwsgierig hoe deze netelige kwestie afloopt. Maar als ik ergens van overtuigd ben, dan is het wel dat Alicia een behoorlijk deel van wat zij wil zal krijgen. Zo heeft zij het altijd gedaan.

En nu ben ik hier en ik kijk verdwaasd naar mijn hand zonder ringen, terwijl het vliegtuig me terugbrengt naar New York. Alleen. Wie zei dat het leven gemakkelijk was?

Mijn verlovingsring met de opvallende diamant heb ik naar Mike teruggestuurd toen het met Oriol wat leek te worden. De andere, de mooie ring met de robijn, de mannelijke, die van het Martiaanse geweld, waar binnenin een ster met zes punten glanst, die van het tempelierskruis, die met het menselijke bot, die van de bloedrode gloed, die gekwelde zielen herbergt, die heb ik aan Alicia gegeven.

Enric schreef in zijn brief dat de ring was bestemd voor degene van wie ik dacht dat die hem het meest verdiende. En daaronder behoorde ook ikzelf. 'Het moet iemand met een heel sterk karakter zijn,' stond in zijn brief, 'want de ring heeft een eigen leven en wil.' Op dat moment schonk ik geen aandacht aan die opmerking, maar stukje bij beetje ben ik erachter gekomen wat het betekent om hem te bezitten. Hij jaagt me angst aan. En wie hem verdient is Alicia. Meer dan enig ander die ik ken. Zij verdient het om de grootmeester van de Nieuwe Tempeliers te worden. Dat was ze al zonder ring, en nu is ze het met het historische symbool van haar positie. Bovendien weet zij beter dan wie ook wat haar te wachten staat en ik ben ervan overtuigd dat als iemand in staat is de eigenaar ervan te zijn, die iemand Alicia is.

Ze glimlachte toen ik hem aan haar gaf. Ze bedankte me toen nog niet, en uitte ook geen domme beleefdheden zoals: Nee alsjeblieft, Enric heeft hem aan jou gegeven, hij is van jou. Ze deed hem alleen maar om. Alsof hij altijd al van haar was geweest. Maar ze gaf me twee kussen en omhelsde me. Ik weet zeker dat Alicia vaak heeft gedroomd dat ze een oude tempelier was. Op een van haar strijdrossen, met stalen helm en maliënkolder, op weg naar het slagveld, en met de ballen stevig tussen het kruis en het rijzadel gedrukt. En daarachter volgt haar schildknaap, ook te paard, die haar wapens draagt en met een derde strijdros als reserve. En die schildknaap zou iedereen kunnen zijn. Zomaar iemand. Maar niet zo nobel, niet met zoveel gezag als zijzelf.

'Dank je,' zei ze even later toen zij hem om had en ernaar keek.

En zo verdween de ring van het avontuur van mijn hand, waardoor er een eind kwam aan de mooiste tijd van mijn leven. Het was afgelopen.

En nu ben ik op weg naar New York om, rechtszaak na rechtszaak, steeds hoger te stijgen op de ranglijst van briljante advocaten. Mijn ouders hadden gezegd dat ze op het vliegveld op me zouden wachten en... verrassing! Ook Mike zou er zijn, blij dat ik die rare bevlieging te boven was, met zijn ring, de reusachtige diamant met de zuivere, eerlijke glans, de belofte van een leven vol luxe aan de zijde van een telg van een van de rijkste families van Wall Street. Zo gaat dat. Het einde is niet altijd zoals in de film; de werkelijkheid bestaat helaas wel.

Toen we eenmaal de schat hadden gevonden en Arnau in diezelfde Santa Anna-kerk was begraven, na die dagen van waanzinnig geluk, kwam het moment van het gezonde verstand en de toekomstplannen.

Ik zei: ga mee. Hij zei: blijf hier. Ik zei: ik heb een briljante carrière in New York. Hij antwoordde: ik een baan in Barcelona. Wat je hier hebt kun je overal vinden, antwoordde ik, in Amerika kun je vast wat beters krijgen.

Een onderzoeker van de middeleeuwen in New York? Hij glimlachte, maar niet van harte. Jij kunt daarentegen wel een briljante advocaat in Barcelona worden, voegde hij eraan toe. Waar ik tegenin bracht dat op het advocatenkantoor waar ik werkte, de beste advocaten van de wereld zaten, dat ik nergens anders zo veel zou kunnen leren, zo hoog komen. Ga mee, alsjeblieft. Durf de man van je vrouw te zijn, kom op, doe niet zo macho, smeekte ik hem, dat had ik nooit van je gedacht.

Hij antwoordde met tranen in zijn ogen. Dat is het niet, Cristina. Jij hebt vleugels, ik wortels. Ik hoor hier thuis. Dit is mijn cultuur, mijn leven. Ik kan niet vertrekken. Blijf hier en maak in Barcelona carrière zoveel je wilt.

Hij kwam op het vliegveld afscheid van me nemen en voor de laatste keer probeerden we elkaar over te halen. Maar het bleef bij een: 'Dag, Oriol. We zien elkaar gauw.' Ik loog, en weet nog steeds niet waarom. 'Ik hoop dat je gelukkig wordt.'

'Dag, mijn lief. Vlieg met je vleugels zo hoog als je ambitie je voert. Hoger dan ieder ander.'

Wat treurig, hè? De hele reis heb ik gehuild. Al mijn papieren zakdoekjes en tissues zijn op.

En nu loop ik door de corridor van JFK, de internationale luchthaven van New York. Daar achter de controle van de immigratie en de douane staan mijn ouders en Mike op me te wachten, blij dat het verloren schaap weer terug is.

En achterblijft wat iets had kunnen worden, maar nooit zal worden. Een grote liefde. Geen 'verliefdheidje', LIEFDE. Oriol was de eerste en als mijn ouders in Barcelona waren gebleven was hij vast ook de laatste geweest. Maar je moet verstandig zijn. Je moet praktisch zijn.

Verstandig? Praktisch? Waarom?

Waarom mag ik van mezelf dat parallelle leven geen tweede kans geven? Mijn hart zei me terug te gaan, mijn verstand wilde mijn carrière in New York niet opgeven. Ik bedacht dat ik in Barcelona misschien ook een succesvol advocaat kon worden. Waarom zou ik het niet proberen? Moest ik de rest van mijn leven met die twijfel blijven zitten, met dat verdriet?

Carpe diem. Had ik dan niets geleerd? Ik zou degene zijn die aan het kortste eind trok, oké, maar soms leidt het op tijd accepteren van een nederlaag tot een overwinning. Ik moest het proberen.

En dus draaide ik me om. Ik liet de bagage achter, ik liet alles achter. Alles. En ging naar de balie om een ticket te kopen voor de eerstvolgende vlucht naar Barcelona.

'Meneer Oriol is niet thuis,' antwoordde het dienstmeisje.

'Weet u wanneer hij terugkomt?' vroeg ik nerveus.

'Dat weet ik niet, maar het zal niet vandaag of morgen zijn. Hij is op reis gegaan zonder te zeggen wanneer hij terugkomt.'

Ik voelde de grond onder mijn voeten wegzakken en van mij mocht dat verdomde vliegveld met mij erbij instorten. Wat een teleurstelling! Barcelona, dat eerder zo vol leek, was nu een woestijn, een totale leegte. De enige naar wie ik in die stad verlangde was er niet. Ik voelde me eenzaam, verlaten, zonder toekomst.

Wat snel had Oriol zich met mijn afwezigheid verzoend! Een reis. Met een vriendinnetje? Misschien met die haremvrouw van het strand? En ik was nog wel teruggekomen om hem te verrassen, hem mijn leven, hem alles te geven, mijn carrière, mijn liefde... alles. Wat ben ik dom! Ik voelde een brok in mijn keel en wist niet meer wat ik moest zeggen door de telefoon.

'Ik geloof dat hij zei dat hij naar New York ging,' voegde de vrouw eraan toe omdat het zo stil bleef.

Met een heel dun stemmetje bedankte ik haar en hing op.

New York. Mijn god! New York, zei ik bij mezelf en ik zocht een bank om te gaan zitten. Weer knikten mijn knieën. Hij wilde ook mij alles geven!

Ik keek eventjes naar mijn handen, nu zonder ringen, het symbool van een vrijheid die ik had besloten op te geven voor de liefde. Met een diepe zucht sloot ik mijn ogen en toen ik met mijn hoofd achterover in mijn stoel leunde, merkte ik dat er een gelukkige glimlach om mijn lippen speelde.

Ik zag het beeld van ons schip dat de haven van Ithaca verliet, met opbollende witte zeilen, om samen het avontuur van het leven tegemoet te gaan en de beproevingen en moeilijkheden te doorstaan die de goden voor ons in petto hadden. De gedichten van Kaváfis en de muziek van Llach klonken in mijn oren. Ik zag de blauwe zee van het middaguur aan de Costa

Brava, en die van Tabarca, de scholen zeebrasems met hun glinsterende zilver- en goudkleurige schubben boven het groene zeegras en het witte zand, en ik proefde het zout in mijn mond en dacht aan mijn eerste kus, en ook aan de storm. Ik dacht aan hem, aan mijn eerste liefde. De laatste.

Maar een hinderlijk stemmetje voegde er in mijn binnenste aan toe: 'Misschien...'